LETTRES PORTUGAISES

ET SUITES

Lettres portugaises

et

Suites

ÉDITION ÉTABLIE, ANNOTÉE ET COMMENTÉE
PAR ANNE-MARIE CLIN-LALANDE

LE LIVRE DE POCHE
Classique

Cet ouvrage a été publié
sous la direction de Michel Simonin.

Introduction

À la fin de l'année 1668, quelques mois après le retour des troupes françaises du Portugal, le libraire parisien Claude Barbin décide d'offrir à la curiosité des lecteurs cinq *Lettres portugaises traduites en français*. Elles paraissent sous la forme d'un petit in-12 de 182 pages dans les premiers jours de l'année 1669. D'après l'avis *Au lecteur*, ces lettres faisaient déjà grand bruit dans Paris depuis quelque temps ; de nombreuses copies, fautives, circulaient. Il s'agit donc de satisfaire l'intérêt manifesté par le public en lui fournissant une version imprimée correcte du texte. Six éditions des *Lettres*, une *Seconde partie*, deux séries de *Réponses* pour la même année 1669 témoignent d'un engouement certain. Comment expliquer ce qu'il faut bien appeler un phénomène ?

Publiées isolément, hors recueil, hors roman, ces lettres se dégageaient du cadre habituel qui composait des ensembles plus ou moins disparates ou enchâssait les lettres dans un tissu narratif. Écrites par une seule et même épistolière, privées des réponses, exposant une situation unique et personnelle, elles échappaient à la dispersion des recueils où les correspondants étaient variés et les situations conventionnelles. Tout en exprimant le déchirement et les tourments de l'amour déçu et de l'abandon, comme maintes héroïdes [1], elles se distinguaient du genre par leur forme — cinq héroïdes, en quelque sorte, mais en prose et sur un même sujet —, et par l'abandon de la légende et du dénouement tragique au profit d'une aventure moderne et d'une vérité commune. Parce qu'elles traduisaient le vertige du cœur dans un style anormal, chaotique, désordonné, elles semblaient ignorer les règles de la rhétorique et de la bienséance. En tournant le dos aux représentations traditionnelles de l'amour, elles inauguraient une vision nouvelle et un style ignoré jusqu'alors dans la littérature, celui de la passion.

Ce livre était donc curieux, surprenant, atypique dans la production épistolaire et romanesque du temps, et sa publication fut un événement. Il provoqua immédiatement des réactions mêlées d'admiration et de blâme et suscita chez les auteurs et les libraires une émulation pour cette nouvelle expression de l'amour. Enfin, il exposait une situation sinon scandaleuse, du moins scabreuse ; son contenu, sa présentation, les circonstances de sa publication entretenaient une *aura* parfaite de mystère et de doute, qui devait exciter la curiosité. Une religieuse a été abandonnée par son amant. Qui est cet officier français tant aimé, à qui elle adresse ces lettres passionnées ? Les a-t-elle réellement écrites ? Qui les a traduites ? A-t-elle vraiment existé ? S'agit-il d'une savante imposture ? Qui, dès lors, en est l'auteur ?

L'édition P. Du Marteau, publiée, comme celle de Barbin, en 1669, modifie le titre en *Lettres d'amour d'une religieuse escrites au chevalier de C. officier françois en Portugal*, et satisfait la curiosité des lecteurs

---

1. Épîtres en vers de héros et d'héroïnes de l'Antiquité.

en révélant dans la *Préface* l'identité du destinataire, Chamilly, et celle du traducteur, « Cuilleraque ». Ces données, jamais démenties par les personnes désignées, ont été à l'ordinaire admises et reprises dans les éditions suivantes. La conviction qu'il s'agit de lettres authentiques traduites prédomine jusqu'au XXe siècle. Elle est contestée pour la première fois en 1926[1]. Depuis, les questions qui se sont posées lors de la publication se sont trouvées revivifiées. L'interprétation de l'œuvre hésite entre l'authenticité et la fiction, passe d'une admiration enthousiaste pour son naturel à une admiration non moins enthousiaste pour son art de faire croire au naturel, du chaos issu d'un jaillissement spontané à la composition savamment organisée. Les lettres sont-elles nées dans un couvent portugais ou dans les salons parisiens, leur auteur est-il Marianna Alcoforado ou Guilleragues ? La question de cette maternité ou de cette paternité est portée devant la justice des hommes, et se voit « tranchée » par la Cour d'appel de Paris le... 1er avril 1968 ! L'ordre des lettres est controversé, l'interprétation des trois premiers mots (« Considère, mon Amour ») donne lieu à une interminable polémique. Il en résulte que « ce petit livre qui tient dans le creux de la main[2] » est alourdi aujourd'hui, et ce n'est pas fini, de rayons entiers d'études. La lecture n'en est pas facilitée, bien au contraire ; le texte se trouve recouvert d'une quantité d'écrans déformants, étrangers à sa portée et à sa signification. « Ce n'est

---

1. F.C. Green, art. cité. Les mentions *ouvr. cité* ou *art. cité* renvoient à la bibliographie (pp. 281 *sq*) ; le titre en est précisé lorsque nous mentionnons plusieurs ouvrages ou articles du même auteur. Les références complètes concernent les ouvrages ou articles absents de la bibliographie.
2. Y. Florenne, ouvr. cité, p. 49.

pas chose facile de lire les *Lettres portugaises*[1] », à travers nombre de fausses pistes, de chemins de traverse, où l'on trouve tout et le contraire de tout. Sinon, peut-être, de commencer par les lire.

« Comme on place la reproduction d'une œuvre d'art au frontispice du livre qui la commente, je crois nécessaire d'offrir ici à mon lecteur ce qu'il y trouvera de plus précieux : le texte des lettres. »

C'est par ces mots que s'ouvrait l'édition de Claude Aveline, *Lettres de la religieuse portugaise, suivies de... Et tout le reste n'est rien*[2]. Qui a la chance de pouvoir faire une lecture naïve du texte doit mettre à profit cette occasion de fraîcheur de la découverte. Ensuite seulement vient « tout le reste », dont il est possible, cependant, de tirer profit, en examinant chacun des points de vue et en réfléchissant sur leur justesse et leur intérêt, sans idée préconçue ni esprit partisan.

I. La réception des *Lettres portugaises* au XVIIe siècle

Pour comprendre les appréciations des contemporains sur l'œuvre, les « suites » qu'elle a suscitées et dont on lira un large échantillon dans cette édition, ses publications ultérieures dans des recueils, il convient de rappeler brièvement les caractéristiques essentielles de la littérature épistolaire du temps.

---

1. F. Deloffre et J. Rougeot, Paris, G.F. Flammarion, 1962, ouvr. cité.
2. Ouvr. cité.

Introduction

1. Le statut de la lettre publiée

Depuis la basse Antiquité, les lettres figurent dans les romans, sous forme d'insertion. Nous ne nous y intéresserons pas du point de vue formel, car ce type de lettres ne diffère pas de celui que proposent les recueils et les « secrétaires ».

Ceux-ci offrent des lettres d'auteurs fameux (Balzac, Malherbe, Racan, Godeau, etc.), des traductions de lettres non moins célèbres (héroïdes d'Ovide, lettres d'Héloïse et d'Abélard), des lettres extraites de romans, mêlant ainsi réalité et fiction. Cette diversité ne doit pas surprendre : elle répond à une intention unique, qui est d'offrir des lettres bien écrites, couvrant la totalité des relations humaines, répondant aux besoins et aux goûts d'un large public : celui qui n'a pas le privilège de respirer le bon air (c'est-à-dire l'air de la cour), bourgeois, provinciaux et étrangers. À cette unité d'intention correspond une unité de ton, où la politesse des pensées, l'élégance du style s'allient à une composition ordonnée selon les règles de la rhétorique. Les lettres sont des dissertations, des exercices littéraires, des modèles. Chaque lettre est codifiée plus ou moins explicitement dans sa composition (*introductio, captatio benevolentiae, narratio, petitio, conclusio*) et dans son contenu par les auteurs des secrétaires, qui sont des théoriciens de l'épistolographie [1]. Répertoriant tous les rapports sociaux, l'art épistolaire est un art du savoir-écrire, indissociable de l'art du savoir-vivre [2], avec ses impératifs.

---

1. Voir, par exemple, *Le Secrétaire à la mode* de Puget de La Serre (1640), *Le Parfait Secretaire* de Jacob (1646), les *Lettres et Billets en tous les genres d'écrire* de Personne (1662), précédé d'une théorie de l'art épistolaire et de son historique.
2. Voir *Les Compliments de la langue française* joints au *Secrétaire à la mode* de Puget de La Serre.

Le premier de ces impératifs est le caractère général et impersonnel de la lettre publiée, qui doit pouvoir être utilisée par tous. Tout ce qui relève du particulier disparaît dans la publication, l'identité des correspondants, les circonstances trop précises. Les destinataires sont désignés par des initiales ou des pseudonymes ; ils doivent être interchangeables et sans visage. Les lettres qui ont été réellement adressées sont remaniées à cet effet : « Que la lettre soit entièrement écrite en vue de l'impression ou qu'elle soit seulement remaniée, le résultat est le même : celui à qui elle est adressée sert de prétexte. On traitera du mariage en écrivant à une fille sur le point d'être accordée et des affaires de l'État à un magistrat expérimenté. Le correspondant, cessant d'être l'objet de la lettre, n'est plus qu'un moyen pour en délimiter le sujet [1]. »

Lorsque des lettres privées sont publiées, c'est au prix de suppressions et de remaniements importants. C'est ainsi qu'Auger de Mauléon et Du Bouillon « accommodent » Malherbe, que Flotte « corrige » Maynard, Pinchesne Voiture, que Perrin « revoit » madame de Sévigné. En effet, « on recherchait non pas des petits faits vrais, un aperçu sur l'intime, mais plutôt une thématique impersonnelle très générale consistant en remerciements, avis, félicitations, consolations ou galanteries [2]. »

Le deuxième de ces impératifs est que les lettres d'amour réellement envoyées doivent rester ensevelies, comme le recommande Mademoiselle de Scudéry. Ce qui fait leur beauté réside dans la non-observation des règles (elles ignorent la brièveté, la clarté, la politesse,

---

1. R. Duchêne, *Écrire au temps de Madame de Sévigné*, ouvr. cité, p. 12.
2. B. Bray, « Art épistolaire et art poétique : Théophile, Maynard, Tristan ». *Le Langage épistolaire au XVIIe siècle. De la rhétorique à la littérature*, Tübingen, Narr, 1991, p. 120.

la culture, l'esprit, la décence, l'ordre, en un mot la maîtrise de la pensée et de son expression), et les rend de ce fait impubliables. Madame de Villedieu, ayant appris que Barbin avait l'intention de publier certaines de ses lettres d'amour privées, remises au libraire à son insu, essaie de dissuader ce dernier de ce projet. La lettre qu'elle lui écrit à cette occasion montre bien la différence irréductible qui existe, et qu'elle établit, entre les lettres d'amour qu'elle publie et les autres, entre celles de « l'auteur épistolaire » et celles de « l'épistolière »[1] :

« Croyez-vous qu'une lettre qui est belle aux yeux d'un amant parût telle aux gens désintéressés ? [...] mes lettres d'amour sont trop tendres pour être exposées à d'autres yeux que ceux de l'amour-même[2]. » En dépit de ces protestations, Barbin passa outre, tout en noyant son indiscrétion dans un ensemble composite. Cet exemple n'est pas unique ; la pratique de vendre aux éditeurs des lettres d'amour privées à l'insu de leurs auteurs est même courante, d'après Guéret[3] ; cependant le pillage respecte les conventions et brouille les pistes en mêlant ces lettres à d'autres, de genre différent, fictives, et en uniformisant le procédé de présentation pour toutes les catégories.

Du point de vue de la structure romanesque, l'intrigue unique est évidemment absente des recueils. Les lettres insérées dans les romans, d'autre part, ne conduisent pas l'action. Écrire un roman par lettres, sans récit traditionnel ou détacher d'un recueil une suite romanesque de lettres ne vient à l'idée de personne. Tout au

---

1. Distinction établie par R. Duchêne, *Écrire au temps de Madame de Sévigné*, ouvr. cité, p. 11-28.
2. Lettre privée du 25 mai 1667 ; les *Billets* furent publiés au début de l'année 1668 ; dans M. Cuénin, *M.C. Desjardins (Madame de Villedieu), Lettres et billets galants*, ouvr. cité, p. 11-12.
3. *La Promenade de Saint-Cloud* (1669), édit. G. Montval, Paris, Librairie des Bibliophiles, 1888, p. 76.

plus constate-t-on, en 1668, des tentatives pour conférer à des recueils un liant romanesque : la première est celle de l'abbé d'Aubignac dont *Le Roman des lettres*[1] expose les difficultés de l'entreprise plus qu'elle ne les résout, dans une première partie ; de plus, dans la seconde, l'auteur revient aux sujets détachés et au mélange habituel des recueils. Le nouveau titre sous lequel on rencontre l'ouvrage après la première édition souligne le retour à l'esprit de manuel *(Nouveau Roman composé de lettres et de billets pour apprendre à bien parler la langue française, à bien coucher par écrit et s'entretenir dans les conversations).* Une autre tentative d'étoffe romanesque se manifeste dans le feuilleton épistolaire intitulé *Lettres de Cliante et de Célidie* de La Gravette de Mayolas[2]. De 1668 à 1671, à raison d'une livraison par semaine, Mayolas fait imprimer, à la suite d'une lettre en vers qui est une gazette, une lettre de Cliante à Célidie suivie d'une réponse de Célidie à Cliante, esquissant une correspondance galante, mais non dénouée et où l'intrigue reste au second plan : chaque séquence binaire développe un sujet sur les modèles rhétoriques de la thèse et de l'antithèse ou du rapport d'analogie, et le caractère littéraire de chaque lettre est souligné par un solide encadrement (titre à valeur de référence au début, sentence à la fin). Ces lettres, ou plutôt ces billets, sont de courtes dissertations traitant chaque fois un thème différent, où brillent l'esprit et le style, où la relation affective s'efface devant les jeux d'esprit, l'artifice et la mondanité[3].

---

1. Réédité par G. Malquori-Fondi, *Biblio 17, Papers of French Seventeenth Century Literature*, Paris-Seattle-Tübingen, 1989.
2. B. Beugnot a étudié ce texte dans *C.A.I.E.F.*, 1977, p. 146-158.
3. Le commentaire suit notre analyse de ces deux textes, dans *Recherches sur « Le Mercure dolant » 1678* (thèse, Bordeaux III, 1982).

2. *Situation des* Lettres portugaises

Rompant avec les traditions et avec les conventions, les *Portugaises* se détachent, font figure à part : pour la première fois, une série continue de lettres ayant une unité romanesque est publiée seule ; elle est livrée, contre l'usage, comme une correspondance privée authentique, la seule concession à la bienséance étant l'anonymat de la religieuse portugaise et du chevalier français ; la situation est précise, particulière ; son histoire commence là où les autres finissent, par la séparation et l'abandon ; les représentations de l'amour sont bouleversées : la femme n'est ni cruelle ni perfide, l'amant n'est ni soumis ni fidèle. Rupture avec l'amour tendre, mais rupture aussi avec l'amour galant : l'amour n'est plus un jeu d'esprit, un mensonge ; le rapport qui définissait, « de l'aveu même de ses zélateurs les plus enthousiastes », la galanterie, « beaucoup de littérature et peu de sentiment », est ici inversé, et la rhétorique conventionnelle abolie [1]. Ne représentant aucune des valeurs reconnues et recherchées telles qu'on les trouve dans les publications qui leur sont contemporaines, les *Portugaises* semblent renouer avec des antécédents plus anciens : l'héroïde notamment, qui fait revivre et analyse une crise intérieure née de la séparation, de l'abandon consommé et irrémédiable. On y retrouve aussi les accents sincères et véhéments des amoureuses célèbres (nouvelles « héroïnes ») : Héloïse, Lucresse et Fiammetta. Dans *L'Ystoire de Eurialus et Lucresse*, l'amoureuse, comme le fait Mariane, s'invective elle-même : « Ah ! Lucresse, oublie ta folie ! », « Malheureuse, de folle amour remplye » ; elle exprime son désarroi dans des prosopopées : « Conscience me dit : Suy ton honneur ! Et Cupido fit que je le doy fuyre » ; elle débat

---

1. J.M. Pelous, *Amour précieux, amour galant*, ouvr. cité, p. 303.

pour et contre l'amour d'un étranger : « Ah, Lucresse, se n'aymes ton mary, / Et que d'amour te vueilles entremettre, / De ce pays peus eslire ung ami / Sans au peril d'ung estranger te mettre » ; on peut y voir aussi l'illusion tenace de la fidélité de l'amant, la disposition à tout sacrifier à la passion : « Mère, mary, mon pays et renommée », le pressentiment de la passion sans règle et indéfectible : « Se commence une fois à amer, / Je ne tiendré ni rigle ne manière », la tentation du suicide, le chantage à la mort, la révolte devant le mauvais procédé d'Euryale, parti sans la prévenir[1]. L'héroïne de Boccace, Fiammetta, présente une évolution comparable à celle de Mariane : au début, l'espoir de la fidélité et du retour de l'amant, puis une période de luttes intérieures pour accepter la réalité de l'abandon, accompagnée de doutes sur la sincérité de l'amour de l'amant, de l'amertume de n'avoir jamais été aimée, mais séduite, les effets pathologiques (abattement, réclusion, on la croit folle, etc.), l'idée de suicide liée au rêve de conquête posthume et de vengeance, la combativité (Fiammetta envisage de se lancer, travestie, à la poursuite de son amant), l'attachement aux lieux des amours passées, au nom, au portrait de l'aimé, la même opposition du bonheur passé et du malheur présent. Enfin, l'absence de dénouement, dans l'élégie de Boccace (car c'est une seule et longue lettre) marque la primauté donnée à la vérité psychologique commune sur la vérité artistique de l'héroïde, tragédie en raccourci, au dénouement sanglant[2].

---

1. *L'Ystoire de Eurialus et Lucresse, vrays amoureux, selon pape Pie* (1493), traduction de l'œuvre d'Aeneas Sylvius Piccolomini (plus tard Pie II), *Historia de duobus amantibus* (1445) ; citations d'après l'édition d'E. Richter, Halle, Niemeyer, 1914.
2. D. Gras, art. cité ; *L'Elegia di Madonna Fiammetta* (1343-1344) a été traduite en français pour la première fois en 1532.

La ressemblance la plus importante des *Portugaises* avec ces œuvres tient sans doute à ceci : « Dans ces moments de folie, les passions, incapables de plaider leur cause avec succès, croient faire usage de tous leurs moyens lorsqu'elles ne font entendre que tous leurs accents [1]. »

Il semble donc que l'on retrouve, avec les *Portugaises*, un thème abandonné, dont la reprise est cependant nouvelle et originale : présentation par lettres, concentration de l'intrigue et des actants ; pour ce qui est du style, Mariane est la première à s'exprimer sans déployer « la science d'Archimède avec le discernement de Nestor [2] ».

3. Jugements

Le premier témoignage sur l'accueil réservé aux *Lettres portugaises* se rencontre dans *La Promenade de Saint-Cloud*, de Guéret (1669) :

« Voudriez-vous, repartit Oronte, juger de la bonté des livres par le débit ? Il me semble, poursuivit-il, qu'il y en a d'excellens qui pourrissent dans les boutiques, pendant que d'autres qui ne valent rien se débitent avec chaleur. Il ne faut pas aller plus loin que les *Lettres portugaises*. N'est-il pas surprenant combien il s'en est vendu ? Et je n'en vois point d'autres raisons, si ce n'est le charme de la nouveauté, et qu'on a pris plaisir à lire les lettres d'amour d'une Religieuse, de quelque manière qu'elles fussent faites, sans considérer que ce

---

1. G. Stroppini, « Didon amante et reine », *Enée et Didon, Naissance, fonctionnement et survie d'un mythe*, Paris, C.N.R.S., 1970, citant Chateaubriand, *Le Génie du christianisme*, 2ᵉ partie, chap. II.
2. Cl. Aveline, ouvr. cité, p. 195.

titre est le jeu d'un libraire artificieux, qui ne cherche qu'à surprendre le public.

— Que vous souciez-vous, interrompit Cléante, qu'elles soient véritables ou non, pourvu qu'elles soient bonnes ? N'ont-elles pas beaucoup de tendresse ? Et seriez-vous homme à soutenir contre tous venans la fausseté des *Lettres portugaises* comme l'abbé Bourdelot soutient contre tout le monde la vérité des Fragments de Pétrone ? Croyez-moi, prenons ce que l'on nous donne, de quelque main qu'il vienne, pourvu qu'il mérite d'être lu, et donnons-nous garde de ressembler à ces fanfarons qui ne voudroient pas d'une paire de gants, si elle ne venait de chez Martial.

— Il y a sans doute, repartis-je, quelque tendresse dans ces Lettres, si vous la faites consister dans les mots passionnés comme les *hélas*, etc. Mais, si vous la mettez dans les sentiments, à peine en trouverez-vous deux qui soient remarquables. Et, en vérité, n'est-ce pas une bien grande misère quand il faut lire un livre pour si peu de choses ? D'ailleurs, il n'y a même pas de style ; la plûpart des périodes y sont sans mesure ; et ce que j'y trouve de plus ennuyeux, ce sont de continuelles répétitions, qui rebattent ce qui méritait à peine d'être dit une seule fois. Voilà franchement ce qui m'en a dégoûté. Car je ne suis pas, comme vous croyez, de ceux qui ne trouvent rien de bon, si on ne le leur garantit véritable. »

Cet extrait mériterait une étude approfondie. Mais il appert qu'il est accablant pour les *Portugaises*. Leur faible défenseur est battu en brèche par ses deux amis : l'ouvrage ne vaut rien ; son succès est dû au voyeurisme et au relent de scandale du titre, à l'effet de surprise, comme d'autres qui sont dans l'air, évoqués plus loin, *Le Chien de Boulogne*, *La Galanterie des Vestales*.

Introduction

Dans ses *Sentiments sur les Lettres et sur l'Histoire, avec des scrupules sur le style* (1683), Du Plaisir émet des réserves sur l'apostrophe initiale :

« Je ne sais si, dans les lettres passionnées, il est à propos de parler à autre chose qu'à la personne à qui on écrit, et d'interpeller le destin, le ciel et mille choses insensibles ou éloignées. Je veux bien croire qu'en Portugal on puisse parler à son amour, et qu'en Italie on puisse s'adresser à ses yeux. Je ne veux même pas désavouer que ces discours n'aient en soi de grandes beautés ; mais je crains qu'ils n'en eussent pas autant en France, où l'esprit est plus naturel et plus rapide. »

Philippe de Villiers, dans ses *Entretiens sur les contes de fées* (1699), fait l'éloge des lettres authentiques :

« Nous n'avons guère de meilleurs ouvrages que ceux qui ont été écrits par des auteurs véritablement touchés des passions qu'ils voulaient exprimer. C'est ce qui a rendu si excellentes les *Lettres* d'Héloïse, les *Lettres portugaises*, et enfin les lettres manuscrites de deux ou trois femmes galantes de notre temps. » Ce qui apparaît progressivement, c'est un mélange d'attirance et de rejet, qui est constant dans tous les témoignages du temps.

Madame de Sévigné adopte une distance humoristique :

« Brancas m'a écrit une lettre fort tendre. Il me parle de son cœur à toutes les lignes. Si je lui faisais une réponse sur le même ton, ce serait une portugaise. » Plus tard, avec la même indulgence amusée : « Cette pauvre Coligny [...] convient d'une folie, d'une passion que rien ne peut excuser que l'amour même ; elle a écrit sur ce ton-là toutes les portugaises du monde[1]. »

Madame d'Aulnoy préfère les lettres de Mariane aux « secrétaires », suggère l'abandon de ceux-ci pour des lettres de ce genre nouveau, mais condamne leur « extra-

---

1. Éd. R. Duchêne (Pléiade), t. I, p. 297 et t. III, p. 50.

vagance [1] ». Vaumorière publie en 1690 un recueil de *Lettres sur toutes sortes de sujets, avec des avis sur la manière de les écrire.* Les *Lettres portugaises* ne figurent pas dans la section *Lettres tendres et passionnées.* Sans doute l'explication de cette exclusion est-elle dans les pages où il réclame dans les écrits des femmes plus de pudeur et de retenue que dans ceux des hommes, et déplore le succès de « lettres où l'amour violente passoit les bornes de la bienséance [2] ». Et lorsque Richelet les introduit dans sa nouvelle édition des *Plus belles lettres françaises* (1698), c'est avec des remaniements si importants [3] que l'on peut parler de véritable réécriture précédant celles du marquis de Ximénès en 1759, de Dorat en 1770 et de Cailleau en 1778. Ces auteurs justifient leurs adaptations par la beauté du fond et les imperfections de la forme. On trouvera en annexe les opinions de Ximénès et de Dorat ; voici celle de Cailleau, qui s'arroge le droit de retoucher chaque phrase, protestant que « la traduction que nous en avions était si informe (pour ne pas dire mauvaise) qu'il étoit impossible d'en achever la lecture. Celle que nous donnons est précise et plus correcte ; et quoique faite librement, on n'y trouvera pas ces longueurs rebutantes, et ces phrases métaphysiques d'un amour langoureux, qui ne permettoient pas au Lecteur le plus patient de voir la fin de ces Lettres [4] ».

Ce ne sont pas seulement le style et le rythme qui retrouvent une forme académique ; le fond est aussi corrigé dans un but de généralisation, de décence,

---

1. R.A. Day, « Madame d'Aulnoy on the *Lettres portugaises* », *Modern Langage Notes*, 1952, p. 544-545.
2. J. Chupeau, « Les Remaniements des *Lettres portugaises* par P. Richelet », art. cité, p. 50.
3. *Id., ibid.*, p. 46.
4. Dans *Lettres de tendresse et d'amour*, Amathonte. Paris, s.d. [1778], p. VII.

de bienséance. On salue donc une nouvelle forme d'expression, celle de la lettre passionnée, qui entre dans les recueils, tout en atténuant ses audaces ; la religieuse devient une « dame » ou une « chanoinesse ».

La question du fond réglée, les critiques ultérieures portent à nouveau sur la forme : Mercier de Saint-Léger explique les faiblesses que l'on dénonce chez Dorat par le fait que son texte de base n'était qu'une mauvaise traduction de l'original portugais[1]. Grimm déclare « avoir été fort étonné » de la réputation des *Portugaises*, et ne cache pas son impression d'ennui devant les redites : « faire parler longtemps de suite la même passion, c'est de toutes les entreprises la plus difficile[2]. » Stendhal, dans *Rome, Naples et Florence* (1817), les trouve inégalables pour leur naturel, mais dotées de « très peu de mérite littéraire ». Ce n'est qu'avec Rilke et la critique du XXᵉ siècle que l'on parlera de chef-d'œuvre.

II. Qui a écrit les *Lettres portugaises* ?

On a admis, pendant près de trois siècles, que les cinq lettres publiées par Barbin avaient pour auteur une religieuse portugaise.

Nous en avons quelques témoignages : ceux de Guéret[3], Du Plaisir[4], Philippe de Villiers[5], Madame d'Aul-

---

1. *Notice historique et bibliographique*, éd. F. Aubin, Paris, Delance, 1796.
2. *Correspondance littéraire*, t. IX, mars 1771, p. 268.
3. « Seriez-vous homme à soutenir contre tous venans la fausseté des Lettres portugaises ? », voir *supra*, p. 18.
4. « Je veux bien croire qu'en Portugal on puisse parler à son amour », voir *supra*, p. 19.
5. Voir *supra*, p. 19.

noy[1], Vaumorière, Dorat, Mercier de Saint-Léger, Cailleau, Grimm[2], Sainte-Beuve[3], Rilke[4]. Sont encore de cet avis Saint-Simon[5], Bayle[6], Sénancour[7], Stendhal[8].

Ce n'est qu'en 1926 que le doute s'installe, avec la découverte du privilège accordé à Barbin et le relevé de certaines contradictions entre le texte des lettres et les

---

1. « Ne vaudrait-il pas mieux qu'elle s'occupât à écrire comme cette fille de son pays que l'on nomme, ce me semble, Mariane, dont nous avons vu les lettres ? », art. cité, p. 20, n. 1.

2. Voir p. 21.

3. Sainte-Beuve loue le caractère non littéraire de certains ouvrages : « Aussi les lettres écrites au moment de la passion, et qui en réfléchissent, sans effort de souvenir, les mouvements successifs, sont-elles inappréciables et d'un charme particulier dans leur désordre » ; *Portraits de femmes* (1844) ; cité d'après *Œuvres*, II, Paris, Gallimard (Pléiade), 1951, p. 1009.

4. Voir L. Spitzer, art. cité, p. 128-135.

5. *Mémoires*, Paris, Gallimard (Pléiade), t. II, p. 293 et t. V, p. 142-143.

6. « On eut beau mutiler le pauvre Abélard, elle eut beau prendre le voile, il lui resta toujours un grain de cette folie ; et ce n'est point par les *Lettres portugaises* qu'on a commencé à connoître qu'il n'appartient qu'à des Religieuses de parler d'amour » ; *Dictionnaire historique et critique*, Rotterdam, R. Leers, 1697, article *Héloïse*, p. 271.

7. « Voyez sur ces lettres qui ne sont pas un roman l'article *Lettres portugaises* dans ma note générale *Livres à lire à acquérir etc.* » ; *Annotations encyclopédiques élémentaires* (manuscrit), article *Lettres portugaises* ; la note en question est introuvable, comme la plupart des « notes détachées ».

8. « Il y a beaucoup d'amours différents ; 1) l'amour-passion, celui de la religieuse portugaise » ; « Il faut aimer comme la *Religieuse portugaise*, et avec cette âme de feu dont elle nous a laissé une si vive empreinte dans ses lettres immortelles » ; respectivement au début du chap. Ier de *De l'Amour* (1822), et dans *Vie de Rossini* (1823), Paris, Le Divan, 1929, t. I, chap. XXVIII, p. 292 ; Stendhal parle-t-il d'une personne réelle ou d'un personnage littéraire ? L'hésitation est permise ; en tout cas, le sujet lui tient à cœur : il est évoqué encore en épigraphe dans *Le Rouge et le Noir* (1830), seconde partie, chap. XX : « Amour ! dans quelle folie ne parviens-tu pas à nous faire trouver du plaisir ? Lettres d'une RELIGIEUSE PORTUGAISE » (épigraphe visiblement composée par Stendhal lui-même).

données de l'histoire[1]. En 1954, l'interrogation sur le véritable auteur des lettres est prolongée par une étude de leur valeur littéraire, qui s'achève sur la certitude qu'elles ont été écrites par un écrivain français[2]. Dès lors, les partisans de l'authenticité et de la fiction s'affrontent ; ceux-ci semblent l'emporter aujourd'hui sur ceux-là, et la querelle de l'attribution endormie, voire éteinte. Ce n'est qu'incidemment que l'on trouve réaffirmée à une date récente la conviction qu'il s'agit très certainement d'une traduction[3].

Nous ne reprendrons pas dans leur détail toutes les hypothèses concernant la genèse des lettres : on les trouve dans les éditions modernes et les articles cités. Le problème n'est pas tant de trancher entre Mariane et Guilleragues que de savoir si une œuvre anonyme peut être attribuée à un auteur, et comment. Nous nous attacherons plutôt à montrer sur quelles bases se fonde la critique d'attribution illustrée par les deux thèses principales qui restent en présence.

1. La fiction

Pour F. Deloffre, cette fiction est de Gabriel Joseph de Lavergne, comte de Guilleragues (1628-1685). Sa référence est, telle qu'elle est transcrite dans le *Registre des privilèges*, la mention laconique de l'autorisation accordée au libraire Barbin, le 17 novembre 1668, d'imprimer « un Livre Intitulé les Valentins Lettres portugaises Épigrames et Madrigaux de Cuilleraques ».

---

1. F.C. Green, art. cité.
2. L. Spitzer, art. cité.
3. R. Duchêne, *Écrire au temps de Madame de Sévigné*, ouvr. cité, p. 86, n. 40.

Ce privilège dit-il que Guilleragues est l'auteur des *Lettres portugaises* ? À cette question, on peut répondre assurément : non. Il s'applique à un amalgame d'œuvres diverses, qui peuvent être d'auteurs différents, pratique courante à l'époque. Le « Livre » en question n'a jamais paru. Les « Épigrames et madrigaux » non plus, ou bien sont dans cette formulation des doublets de « Valentins », qui sont des madrigaux épigrammatiques. Les *Valentins* ont paru sous l'anonymat, avec des *Questions d'amour* déjà connues, qui ne sont pas de Guilleragues : même si les *Lettres portugaises* avaient paru avec les *Valentins* dans un même volume, on ne pourrait pas en déduire que les deux œuvres sortent de la même plume. La désinvolture de la formulation et les publications diverses qui correspondent à ce privilège unique pris pour un livre composite invitent nécessairement à la prudence, sinon à la méfiance. Privilège qui révèle simplement l'intention de publier un nouveau recueil, où la fiction se mêle à l'authenticité, vraie ou prétendue, la poésie à la prose ; pris pour deux (?) œuvres dont la publication est prévue pour 1669, sans urgence pour les *Valentins*, déjà connus [1], immédiate pour la nouveauté, les *Portugaises*. Un nouveau privilège sera accordé à Barbin pour les *Lettres portugaises*, sans nom d'auteur cette fois, le 7 janvier 1681 [2]. Dans l'édition du 4 janvier 1669, pas de Guilleragues, mais un « traducteur » anonyme.

La première question à se poser eût été, semble-t-il, et reste la suivante : connaît-on, à l'époque, des traductions prétendues visant à faire passer pour authentiques des œuvres de fiction ? Un dépouillement exhaus-

---

1. N. Ivanoff, *La Marquise de Sablé et son salon*, Paris, Les Presses modernes, 1927, p. 140.
2. Gervais E. Reed, *Claude Barbin, libraire de Paris sous le règne de Louis XIV*, Genève-Paris, Droz, 1974, p. 26.

tif de la bibliographie de M. Lever, *La Fiction narrative en prose au XVIIe siècle* (Paris, C.N.R.S. 1976), fait apparaître 96 traductions, toutes véritables. Voilà qui devrait donner à réfléchir. Saurait-on oublier, d'autre part, la pratique fréquente du prête-nom ou de la collaboration ? Autant d'hypothèses que la critique d'attribution traite par le silence.

Le deuxième argument est que, une fois la valeur artistique des *Lettres* démontrée, la thèse de l'authenticité doit être définitivement rejetée, et que « la griffe de lion d'un auteur conscient de son style [1] » qui se manifeste dans cet ouvrage ne peut être que celle de Guilleragues. L'argumentation de F. Deloffre est que « tout le désigne », sa culture, les gens de lettres qu'il fréquente et ses autres écrits. Il établit des rapprochements entre les thèmes des *Lettres* et les questions d'amour débattues dans le cercle de Madame de Sablé, marquées par une conception pessimiste de l'amour.

Ces rapprochements ne sont guère convaincants. Les productions du salon de la précieuse marquise et ses propres écrits sont aux antipodes du style des *Portugaises*, à un point tel que leur émanation de ce cercle paraît, bien plutôt, inconcevable. Dans la correspondance de Madame de Sablé comme dans ses *Maximes* règne le style de la mondanité, qui ne s'écarte jamais de « l'honnêteté » ni de la raison [2]. La conception de l'amour est précieuse : à la cour de Chypre de la princesse Parthénie, tous les hommes sont amoureux et toutes les femmes sont aimées, telle est la louange adressée par Mademoiselle de Scudéry [3] au salon de

---

1. L. Spitzer, art. cité, p. 109.
2. Voir Ivanoff, ouvr. cité, et *Moralistes du XVIIe siècle. De Pibrac à Dufresny*, éd. établie sous la direction de J. Lafond, Paris, R. Laffont, 1992, p. 241-271.
3. Mademoiselle de Scudéry, *Grand Cyrus*, t. IV ; cité d'après J.M. Pelous, *Amour précieux, amour galant*, ouvr. cité, p. 61-62.

Madame de Sablé. D'après Madame de Motteville, Madame de Sablé définissait l'éthique des femmes, dans leurs rapports avec les hommes, de la sorte : « Les femmes, qui étoient l'ornement du monde et étoient faites pour être servies et adorées, ne devoient souffrir que leur respect [1]. »

Au jeu des rapprochements, on peut trouver, et l'on a trouvé, bien d'autres rencontres. Aux nombreux exemples déjà cités dans des travaux antérieurs, ajoutons deux extraits. Le premier est tiré des *Billets galants* du recueil de Sercy (1660) :

« Je me suis laissée emporter aux appas de vos discours, je me suis fondée sur l'asseurance de vos promesses, enfin je me suis figurée que vous m'aimiez, et j'ay fait tout mon possible pour vous rendre le change. Au lieu qu'auparavant je vivois libre, je me suis mise en état de captivité, me persuadant qu'il n'y avoit que de la douceur à ressentir un lien qui vous arrestoit aussi bien que moy, et qui nous devoit unir ensemble. C'est pour vous que je me suis souvent trouvée en inquiétude ; c'est pour vous que j'ay quitté cette tranquillité que gardent les personnes qui n'aiment rien qu'elles mesmes. Vos moindres douleurs m'ont semblé très grandes, et je les ay souffertes comme vous. Lorsque vous avez esté absent de moy, je n'ay point eu de repos, et j'ay toujours apprehendé quelque infortune. [...] Vous n'avez plus de soin maintenant de savoir de mes nouvelles, vous ne vous mettez plus en peine de me voir en tous les lieux où je puis aller. [...] La défense qui vous reste, c'est peut-estre que vous avez quelque grande affaire qui vous occupe, et qui vous a fait

---

1. *Mémoires*, cité d'après J.M. Pelous, *ibid.*, p. 120.

changer de coustume ; que cela cessé, vous reviendrez à moy avec plus d'ardeur que jamais [...] [1]. »

Le deuxième vient des *Lettres et Billets galants* de madame de Villedieu (1668) et s'ajoute à de nombreux rapprochements déjà signalés entre cette œuvre et les *Portugaises* :

« Oui, je voudrois de tout mon cœur que vous déplussiez à tout le monde, que vous parussiez mal fait, de mauvaise mine et dépourvu de toutes sortes d'avantages [2]. »

Que conclure de ces similitudes ? « Les rencontres littérales ne sont guère probantes : elles apparaissent même d'autant plus fortuites que l'identité des thèmes est plus visible [3]. » L'attribution ne peut se fonder sur de tels indices.

Mais pourquoi Guilleragues ? Les autres écrits qui lui ont été attribués, les *Valentins* [4], le *Confiteor*, sont des divertissements de salon, « de peu de portée et de mince agrément », comme le dit avec pertinence Pierre Clarac. Ses lettres privées sont correctement et élégamment écrites, comme on pouvait l'attendre d'un secrétaire du roi, doublé d'un ambassadeur, ou, tout simplement, d'un individu cultivé, poli et spirituel de l'époque. Par ailleurs, 21 lettres entre 1654 et 1677, c'est peu ;

---

1. *Recueil de pièces en prose les plus agréables de ce temps,* 1re partie (1640), *Billets galants, ou Billets doux d'une Amante à un Amant, Lettre de Dorinice,* p. 314-318 ; l'ensemble de cette section présente de nombreuses similitudes avec les *Portugaises* : les réponses de l'amant sont inférieures aux lettres de l'amante, ailleurs on lit « je crois que je suis folle de vous écrire ainsi tout ce que je pense » (p. 299), si l'amant revient « alors je quitterois les plaintes et je me servirois d'un autre style », etc.
2. M. Cuénin, ouvr. cité, p. 41.
3. *Id., ibid.,* p. 24.
4. Pour les *Valentins,* L. Cardim concluait non sans raison que s'ils étaient bien de Guilleragues, les *Portugaises* ne pouvaient pas être de lui ; cité d'après G. Rodriguez, ouvr. cité, p. 15-16, n. 1.

lettres d'affaires, de service, ou de contenu souvent
anodin, on attendrait mieux d'un grand épistolier. Force
est de reconnaître que le bagage du « grand écrivain »
est insignifiant. Si Guilleragues est l'auteur des *Lettres
portugaises*, il aurait connu (à condition, bien sûr, de
considérer ces lettres comme « le » chef-d'œuvre), un
moment de grâce, un éblouissement passager, une
inspiration soudaine, isolés dans toute une vie : Rouget
de Lisle et *La Marseillaise*. Ayant cependant commis
auparavant des « tron tre lon ton ton » et des couplets
de ce style : « J'aime bien mon beau-frère / Le comte
de Sauzay, / J'aime bien ma belle-mère, / Mon beau-
père du Gué, / Mon cousin de La Trousse, / Mon frère
de La Mousse, / Mon oncle Le Tellier ; /Mais j'aime
mieux Gautier », etc. De plus, il existe entre la personnalité de Guilleragues telle que nous la connaissons,
homme d'esprit, homme du monde, plaisant, railleur,
caustique et l'œuvre qu'on lui attribue un hiatus.
« L'auteur a été retrouvé, mais on ne peut malgré tout
se défendre de l'impression qu'il y a erreur sur la
personne. [1]. »

Les autres arguments s'appuient sur les éditions et
certains témoignages contemporains : 1) une appréciation dans *L'Amour eschappé*, historiette attribuée par
certains à Donneau de Visé : Guilleragues « fait très
bien les vers, aussi bien que les lettres amoureuses » ;
2) un texte de 1685, *Histoire du temps ou Journal
galant*, attribué à Vanel, pour qui les *Lettres portugaises*
ont été écrites par un courtisan sur l'ordre d'une
princesse ; 3) la note de lecture d'un inconnu, M. de
N., qui écrit en 1693 que les *Portugaises* ont été faites
« à plaisir », et 4) celle de Bruzen de La Martinière,
dans son édition du recueil des *Plus belles lettres*

---

1. J.M. Pelous, *Amour précieux, amour galant*, ouvr. cité, p. 297.

françoises de Richelet en 1721 : « On les attribue à M. de Guilleragues ».

Ces arguments sont très faibles. Faire bien des lettres amoureuses était un jeu de salon, et ne signifie pas forcément qu'on est l'auteur des *Portugaises*. Le texte de Vanel se trouve dans un contexte de fiction parfaitement fantaisiste : celui de la première nouvelle, *Histoire de La Violette, ou du faux comte de Brion*. Le voici, ce fameux témoignage du « faux marchand » qui confirmerait l'attribution des *Portugaises* à Guilleragues :

« Un jour étant à une Comedie que le Prince Regent faisoit representer dans son Pallais, pour divertir son Excellence, il se trouva assis auprès d'une femme voilée ; et en attendant que la pièce commençât lia conversation avec elle ; les Dames, luy dit-il, sont bien-heureuses en Portugal de pouvoir aller par tout sans être connües. Ce privilège, repartit l'inconnüe, ne s'étend pas bien loing ; il nous est seulement permis de cacher nôtre visage ; mais les Cavaliers Français deguisent si bien leurs sentimens, que nous y sommes presque toûjours trompées. Vous sçavez reprit La Violette, bien mieux dissimuler que nous, et nôtre sexe est toûjours la dupe du vôtre. Cependant repliqua la Dame voilée, s'il faut en croire les Lettres Portugaises qu'on a fait imprimer à Paris, après les avoir traduites en vôtre langue, nous sçavons bien mieux aimer que les hommes, et toute nôtre tendresse n'est payée que d'ingratitude ; ces Lettres luy dit le faux Marchand, ne sont qu'un jeu d'esprit, et l'ouvrage d'un homme de la Cour de France, qui les fit par l'ordre d'une Princesse, et pour luy montrer comment pouvoit écrire une femme prévenüe d'une forte passion. Mais... peux-tu parler ainsi, ingrat, repartit l'inconnüe haussant la voix, toy qui as entre les mains les Originaux de ces Lettres, et qui ne peus oublier que je ne te les aye écrites à Paris, lorsque tu y retourneras après la Paix des Pirennées ? La Violette qui ne comprenoit rien à ce discours gardait le silence ce qui obligea l'inconnüe de poursuivre ainsi d'un ton plus bas : quoy ne te souvient-il plus de cette Religieuse que tu voyois tous les jours au premier voyage que tu fis à Lisbone, et à qui tu avois permis d'être fidèle jusqu'au tombeau. Une de mes compagnes qui sçait ma foiblesse, te vit il y a quelques jours à un parloir de mon Convent, et m'en donna avis, voilà pourquoy je suis venüe deguisée à ce spectacle pour t'y chercher ayant trouvé moyen de sortir. Puisque j'ay esté assez heureuse de te trouver ; assure toy que tu ne m'échaperas pas, et que je ne te laisseray pas partir que tu ne me mêne en France. Bien que La Violette connût son erreur, il ne voulut pas la désabuser ; soit qu'il voulût en profiter ou qu'il ne jugeât pas le lieu propre à un pareil éclaircissement. Il feignit d'être bien aize de la voir dans ces sentimens, la mena chez l'Ambassadeur où il logeoit encore, et la teint enfermée dans sa chambre jusqu'à ce qu'il eût mis ordre à son départ [1] ».

J. Chupeau identifie la « Princesse » (c'est Henriette d'Angleterre) et l'« homme de la Cour de France » (c'est Guilleragues). Pétition de principe et cercle vicieux parfait : si l'on part de l'idée que Guilleragues est l'auteur des *Portugaises*, étant donné qu'il est l'un des protégés d'Henriette d'Angleterre, les identifications s'ensuivent tout naturellement. C'est au nom de la même pétition de principe (Guilleragues est l'auteur des *Portugaises*) que l'on accorde du crédit à ce texte, et qu'on le refuse, par exemple, à celui de *La Médaille curieuse*, où l'auteur rapporte que Chamilly possédait, en 1669, lorsqu'il passait de Toulon à Candie, les lettres de Mariane : il les « tenoit pour lors entre les mains les

---

1. Texte découvert par A. Adam, *Histoire de la littérature française*, t. IV, p. 168-171 ; cité d'après J. Chupeau, « Vanel et l'énigme des *Lettres portugaises* », art. cité, p. 224-225.

montrant à un de ses amis [1] ». L'épisode est aussi suspect que le précédent, mais s'appuie du moins sur une réalité : Chamilly s'est bien embarqué pour Candie en 1669. Comment peut-on écrire que l'auteur de *La Médaille curieuse* « exploite le côté romanesque de l'aventure de la Portugaise » tandis que celui de l'*Histoire de La Violette* « tire ingénieusement parti des renseignements qu'il donne en homme bien informé [2] » ? La fausseté de l'un et la véracité de l'autre ne s'imposent guère, et ne sont pas démontrées.

L'affirmation de M. de N. n'a d'autre valeur que celle d'une opinion personnelle, et celle de Bruzen de La Martinière, très tardive, est de peu de poids ; on peut opposer de nouveau à ces deux notes isolées que les éditions donnent Guilleragues (ou Subligny) comme traducteurs, non pas auteurs, et que c'est cela qui est généralement admis.

La culture classique qui se manifeste dans les *Portugaises* n'est pas l'apanage de Guilleragues. Elle n'est pas, de surcroît, une preuve en faveur de la thèse de la fiction, car elle a pu se manifester tout aussi bien dans une traduction [3] : on sait que les préceptes exposés par

---

1. *La Médaille curieuse où sont gravés les deux principaux écueils de tous les jeunes cœurs, Nouvelle manière de roman, par L.C.d.V.* [le chevalier de Bussière[, Paris, 1672.
2. F. Deloffre, *Lettres portugaises*, éd. de 1990, ouvr. cité, p. 16-17.
3. De même que les gasconismes relevés par F. Deloffre, d'une façon excessive d'ailleurs : par exemple, l'emploi du futur de l'indicatif au lieu du subjonctif présent après « il est possible que » n'a rien de gascon ; il correspond à une syntaxe plus souple et plus expressive que celle d'aujourd'hui : c'est ainsi que Béralde (*Le Malade imaginaire*, III, 3) utilise les deux dans une même phrase : « Est-il possible que vous serez toujours embéguiné de vos médecins et que vous vouliez être malade en dépit des gens et de la nature ? » ; ou encore, par exemple, le *e* svârabhatique, qui se trouve dans la réponse à la sixième lettre de l'édition van Dole (1742) : « Je t'en convainquerai » (p. 126) ; faut-il en conclure que cette réponse est de Guilleragues ?

31

Du Bellay en la matière (*Deffence et Illustration de la langue françoise*, chap. V et VI) sont toujours en vigueur au XVIIᵉ siècle ; l'attention est portée à la version française, à sa conformité aux usages et aux goûts du temps ; toutes les libertés par rapport au texte original sont permises pour offrir une œuvre littéraire digne de l'admiration des contemporains. Antoine Galland, secrétaire de Guilleragues à Constantinople, commente ainsi son édition des *Mille et Une Nuits* :

« *Les Mille et Une Nuits*, contes des Arabes, mis en françois. L'original est en arabe et je dis *mis en françois* parce que ce n'est pas une version attachée précisément au texte, qui n'auroit pas fait plaisir aux lecteurs [1]. » Le souci de fidélité scrupuleuse n'existe pas. Traduction, au XVIIᵉ siècle, ne signifie pas version, mais imitation signifie création [2]. Et c'est peut-être bien ainsi qu'il faut entendre Guilleragues, lorsqu'il écrit à Madame de La Sablière qui vient de lui envoyer le tome IV des *Fables* qu'il pourrait « passer pour auteur à peu près » comme La Fontaine, qui présente son œuvre comme une simple « mise en vers » d'Ésope.

Par conséquent, lorsque l'éditeur des *Portugaises* déclare « avoir recouvré une copie correcte de la traduction », pourquoi le soupçonner de supercherie visant à faire passer pour authentique une œuvre de fiction ? Il ne saurait parler de fidélité textuelle (en admettant qu'il ait l'original), puisque la notion est inexistante ; il parle plutôt de la présentation matérielle du texte. De même, la contestation sur l'ordre des lettres, sur leur nombre,

---

1. M. Abdel-Halim, *Antoine Galland, sa vie et son œuvre*, Paris, Nizet, 1964, p. 193.
2. Voir H. Coulet, compte rendu de G. May, *Les Mille et Une Nuits d'Antoine Galland ou le chef-d'œuvre invisible*, dans XVIIᵉ *siècle*, 1987, p. 353.

le doute de Cailleau [1] et de Sainte-Beuve [2] concernant l'intégralité du texte sont des interrogations que la critique ne peut écarter, parce qu'elle ne peut pas écarter l'hypothèse de la traduction. F. Deloffre objecte que Guilleragues n'a pas pu être traducteur, ne sachant pas le portugais. Est-ce si sûr ? En tout cas, il savait l'espagnol, et quiconque sait l'espagnol peut comprendre le portugais écrit. Si c'est lui le traducteur, il ne se trompe pas, soit dit en passant, sur l'orthographe portugaise de « dona » et ne lui affecte pas le tilde espagnol.

2. *L'authenticité*

Les tenants de l'authenticité s'appuient également sur des arguments d'ordre externe et interne, sans pouvoir davantage apporter une preuve irréfutable. Ils accordent tout crédit aux indications de l'édition originale, aux mentions répétées de « lettres traduites » et à l'article de P. Boissonnade, rendant publique une note figurant sur son exemplaire de l'édition originale : « Tout le monde sait aujourd'hui que ces lettres, remplies de naturel et de passion, furent écrites à M. de Chamilly par une religieuse portugaise et que la traduction est de Guilleragues ou de Subligny. Mais les bibliographes n'ont pas encore découvert le nom de la religieuse. Je puis le leur apprendre. Sur mon exemplaire de 1669, il y a cette note d'une écriture qui m'est inconnue : ''La religieuse qui a écrit ces lettres se nommait Mariana

---

1. « Il y a près d'un siècle que Guilleragues a traduit ces lettres. Il a supprimé des endroits considérables, qui, sans doute, lui ont paru trop sçavants, puisqu'il ne les entendoit pas. » *(Lettres de tendresse et d'amour* [1778, p. 196]).
2. « On connaît celles [les lettres] d'une Portugaise, bien courtes, malheureusement, et tronquées », *Portraits de femmes*, 1844, p. 1009.

Alcoforada, religieuse à Beja, entre l'Estramadure et l'Andalousie. Le cavalier à qui ces lettres furent écrites était le comte de Chamilly, dit alors le comte de Saint-Léger[1]." » Il n'y aurait aucune raison de voir là (pas plus que chez M. de N. ou Bruzen de La Martinière pour la thèse contraire), dans un exemplaire acquis au XIXᵉ siècle, une preuve en faveur de l'authenticité. Mais de longues recherches entreprises sur la foi de cette note ont confirmé l'existence possible d'une aventure réelle entre les personnes désignées. Le comte de Chamilly-Saint-Léger, né en 1636, a bien participé à la campagne du Portugal de 1663 ou 1664 à 1667 et cantonnait à Beja, centre important de mouvement et de concentration de troupes de 1665 à 1667. L'infant Don Pedro, ayant reçu des plaintes des autorités de Beja, ordonna le 15 juin 1667 à la cavalerie française de quitter la ville. La famille Alcoforado figurait, en bonne place, parmi les notables. Une Marianna Alcoforado[2] était alors au couvent de Notre-Dame de la Conception de Beja, dans cette province de l'Alentejo où se concentraient les batailles des Français et des Portugais contre les Espagnols. Née en 1640, elle avait, comme Chamilly, moins de la trentaine. L'on induit de la possibilité d'une liaison amoureuse entre l'officier et Marianna la réalité d'une correspondance, transmise par les cinq lettres publiées. Ce n'est pas un corollaire obligé, mais il est fort crédible, en raison de la concordance de la réalité historique, géographique, avec les données du texte, en raison aussi du fait que l'identité du destinataire, révélée dès 1669, n'a jamais été démentie par celui-ci. Les arguments internes sont le style et le ton des lettres,

---

1. *Journal de l'Empire*, 5 janvier 1810.
2. Ou « Alcoforada », par extension sémantique du patronyme ; voir L. Cordeiro, ouvr. cité, p. 103, note ; il n'y a aucune raison de voir là un flottement sur l'identité de la religieuse.

l'accent de passion vraie, de sincérité, le désordre, inconcevables pour une œuvre de fiction élaborée par un écrivain chevronné.

Les critiques principales adressées à cette conviction de l'authenticité des lettres sont :

1) L'improbabilité d'une correspondance entre Marianna et Chamilly.

Son acheminement est pourtant tout à fait acceptable tel qu'il est présenté dans les lettres, avec ses intermédiaires divers. Il est invraisemblable, dit-on, que le frère de Marianna propose à celle-ci de transmettre à son amant sa première lettre. Où est l'invraisemblance ? Baltasar Alcoforado était le compagnon d'armes de Chamilly ; avec lui il mène la rapide campagne d'Andalousie, puis les batailles du Portugal. De cinq ans l'aîné de Marianna, issu d'une grande famille, célèbre pour sa bravoure et son habileté au combat, pour son esprit et son commerce agréable, il renonce brusquement, sans que rien le laissât prévoir, à un avenir brillant pour une vie obscure et dévote, et entre en religion comme prieur de l'ingrat couvent du petit village de Beringel (célèbre aujourd'hui par *La Valise en carton*), précisément en 1669. Le biographe portugais de Marianna voit là une mortification et se demande si elle n'est pas la conséquence directe du rôle que Baltasar a joué dans la tragédie de sa sœur [1].

2) Le peu de vraisemblance qu'une Portugaise manifeste tant d'humanités bien assimilées et tant de culture classique. Là est l'obstacle fondamental ; les signes de l'œuvre concertée se manifestent au moins

---

1. Pour des renseignements biographiques plus détaillés, voir L. Cordeiro, ouvr. cité, ou E. Asse, *Lettres du XVII* et du XVIII* siècle*, Paris, Charpentier, 1873, ou J.M. de Souza-Botelho, *Lettres portugaises*, Paris, Firmin Didot, 1824.

une fois de façon évidente, au début : si l'on pense, comme nous le croyons, que « Mon Amour » n'est pas un hypocoristique désignant l'être aimé, mais que Mariane hypostasie sa propre passion (procédé constant dans le lyrisme amoureux), il est certain que ce début n'est pas d'une correspondance réelle, mais d'une composition. Un début identique a été relevé dans une lettre d'Isabella Andreini (Recueil de Grenaille, 1642[1]) :

« À un Amant inhumain :

Quelle étrange amertume me fais-tu ressentir, Amour ? Tu me devrais soûlager et tu me tourmentes ? »

Après une série de réflexions apparaît le destinataire, avec, comme dans la première portugaise, le passage du « tu » au « vous ». Cependant on ne voit pas pourquoi Marianna est supposée illettrée et l'argument ne tient pas davantage s'il s'agit d'une traduction, ainsi qu'on l'entendait au XVIIe siècle, puisqu'il peut fort bien s'agir d'un ajout du translateur.

3) Les inexactitudes de détail

a) Une telle aventure, objecte-t-on, est inconcevable étant donné la sévérité des lois ecclésiastiques à l'égard des couvents ; témoin celle-ci, entre autres exemples cités :

« Il est demandé aux abbesses de ne pas consentir à ce que les religieuses aient des lettres, des visites, des conversations suivies, et pas davantage, qu'elles écrivent, envoient ou reçoivent des présents ; une religieuse qui aurait été vue seule ou accompagnée avec un homme serait punie sévèrement (emprisonnée pendant deux ans et privée à perpétuité des actes légitimes), et placée aux grilles, au chemin de ronde et à la porte[2]. »

---

1. G. Malquori-Fondi, art. cité, *Rivista di Letteratura moderna e comparate*, p. 186.
2. G. Rodriguez, ouvr. cité, p. 23.

Une fois encore, où est l'invraisemblance ? Où est la contradiction entre la donnée historique et le texte des *Lettres* ? Tout concorde, au contraire, à merveille.

Les lois sont faites contre des abus. L'historien pourrait considérer, en regard de ce texte, le témoignage offert par les *Lettres portugaises*.

On lit ailleurs, et ce n'est pas contradictoire, que les couvents portugais jouissaient de beaucoup de libertés. D'Ablancourt y a vu des visiteurs pour la conversation et la comédie[1]. Il ne faut pas imaginer le couvent de la Conception comme une petite communauté repliée sur elle-même et confite en dévotions. Le nombre de ses pensionnaires n'a cessé de s'accroître depuis sa fondation ; en 1646, il était de 211 femmes et 5 religieux, avec leurs serviteurs et « beaucoup de femmes ». Il n'est que de visiter ce qui reste du couvent aujourd'hui pour être frappé, et charmé, non par l'austérité, mais par la grande richesse artistique jointe à l'agrément qui a échappé à la destruction. Le logement consistait en dortoirs et en chambres séparées privées. L'extension des bâtiments s'est poursuivie jusqu'au XIXe siècle.

« Le XVIIIe siècle et la richesse de l'or du Brésil déterminent la splendeur d'une époque de vie de palais frivole qui se reflétait dans le faste avec lequel on décorait les chapelles ; dans les banquets où l'imagination et l'oisiveté créaient d'exquises saveurs qui nous sont parvenues ; dans les réceptions ; dans les visites royales ; dans les festins ; dans les représentations théâtrales à l'intérieur du couvent, etc. Cette ivresse de mondanité, paradoxalement, annonçait la destruction[2]. » La règle pour des couvents tels que celui de Beja, lieu d'éducation des jeunes filles nobles de la

---

1. *Mémoires*, cité d'après E. Asse, ouvr. cité
2. J. Fiqueira Mestre, *Beja, Olhares sobre a Cidade*, Camara municipal de Beja, 1991, p. 64.

province, placées là par l'autorité paternelle pour favoriser l'avenir des garçons, sans vocation, et qui, parfois, mais pas toujours, y prenaient le voile, était très souple. On peut concevoir, sans grand risque de pécher par imagination romanesque effrénée, que les officiers français venus pour soutenir les Portugais n'y étaient pas interdits de visite. Marianna, après son aventure amoureuse, a été nommée portière. Punition, mais alors bien limitée, ou « acte humanitaire », comme on dit aujourd'hui, pour la tirer de sa prostration ? Savons-nous si elle avait prononcé ses vœux ? D'après le testament de son père, elle était professe en 1660 ; mais d'après la notice de l'Encyclopédie espagnole (article *Alcoforado Mariana*), elle n'était pas religieuse ; elle avait été mariée à un infant du Portugal et, veuve très jeune, s'était retirée au couvent de la Conception sans faire de profession solennelle ni de vœux d'aucune sorte. Quel est, de ces documents, celui à critiquer ? Pour Marianna comme pour Chamilly, les données biographiques sont souvent flottantes. Le travail des historiens reste à faire dans la critique de documents qui se contredisent assez souvent. Notons enfin que le terme de religieuse s'employait souvent aussi bien pour les pensionnaires d'un couvent que pour les femmes entrées en religion [1].

b) Parler de « royaume d'Algarve » en 1668 comme le fait Mariane (Lettre IV) est anachronique, et une Portugaise ne saurait s'exprimer ainsi. L'objection est non fondée ; la formule n'est pas caduque au XVIIe siècle, comme le montre la carte publiée dans l'édition Garnier de 1962 [2].

---

1. R. Challes, *Les Illustres Françaises*, éd. F. Deloffre, Genève, Droz, 1991, p. 15 et note.
2. Remarque de J.P. et Th. Lassalle dans *Un manuscrit des Lettres d'une religieuse portugaise*, Papers of French Seventeenth Century Literature, Paris-Seattle-Tübingen, 1982, p. 189.

c) « Le balcon d'où l'on voit Mertola » (Lettre IV), particularité invraisemblable pour les tenants de la fiction, compte tenu de la distance (64 kilomètres), ne l'est pas pour les partisans de l'authenticité : la traduction peut être approximative, signifiant « dont la vue donne sur Mertola », ou encore « sur les portes de Mertola », qui font partie de l'enceinte de Beja [1]. Mais, plus précis et plus affirmatif, E. Asse décrit Beja comme une ville élevée, au sommet d'une colline, d'où l'on découvre toute la partie méridionale de la province, jusqu'à Mertola [2]. Nous l'avons vérifié. Aucun obstacle naturel ne s'interpose entre ces deux villes séparées seulement par de douces ondulations et la vue, de Beja, s'étend très loin. Les Guides touristiques affirment que par temps très clair l'on peut voir Mertola du « balcon » (c'est-à-dire de la terrasse) du donjon de Beja, haut de 36 mètres (certains habitants de Beja le confirment, d'autres préfèrent un point un peu plus rapproché, à 25 kilomètres de Beja, mais ceci est sans importance). Ce qui importe, c'est, d'une part, que ce qui est possible du donjon a pu l'être des bâtiments conventuels : ils ne se trouvaient pas, comme le disent les anti-alcoforadistes, en pleine ville, mais à son extrémité sud, à moins de cent mètres des portes de Mertola, et au point le plus haut de la ville, alors que le donjon est dans le bas. Un balcon supérieur de ces bâtiments, hauts de trois étages, pouvait offrir une vue pareille à celle du donjon. Ce qui importe, d'autre part, c'est que Marianna pouvait dire cela. L'invraisemblance est que Guilleragues auteur ait pu le dire. À moins de lui supposer des dons de voyant extra-lucide, ou d'envisager que Chamilly lui a rapporté des dépliants de l'Office du tourisme de Beja, on voit mal comment Guilleragues

---

1. L. Cordeiro, ouvr. cité.
2. Ouvr. cité.

aurait su que le couvent de la Conception était situé du côté de Mertola. De plus, s'il s'agissait seulement de « faire vrai » pour les lecteurs français, il suffisait de parler de Lisbonne, ou, au mieux, mû par un scrupule d'exactitude, de prendre une carte et de choisir une ville plus proche de Beja, Serpa par exemple, où les troupes françaises, justement, cantonnaient souvent.

d) « Tout le monde s'est aperçu du changement entier de mon humeur, de mes manières et de ma personne ; ma Mère m'en a parlé avec aigreur, et ensuite avec quelque bonté ; je ne sais ce que je lui ai répondu, il me semble que je lui ai tout avoué. Les Religieuses les plus sévères ont pitié de l'état où je suis, il leur donne même quelque considération et quelque ménagement pour moi » (Lettre IV).

« Ma Mère » est impossible, la mère de Marianna étant morte en 1663, ou 1664, fait-on remarquer. Il ne semble pourtant pas impossible que Marianna parle ici de la supérieure du couvent, dans un contexte où il est question de l'attitude de son entourage immédiat, à l'intérieur du couvent, celle de l'abbesse, puis celle des religieuses. C'est ainsi en tout cas que l'auteur des *Réponses* de Paris l'interprète à trois reprises : « Madame votre mère, Messieurs vos parents et les religieuses (Lettre IV), « Messieurs vos parents et Madame votre Abbesse, à qui nos amours sont suspectes » (Lettre V), « Madame votre Abbesse et Messieurs vos parents sont instruits de notre procédé » (Lettre V).

L'on s'étonne en même temps que Mariane ne parle jamais de Maria Peregrina, sa plus jeune sœur, qui lui a été confiée à la mort de leur mère. L'accueil de petites filles au couvent était rarissime, l'on ne sait pas comment s'effectuait une telle prise en charge par la communauté, et il serait plutôt étonnant de voir cette enfant, âgée de six à sept ans, mêlée à cette histoire et à un univers restreint où les seules personnes évoquées sont celles qui y jouent un rôle.

e) « La médiocrité de ma condition » (Lettre V) : Marianna, de famille noble, riche et considérée, ne saurait parler ainsi. Là aussi, il faut replacer les mots dans leur contexte : c'est par rapport aux plaisirs mondains que son amant peut goûter auprès des Parisiennes que Mariane déplore le peu d'agrément qu'offre sa retraite. « Que ne suis-je née en un autre pays ! », déplore-t-elle à la fin de la quatrième lettre.

S'il s'agit d'une pure fiction, pourquoi ces données parfaitement conformes à la réalité historique et géographique, ces détails comme « le balcon d'où l'on voit Mertola », sans signification, inutiles pour le public français, et si contraires à l'esprit des publications du temps, qui masquent le réel dans la fiction de l'authentique ? Pourquoi ces noms propres portugais, comme Dona Brites et Francisque ? Toutes ces pures coïncidences avec la réalité s'expliquent plus aisément si l'on admet l'existence de lettres réelles.

N'en va-t-il pas de même pour cette aventure plutôt scabreuse, attentatoire à la réputation de l'Église ? Il est difficile d'y voir une histoire inventée, en plein XVIIe siècle, par un écrivain français. Dans l'optique de la fiction, nous aurions donc, en 1669, une œuvre qui ose présenter non seulement l'accident de la passion d'une religieuse mais aussi sa prompte reconversion pour « un amant plus fidèle et mieux fait » ; en somme, la première religieuse dévergondée de notre littérature.

La question de l'attribution n'est pas réglée. Rien ne dit que Guilleragues est l'auteur, et personne n'a vu les lettres de Marianna. D'un côté comme de l'autre, on ne trouve qu'un faisceau de présomptions, qui n'interdit ni l'une ni l'autre hypothèse, mais rien de plus. Il est donc aventuré d'affirmer que les *Lettres* sont de

Guilleragues, comme il l'était d'affirmer qu'elles étaient de Marianna. Des travaux restent à faire dans le domaine de la critique de documents qui se contredisent. De nombreuses pistes de recherches ouvertes sont à approfondir : les règles, la vie quotidienne dans un couvent de l'ordre des Clarisses, les conditions requises pour devenir abbesse, la biographie de Marianna Alcoforado ; les archives familiales de la branche Montplaisir des Pontac, d'où est issue la femme de Guilleragues.

Considérer l'œuvre comme une pure fiction de Guilleragues soulève plus de questions qu'elle n'en résout, entraîne des invraisemblances, et mène à des affirmations fausses : il est inexact de dire que les éléments de réel contenus dans le texte sont faux. De plus, cette attribution rejette des hypothèses qui subsistent et qui intéressent l'histoire de la littérature : dans quelle mesure ces lettres sont-elles un reflet de la culture française au sein de l'aristocratie portugaise au XVIIᵉ siècle ? La question reste posée ! Les familles nobles du Portugal connaissaient et pratiquaient le français. Les Alcoforado ont fait don au XVIIIᵉ siècle de 200 livres français au couvent de la Conception. Quels sont ces livres ? Pourquoi Marianna n'aurait-elle pas eu une bonne connaissance du français ? Pourquoi la tenir, sans appel, sans vérification, sans preuve enfin, pour une ignorante ? Aucune hypothèse, dans l'état présent, ne peut être rejetée. Pencher pour l'une ou pour l'autre est un droit, mais les certitudes sont hors de portée scientifique, et ne rien occulter serait sans aucun doute plus fécond pour la recherche. Enfin le consensus apparent, aujourd'hui, sur l'attribution à Guilleragues, donne lieu à des analyses qui faussent le sens de l'œuvre.

L'hypothèse de lettres authentiques « traduites » nous semble préférable : elle explique des ambiguïtés (naturel et élaboration, style oral de la lettre authentique et style de texte « écrit », mélanges de détails réels et

d'imprécisions, ordre et désordre, singularité du sujet) et
concilie des données inconciliables (Chamilly, Marianna,
écrivain français).

Reste l'œuvre, telle qu'en elle-même. Essayons d'en
donner un aperçu qui en dégage les principaux composants.

III. Analyse

Première lettre

C'est une plainte amoureuse qui exhale la douleur
causée par l'absence et par la solitude dans laquelle se
retrouve l'amante. Mariane expose les états d'âme
provoqués par le départ de son amant, départ qu'il a
lui-même décidé : souffrance avivée par la comparaison
du bonheur passé avec le malheur présent, tourments
de l'incertitude : l'a-t-il fuie, oubliée, lui est-elle importune en lui écrivant ? Elle évoque les témoignages de
passion, tout récents, qu'il lui prodiguait, la dernière
lettre reçue, lue comme une lettre d'amour ; d'autres
lettres aussi, qui l'ont déçue, parce qu'il n'y était pas
question d'amour, mais donc de « choses inutiles ».
Elle dépeint son état : larmes incessantes, indispositions
fréquentes, agonie permanente, « émotions violentes »
qui la laissent épuisée, « je n'en puis plus ». Mais
pleurer, souffrir, mourir, c'est encore un acte d'amour
ardent et total ; elle ressent de « l'attachement » pour
ses malheurs, puisqu'ils viennent de son amant ; ses
évanouissements sont une délectation, la joie est indisso-
lublement liée au désespoir et à la souffrance. Le mot
de la fin « faites-moi souffrir encore plus de maux »
est la réaffirmation du don total qu'elle a fait : « je

vous ai destiné ma vie aussitôt que je vous ai vu »,
qu'elle refait : « je suis résolue à vous adorer toute ma
vie ». Les reproches sont retirés sitôt proférés. Dans
cette première lettre, Mariane refuse d'envisager la
situation sous son jour le plus défavorable ; elle accuse
le « destin » de la séparation, mais croit à la supériorité
de l'amour, qui a uni pour toujours le cœur de son
amant et le sien. Moment de déchirement, mais l'amour
reste intact.

Le personnage de l'épistolière est posé, érigé : c'est
l'amoureuse habitée par la passion la plus absolue, la
plus folle ; qui oscille entre des sentiments contradictoi-
res, qui doute et se reprend, se traite d'« insensée ».
Son identité, un prénom, Mariane ; le lieu, un cloître
au Portugal ; la raison de la lettre, le départ de son
amant. Celui-ci n'est pas nommé, et ne le sera jamais ;
nous saurons seulement que c'est un officier français.
Il est reparti en France, où Mariane l'imagine déjà ; il
a promis de revenir la voir. La lettre lui parviendra par
l'entremise du frère de Mariane.

Les mots-thèmes qui reviennent le plus souvent
concernent l'amour (25 occurrences), l'absence et la
séparation, avec leurs effets (respectivement une vingtaine d'occurrences) ; le couple thématique dominant
est celui du plaisir et de la douleur.

Les faits de style les plus notables sont le vocabulaire
et les tournures marquant l'intensité : hyperboles (« tant
de », « tout », « si », « mille », 23 occurrences), formules négatives (37 occurrences) ; l'« excès », présent dès
les premiers mots, se rencontre presque à chaque
ligne ; l'émotion se manifeste dans les répétitions,
les interrogations nombreuses (13), les exclamations
douloureuses. Le rythme est très varié : les phrases
présentent tour à tour des parallélismes binaires, des
constructions ternaires, périodiques, accumulatives ; il
est haché, traduisant les mouvements du cœur et de

l'esprit dans leur jaillissement spontané et décousu, et cela même après l'allègement considérable qu'on a coutume de faire subir à la ponctuation de l'édition originale. La rhétorique abonde : prosopopée initiale, prosopopée de la mauvaise fortune avec épizeuxe (« Cesse, cesse »), antithèses, anadiplose, questions oratoires, répétitions expressives, reprises (« ces yeux », et « les miens »), épanorthoses [1], incipit rhétorique en accord avec les théoriciens, qui signalent la beauté d'une apostrophe dès l'exorde, si elle est tirée du sujet même, « *ex visceribus causae* ». Malgré ce début qui ignore le destinataire, l'épistolarité [2] est forte : elle se manifeste par les allusions à une correspondance qui se continue, des appels, des interpellations admonestatives, interrogatives, le plus souvent impératives, demandant des réponses.

Dès cette première lettre, le ton de l'ensemble est donné : beaucoup de rhétorique, peu de composition, une véhémence expressive et désordonnée, à quoi s'ajoutent les imperfections et les faiblesses du style [3]. F. Deloffre, pour qui Guilleragues est l'auteur de ces lettres, et

---

1. *Cf.* Georges Molinié, *Dictionnaire de rhétorique*, « Les Usuels de Poche », Le Livre de Poche, 1992, pp. 137-138.
2. Nous entendons par « épistolarité » une écriture fondée sur ces modèles éprouvés que sont les recueils imprimés de lettres.
3. Nous hésitons à considérer comme un trait de style significatif un usage intensif de la virgule dans l'édition originale, parfois surprenant : constant avant « et », avant une relative, entre une relative et la principale, avant une conjonctive, multipliant les accents d'intensité ; exemples : « je mérite bien que vous preniez quelque soin de m'apprendre l'état de votre cœur, et de votre fortune » ; « mon amour ne dépend plus de la manière, dont vous me traiterez » ; « une passion sur laquelle tu avais fait tant de projets de plaisir, ne te cause présentement qu'un mortel désespoir » ; « vous m'avez fait espérer, que vous viendriez passer quelques jours avec moi » ; cette ponctuation paraît plutôt due aux habitudes de la typographie du temps.

un admirable écrivain, refuse l'interprétation rhétorique de l'incipit au nom du mauvais style :

« Si l'on veut que Mariane s'adresse à son amour, le texte est absurde. Il continue en effet par ''une passion sur laquelle tu avais fait tant de projets de plaisir'' : l'amour aurait fait des projets de plaisir sur une passion ! Aucun écrivain ne commencerait un chef-d'œuvre par un tel charabia [1]. »

« L'écrivain » persiste pourtant : aussitôt après, le « mortel désespoir qui ne peut être comparé qu'à l'absence qui le cause », n'est-ce pas, aussi, du charabia ? et plus bas, on se demande à quoi renvoie « les miens », qui fait rechercher « ces yeux » passablement loin ; les répétitions (« tous les soins », « tous ces soins », etc.) ne relèvent pas précisément du beau style, pour s'en tenir là. L'ambiguïté de l'œuvre contamine la critique, et ne cesse d'inquiéter le lecteur : chef-d'œuvre du naturel, ou de l'art de faire croire au naturel ? La rhétorique est-elle synonyme de littérarité, ou bien l'expression naturelle de tout sentiment simple et fort ?

Deuxième lettre

Prise de conscience d'un équilibre rompu : Mariane n'a pas reçu de lettre depuis plus de six mois, d'où un raidissement orgueilleux dans la reconnaissance d'une fidélité à sens unique.

Le silence de l'amant est une preuve d'oubli, de trahison, d'indifférence. Il rejaillit sur le passé heureux, désormais entaché du soupçon d'insincérité.

Reproches donc, mais le thème dominant est l'auto-accusation. Mariane s'accuse de son malheur, met en

---

1. *L'Information littéraire*, 1989, n° 4, p. 11.

cause l'excès de son amour, qui l'a empêchée de prévoir l'aboutissement logique d'une telle liaison, d'en voir l'aspect superficiel et passager ; elle était toute à l'enchantement du présent. L'oubli, remède un instant entrevu, est impossible ; elle préfère la souffrance dans la fidélité. Il ne lui reste plus qu'une attitude : la soumission humble et la supplication. Elle pardonne tout à son amant et l'excuse absolument.

Les ressemblances avec la première lettre sont l'exacerbation des sentiments, l'évocation du bonheur passé, plus crue cette fois (les relations charnelles remplacent les yeux dans le souvenir), la reprise du rêve, des illusions, le sentiment d'être folle et de passer pour telle, le désarroi de la solitude, le désespoir, les revirements et les contradictions, et de nouveau le défi adressé à son amant de connaître à l'avenir des plaisirs aussi grands que ceux qu'il a goûtés avec elle. La différence essentielle est que les illusions de Mariane sont ébranlées. Le doute s'insinue, l'angoisse gagne, empoisonne le passé. La plainte est accentuée et teintée de plus d'amertume, l'affirmation de l'amour plus insistante : c'est le seul refuge, cette fuite en avant dans la passion insensée, la soumission glorieuse, l'humiliation hautement affirmée, la proclamation du scandale revendiqué au grand jour. Autant de conduites qui contredisent son auto-accusation, ou la rejoignent dans l'auto-punition.

Les mots-thèmes les plus fréquents sont ceux de l'amour (40 occurrences), de la séparation et de l'oubli (12) et de leurs effets (une vingtaine d'occurrences) auxquels s'ajoutent ceux de l'accusation (8) et de l'auto-accusation (10). L'univers romanesque s'élargit : Mariane a été placée à la porte du couvent ; elle n'en donne pas les raisons, mais il semble qu'il s'agit non d'une punition, mais d'une thérapie, qu'elle juge insensée ; deux laquais portugais ont été emmenés en France par son amant ; elle a parlé avec un officier qui lui a appris que la paix était faite (Aix-La-Chapelle, 5 mai 1668).

Troisième lettre

La double question qui ouvre cette lettre « Qu'est-ce que je deviendrai, et qu'est-ce que vous voulez que je fasse ? » exprime le comble du désarroi, le paroxysme de l'égarement, formulé plus bas : « je ne sais ni ce que je suis, ni ce que je fais, ni ce que je désire ».

Toujours pas de lettre, depuis bien plus de six mois. Elle redit qu'elle a envisagé de pouvoir mettre un terme à sa passion, s'il lui écrivait qu'il ne l'aimait plus. Mais il n'écrit pas, il ne dit rien ; elle n'a aucune certitude ; en l'absence de lettres, elle ne sait que penser. Les éléments de toute sorte qui entretiennent sa passion se présentent dans une confusion qui augmente, comme en témoigne la composition de certaines phrases, par exemple l'énorme développement chaotique du début ; sautant du présent au passé, puis retournant au présent, à sa solitude, Mariane a un mouvement d'effroi, en imaginant qu'elle n'a peut-être jamais été aimée ; cette inquiétude, qui n'est pas nouvelle, suscite cette fois une accentuation des reproches et une lucidité croissante et plus amère : le portrait qu'elle fait maintenant de son amant est celui du séducteur, portrait qui s'achève par une maxime. Après avoir accusé son amant, c'est elle-même que Mariane va accuser ; mais pas tout de suite. Elle commence par réaffirmer son amour, et souhaite à son amant l'insensibilité, pour qu'il ne souffre pas comme elle. Pourtant l'imaginer heureux est insupportable, et la rend « jalouse avec fureur ». Suit un grand élan de mortification, de générosité qu'elle conclut, brutalement, et paradoxalement, par « je voudrais bien ne vous avoir jamais vu », pour se reprendre aussitôt ;

puis elle enchaîne en envisageant sa mort, pour empoisonner la vie de son amant, le mettre dans l'incapacité d'aimer à nouveau. Ici Mariane est traversée par une interrogation qui surprend : « Ne seriez-vous pas bien cruel de vous servir de mon désespoir pour vous rendre plus aimable et pour faire voir que vous avez donné la plus grande passion du monde ? » : intuition prémonitoire de l'épistolière, ou clin d'œil de l'auteur ? L'aboutissement de cette errance dans des sentiments contraires est le délire (« pauvre insensée »), et l'appel à l'indulgence. Mariane se raccroche désespérément à son amour, qui est sa seule certitude, dans le flottement général de sa pensée qui se marque par de fréquentes épanorthoses.

L'épistolarité se manifeste constamment, avec une tension extrême exacerbée par l'absence de lettres, de l'ouverture de style oral à l'admirable mot de la fin (« Ah, que j'ai de choses à vous dire ! ») qui montre, encore mieux que les « adieu » à n'en plus finir, le déchirement de la nécessité du point final, le besoin de parler encore, encore et toujours. Les reprises des thèmes des deux lettres précédentes sont nombreuses. S'y ajoutent deux thèmes nouveaux : le regret de la passion et le remords. De plus, à l'auto-accusation et à l'humilité répétées s'ajoutent le mépris et l'invective. En l'absence de tout événement extérieur (c'est la seule lettre sans donnée externe), la passion semble sans issue et sans remède, et se détache peu à peu de son objet.

Quatrième lettre

Cette lettre naît d'une information : Mariane vient d'apprendre qu'une tempête a retenu son amant sur les côtes du Portugal. Cette nouvelle entraîne des difficultés de compréhension de la chronologie des événements. Elle arrive, en effet, bien tard, puisque l'amant est parti depuis plus de six mois. Un autre détail, « vous me fîtes, il y a cinq ou six mois, une fâcheuse confidence », surprend : oralement ? par lettre ? L'imprécision est gênante. Puis des indications plus troublantes encore, qui voisinent dans une apparente contradiction : « pourquoi ne m'avez-vous point écrit ? Je suis bien malheureuse si vous n'en avez trouvé aucune occasion depuis votre départ » et : « vous demeurez dans une profonde indifférence, sans m'écrire que des lettres froides, pleines de redites ». Le mot « départ » est obscur, bien que l'on comprenne qu'il s'agit de l'embarquement, et non pas du moment où l'amant a quitté Beja, puisqu'il a écrit entre les deux. Le présent « vous demeurez » est équivoque, même si l'on comprend que Mariane fait allusion à ces lettres anciennes, écrites entre le départ de Beja et l'embarquement, celles qu'elle évoquait dans sa première lettre, avec une appréciation semblable (« pleines de choses inutiles »). Un effort s'impose aussi pour cette information qui ouvre la lettre, qui paraît anachronique. Elle s'explique pourtant : elle n'implique pas la nouveauté de l'événement, mais seulement le fait que Mariane n'en avait pas été instruite, puisqu'elle est restée sans nouvelles justement à partir de ce moment-là. Et c'est bien parce que l'événement date suffisamment pour que son amant ait eu le temps de le lui apprendre que le chagrin de Mariane est si fort. Sans aller jusqu'à faire de ces obscurités un procédé esthétique[1], on peut n'y voir aucun obstacle fondamental à laisser cette lettre à sa place, aucune raison impérative pour la déplacer. La première lettre naissait de la séparation, la seconde du silence, la troisième du désarroi ; celle-ci, d'une crise déclenchée par cette

---

1. « En réalité l'auteur avait besoin d'une tempête et d'un danger de mort passés sous silence par l'amant tiède qui n'associe pas l'amante à sa vie personnelle », L. Spitzer, ouvr. cité, p. 97 sq.

information livrée par un tiers, alors que Mariane était en droit de l'apprendre de son amant. C'est un nouveau coup qui lui est porté, un incident dans ce « roman » où il se passe peu de choses : si son amant n'a pas senti la nécessité d'informer Mariane, de lui faire part de cet accident, c'est qu'il l'aime bien peu, autant dire, pour elle, pas du tout. Il paraît aussi vain de buter sur un manque de précision des détails (les lecteurs se souciaient si peu de leur exactitude qu'ils ont lu les cinq lettres et la *Seconde partie* comme une série unique) que de louer une ordonnance et une progression admirablement concertées. En effet, cette lettre n'offre rien de nouveau dans l'évolution psychologique ; elle présente une orchestration des thèmes précédents : les reproches liés à un sentiment de grande injustice, la générosité, l'entêtement à aimer, l'amère comparaison du passé et du présent, le rêve idyllique, la joie de souffrir, le dégoût de la vie, la pitié de l'entourage, les remèdes impossibles, la jalousie, la fatalité. Pas plus d'ordre ici ni de composition que dans les lettres précédentes, et toujours des phrases lourdement pâteuses, comme celle-ci : « Vos mauvais traitements et vos mépris m'ont tellement abattue que je n'ose quelquefois penser seulement qu'il me semble que je pourrais être jalouse sans vous déplaire et que je crois avoir le plus grand tort du monde de vous faire des reproches ». La fin interminable, nettement plus longue que dans les missives précédentes, dénote un besoin de parler et de s'épancher plus fort que jamais. Mariane n'arrive pas à s'arracher à sa lettre, qui abolit l'absence. Elle rêve déjà à la lettre suivante, et la rêve agréable à recevoir.

Cette lettre marque une stagnation. Plus longue que les précédentes, elle est comme l'adagio de cette symphonie, suspend l'action et développe les sentiments avec un certain accablement, une certaine résignation, une certaine torpeur. Cela ne va pas sans régression :

l'auto-accusation, l'orgueil, le mépris, l'invective, l'agonie amoureuse sont en sourdine ; la mélodie dominante est celle de la résignation : elle n'ose plus envisager d'être jalouse, ni de continuer à parler de son amour comme elle l'a fait, sans retenue, ni de demander encore à son amant de l'aimer ; le rêve idyllique se rétrécit à des entrevues épisodiques ; le désespoir ne réside guère que dans des questions plus accablées que véhémentes, dans un immense « pourquoi » devant tant d'injustes malheurs. Mariane cède, Mariane abandonne, Mariane renonce ; renonce à lutter, renonce à tout, sauf à la rupture : écrire, écrire encore, pour conserver un reste, un semblant de présence de l'aimé. L'attaque de la lettre qui suit est donc inattendue.

Cinquième lettre

« Je vous écris pour la dernière fois, et j'espère vous faire connaître, par la différence des termes et de la manière de cette lettre, que vous m'avez enfin persuadée que vous ne m'aimiez plus, et qu'ainsi je ne dois plus vous aimer. » Ce début, qui ressemble à une formule finale, rompt avec ce qui précède. La suite rompt également avec les promesses antérieures, mais peut-être pas aussi nettement que l'attaque de cette lettre ne l'annonce.

Il s'est produit un fait nouveau, qui a déclenché cette décision de ne plus écrire : Mariane a reçu cette lettre qu'elle réclamait sans cesse, allant jusqu'à dire, aussitôt avant, qu'elle serait bien aise de perdre toute espérance, et que tout changement lui serait un soulagement. Maintenant convaincue de son abandon, désabusée, guérie malgré elle, contre son désir secret, avec un illogisme splendide, une inconséquence magnifique, elle éclate en reproches : pourquoi lui a-t-il dit la vérité ?

« vous n'aviez qu'à ne me point écrire ; je ne cherchais pas à être éclaircie ; ne suis-je pas bien malheureuse de n'avoir pu vous obliger à prendre quelque soin de me tromper, et de n'être plus en état de vous excuser ? ».

« La différence des termes et de la manière de cette lettre » : y a-t-il vraiment un ton nouveau ? Le raisonnement, pour la première fois, présente un semblant d'organisation, marqué typographiquement par quelques paragraphes. Mais les fluctuations du cœur et les contradictions restent nombreuses. À la proclamation ferme et résolue de ne plus écrire succèdent, dans le flux de l'épanchement, « je veux vous écrire une autre lettre », et à la fin « je crois même que je ne vous écrirai plus » ; pareillement, le « je garderai soigneusement les deux dernières » (de vos lettres) infirme la résolution de se défaire de tout souvenir, de ce qu'elle nomme « bagatelles » mais dont elle a tant de mal à se séparer qu'elle les confie à Dona Brites avec l'interdiction de les lui restituer, car elle connaît bien son irrésolution. Elle est fort peu convaincue d'être guérie, ni même sur le point de l'être. Un peu trop d'ostentation dans cette lettre de rupture, de raidissement de la volonté, d'entêtement à répéter qu'on n'aime plus font douter de cette fin de l'amour. Et que de confidences brûlantes encore, d'attendrissements sur le passé ! Que d'attachement à sa passion, et à son amant ! Quitte à se reprendre aussitôt dans un brusque revirement, elle envisage constamment ses actes en fonction de la réaction qu'ils produiront chez son amant : « Que ma modération vous plaira, et que vous serez content de moi ! ». « Je prendrai contre moi quelque résolution extrême que vous apprendrez sans trop de déplaisir » : l'insensibilité, ou le suicide ? Mariane ne sait pas ; elle n'est pas aussi ferme et aussi résolue qu'elle le souhaite et qu'elle veut le faire croire ; elle en a bien conscience ; sa décision est fragile, mal assurée, et ce n'est pas encore l'indifférence : « Je connais bien que je suis encore un peu trop occupée de mes reproches et de votre infidélité ». Cette lettre est la seule qui se termine brutalement, brusquement ; signe de tension et de déchirement extrêmes, formulés en trois temps brefs mais qui en disent long sur le raidissement de la volonté contre la passion toute-puissante : « il faut vous quitter et ne plus penser à vous », sur la décision mal assurée, non assumée : « je crois même que je ne vous écrirai plus » et sur la révolte impuissante contre la tyrannie persistante de l'amour : « suis-je obligée de vous rendre un compte exact de tous mes divers mouvements ? »

La critique a tour à tour considéré la succession des lettres comme défectueuse, puis comme un ensemble savamment composé et gradué. D'abord, l'ordre des lettres ne paraissant conforme ni à la chronologie des événements ni à l'évolution des sentiments, a été modifié ; dès 1778 l'édition Cailleau intervertit la 2e et la 4e lettre (même chose dans l'édition Kleffer de 1821, dans celles de Cl. Aveline et d'Y. Florenne). Pour M. Paléologue, un réarrangement plus important s'impose : la 4e devient la 1re, la 2e reste à sa place, la 1re devient la 3e, la 3e la 4e, la 5e reste à sa place. Aujourd'hui, rectifier l'ordre des lettres paraît inacceptable : la raison avancée est que leur attribution à Guilleragues l'interdit. Est-il besoin de recourir à un tel, et si piètre, argument ? Si l'ordre des lettres de l'édition originale peut être maintenu sans arbitraire, ce n'est pas parce que Guilleragues l'a voulu ainsi, mais parce qu'aucun argument de critique interne ne s'y oppose.

Après avoir avancé le désordre et le chaos comme la caractéristique essentielle de l'œuvre, la critique met l'accent sur une composition dramatique comparable aux cinq actes de la tragédie classique :

« Les cinq lettres sont comme les cinq actes condensés d'un drame respectant les unités classiques, à situations variant peu, sans événement extérieur déterminant le devenir intérieur, ou, tout monologue étant en principe un dialogue, en conversation avec l'image de l'amant fidèle, roulant sur les mêmes sujets, réélaborant à peu près les mêmes matériaux d'idées dans une dialectique qui, mettant tantôt telle idée, tantôt telle autre en relief, revient sur elle-même en un cercle fatal, et aboutissant à l'épuisement du sentiment qui a produit toutes ces idées, enfants de la passion [1]. »

Il est abusif et paradoxal de souscrire à cette analyse qui souligne l'absence de péripéties, de personnages, le petit nombre d'idées, inlassablement reprises, la structure circulaire de l'œuvre et d'y voir une tragédie classique. Mis à part le nombre cinq, où est la ressemblance ?

Que montre le texte ? Une opposition entre la première et la cinquième lettre : dans la première, Mariane croit à la continuation de l'amour, elle n'y croit plus et s'en détourne dans la cinquième ; la deuxième et la quatrième sont des suspens ; elles sont faites d'hésitations, de fluctuations ; la troisième est une apogée du « désemparement ». L'enchaînement n'apporte aucune surprise, aucun retournement de situation ; la cinquième lettre elle-même n'en constitue pas un. On assiste au déroulement banal d'une évolution aisément prévisible d'un « je vous aime, vous m'aimez aussi » vers un « vous ne m'aimez plus, je ne dois donc plus vous aimer ». Des signes annonciateurs dès le début, puis des relais, conduisent non pas tant à un dénouement qu'à une perspective de dénouement, incertaine dans le

1. L. Spitzer, ouvr. cité, p. 96.

présent et rejetée dans un avenir lui-même incertain. Cette évolution presque insensible qui se lit davantage dans la verticalité que dans l'horizontalité, à la façon d'un cardiogramme, est livrée dans des lettres de dimension croissante jusqu'à la fin, avec une restriction graduelle des souhaits, des appels. C'est donc à tort qu'on insiste sur la netteté d'une progression dramatique et que ce virus du rapprochement des *Portugaises* avec la tragédie classique continue à être réchauffé.

Nous avons fait un décompte thématique à partir de la *Concordance* établie par l'Université de Montréal [1]. Faute de pouvoir le livrer ici dans son détail, nous nous bornerons à quelques remarques de synthèse.

Les thèmes dominants sont :

a) l'amour (les mots qui reviennent le plus souvent sont « aimer », « amour », « passion », respectivement 47, 29 et 30 occurrences) ;

b) des couples antithétiques, comme « espoir » et « désespoir » (14 occurrences pour chacun de ces mots), « souvenir » et « oubli » (15 et 11), « plaisir » et « malheur » (32 et 27) ;

c) une grande oscillation constante entre le plaisir et le déplaisir (322 et 308 occurrences) (balance égale, comme pour l'espoir et le désespoir).

Les marques de l'épistolarité sont fortes : 1re personne (995 occurrences), 2e (655), 1re du pluriel (11), mentions concernant l'échange épistolaire, « lire », « écrire », « envoyer », « mander » (60). Il semble abusif, au vu de ces chiffres, de parler, comme on tend à le faire, de soliloque, de mode réfléchi [2]. Rappelons que le soliloque, tel que le définissent les dictionnaires de Furetière et de l'Académie, est un raisonnement ou une réflexion que l'on fait avec soi-même, ajoutant que le terme s'emploie

---

1. Ouvr. cité.
2. S. Lee Carell, ouvr. cité, chap. II.

exclusivement à propos de saint Augustin. Il y a loin des *Portugaises* aux *Confessions*. La préoccupation du destinataire se remarque constamment ; tous ses actes, toutes ses résolutions, toutes ses pensées, Mariane les envisage en fonction des réactions de son amant ; même à la fin, dans son effort pour renoncer à aimer, elle a besoin de son amant, et lui demande son concours. À titre d'exemple, 20 occurrences de dialogue épistolaire peuvent être relevées dans les 30 premières lignes de la quatrième lettre, que l'on veut particulièrement solipsiste... Tout, dans le discours de Mariane, est dialogue, en situation de dialogue épistolaire maximale, jusqu'à la question de la fin, lancée comme un défi qu'elle aimerait, sans aucun doute, voir relever, et dans laquelle nous voyons l'ultime tentative de susciter une réponse positive.

Les caractéristiques stylistiques principales sont l'adéquation de la forme au fond et l'impression de naturel total. Sur ce point, la critique s'accorde. L'explication et l'analyse de la situation se fait par hypotaxies, hyperbates, amplifications, accumulations : expression consubstantielle à une pensée en train de se former, de se formuler, saisie à sa naissance et dans le cours de son développement. L'effet serait d'une grande lourdeur si le procédé était constant et sans ruptures ; mais le discontinu prime sur le continu. Il se manifeste par des rétroactions inattendues, par de fréquentes épanorthoses, dont l'introduction est variée. Le vocabulaire est banal, assez pauvre, dépourvu de coquetteries d'auteur (pas de mots d'auteur, parfois des maximes, mais parfaitement intégrées dans le discours épistolaire). L'expression de la passion amoureuse est marquée par un usage constant de tournures intensives. Ce qui ressort, c'est le manque d'apprêt, de recherche. Le ton est celui de la lettre écrite au fil de la plume, sans préméditation ni visée artistique. Des lourdeurs, des répétitions, des faiblesses enfin qu'il ne faut pas se cacher, volontaires ou non, sont bien peu classiques et contribuent à l'impression que la vie a collaboré à cet accent de vérité[1].

S'il est un trait à retenir pour caractériser cette œuvre, c'est sans aucun doute son pouvoir déconcertant, dérangeant. A-t-on jamais vu un texte désorienter à ce point, et constamment, le lecteur et la critique ? susciter tant de réactions mitigées ou opposées, tant de lectures qui s'excluent mutuellement ? On en arrive parfois à admettre conjointement des interprétations divergentes[2] ; tel est le sort de l'attaque de la première lettre, ce qui ne fait que susciter des questions nouvelles : si l'on a pu hésiter, au XVIIe siècle, sur le sens à donner à cet incipit, et si l'on hésite toujours, quelle en est la raison ? L'ambiguïté du langage est-elle innocente, ou voulue par l'auteur ? Convient-il de dépasser deux aspects qui s'affrontent, la non épistolarité et l'épistolarité, dans une dualité caractéristique du texte tout entier ? Toutes les prises de position afférentes à l'auteur et à la forme conditionnent la lecture du texte, et font de celui-ci un lieu de contradictions inextricables. Il n'est pas jusqu'au fond même qui ne divise les lecteurs, voire un même lecteur : tantôt l'on est sensible aux accents de la passion les plus purs, tantôt l'on a pour Mariane les yeux de l'amant qui n'aime plus. Texte qui se dérobe sans cesse, qui se joue de toutes les appréciations, sur lequel rien n'est affirmé sans qu'aussitôt surgisse une affirmation contraire, il demeure l'objet d'un questionnement permanent, d'un savoir inassouvi, d'une « promenade à Saint-Cloud » toujours recommencée.

---

1. H. Coulet, ouvr. cité, p. 232.
2. P. Hartmann, art. cité.

Introduction

Une égale insatisfaction, une égale perplexité règnent dans les tentatives de classification typologique de cette œuvre singulière, rebelle, irréductible aux formes romanesques et épistolaires de son temps. On y voit soit une de ces formes personnelles et réflexives annonciatrices du journal intime ou du monologue intérieur, que l'on nomme monodie, ou soliloque épistolaire — formule inexacte, car les contacts existent et agissent —, soit l'éclosion du roman par lettres — ce qui est excessif, étant donné la concentration maximale, l'extrême économie de moyens, le refus des événements et des personnages secondaires. Le terme de *nouvelle épistolaire* serait plus adéquat, justifié par la dimension, la modernité du sujet, le choix de personnages de condition moyenne, la conception de l'amour, le désir de se conformer au goût du public pour la vérité. Mais encore faudrait-il être sûr qu'il s'agit d'une fiction. Il faudrait également reconnaître la création d'un genre nouveau qui a eu quelques suites, mais peu nombreuses et plutôt médiocres, sans commune mesure avec la taille et la facture du pur joyau du genre que représenteraient, une fois encore isolées, les *Portugaises*. Tout rattachement à une forme bien définie fausse le sens de l'œuvre ou le réduit : le dernier mystère est cette résistance inconcevable, unique, d'un texte classique demeurant inclassable.

A.M. CLIN-LALANDE.

LETTRES PORTUGAISES
TRADUITES EN FRANÇAIS

AU LECTEUR [1]

J'ai trouvé les moyens, avec beaucoup de soin et de peine, de recouvrer une copie correcte de la traduction de cinq lettres portugaises qui ont été écrites à un gentilhomme de qualité qui servait en Portugal. J'ai vu tous ceux qui se connaissent en sentiments ou les louer, ou les chercher avec tant d'empressement que j'ai cru que je leur ferais un singulier plaisir de les imprimer. Je ne sais point le nom de celui auquel on les a écrites, ni de celui qui en a fait la traduction, mais il m'a semblé que je ne devais pas leur déplaire en les rendant publiques. Il est difficile qu'elles n'eussent enfin paru avec des fautes d'impression qui les eussent défigurées.

---

1. *Note sur l'établissement du texte* : le texte est conforme à celui de l'édition originale. L'orthographe et la ponctuation ont été modernisées, les majuscules ornementales supprimées. Seule la présentation (« monobloc » ou en alinéas) a été conservée.

PREMIÈRE LETTRE

Considère, mon Amour, jusqu'à quel excès tu as
manqué de prévoyance. Ah ! malheureux ! tu as été
trahi et tu m'as trahie par des espérances trompeuses.
Une passion sur laquelle tu avais fait tant de projets de
plaisirs ne te cause présentement qu'un mortel désespoir,
qui ne peut être comparé qu'à la cruauté de l'absence
qui le cause. Quoi ? cette absence à laquelle ma douleur,
tout ingénieuse qu'elle est, ne peut donner un nom
assez funeste me privera donc pour toujours de regarder
ces yeux dans lesquels je voyais tant d'amour et qui me
faisaient connaître des mouvements qui me comblaient
de joie, qui me tenaient lieu de toutes choses et qui
enfin me suffisaient ? Hélas ! les miens sont privés de
la seule lumière qui les animait, il ne leur reste que des
larmes et je ne les ai employés à aucun usage qu'à
pleurer sans cesse depuis que j'appris que vous étiez
enfin résolu à un éloignement qui m'est si insupportable
qu'il me fera mourir en peu de temps. Cependant il me
semble que j'ai quelque attachement pour des malheurs
dont vous êtes la seule cause : je vous ai destiné ma vie
aussitôt que je vous ai vu et je sens quelque plaisir en
vous la sacrifiant. J'envoie mille fois le jour mes soupirs
vers vous, ils vous cherchent en tous lieux et ils ne me
rapportent, pour toute récompense de tant d'inquiétudes, qu'un avertissement trop sincère que me donne ma

mauvaise Fortune, qui a la cruauté de ne souffrir pas que je me flatte et qui me dit à tous moments : « Cesse, cesse, Mariane infortunée, de te consumer vainement et de chercher un amant que tu ne verras jamais, qui a passé les mers pour te fuir, qui est en France au milieu des plaisirs, qui ne pense pas un seul moment à tes douleurs et qui te dispense de tous ces transports desquels il ne te sait aucun gré ». Mais non, je ne puis me résoudre à juger si injurieusement de vous, et je suis trop intéressée à vous justifier ; je ne veux point m'imaginer que vous m'avez oubliée. Ne suis-je pas assez malheureuse sans me tourmenter par de faux soupçons ? Et pourquoi ferais-je des efforts pour ne me plus souvenir de tous les soins que vous avez pris de me témoigner de l'amour ? J'ai été si charmée de tous ces soins que je serais bien ingrate si je ne vous aimais avec les mêmes emportements que ma passion me donnait quand je jouissais des témoignages de la vôtre. Comment se peut-il faire que les souvenirs des moments si agréables soient devenus si cruels ? Et faut-il que contre leur nature, ils ne servent qu'à tyranniser mon cœur ? Hélas ! votre dernière lettre le réduisit en un étrange état ; il eut des mouvements si sensibles qu'il fit, ce semble, des efforts pour se séparer de moi et pour vous aller trouver. Je fus si accablée de toutes ces émotions violentes que je demeurai plus de trois heures abandonnée de tous mes sens ; je me défendis de revenir à une vie que je dois perdre pour vous, puisque je ne puis la conserver pour vous ; je revis enfin, malgré moi, la lumière ; je me flattais de sentir que je mourais d'amour, et d'ailleurs j'étais bien aise de n'être plus exposée à voir mon cœur déchiré par la douleur de votre absence. Après ces accidents, j'ai eu beaucoup de différentes indispositions ; mais puis-je jamais être sans maux tant que je ne vous verrai pas ? Je les supporte cependant sans murmurer, puisqu'ils viennent de vous.

Quoi ? est-ce là la récompense que vous me donnez pour vous avoir si tendrement aimé ? Mais il n'importe, je suis résolue à vous adorer toute ma vie et à ne voir jamais personne, et je vous assure que vous ferez bien aussi de n'aimer personne. Pourriez-vous être content d'une passion moins ardente que la mienne ? Vous trouverez peut-être plus de beauté (vous m'avez pourtant dit autrefois que j'étais assez belle) mais vous ne trouverez jamais tant d'amour, et tout le reste n'est rien. Ne remplissez plus vos lettres de choses inutiles et ne m'écrivez plus de me souvenir de vous. Je ne puis vous oublier, et je n'oublie pas aussi que vous m'avez fait espérer que vous viendriez passer quelque temps avec moi. Hélas ! pourquoi n'y voulez-vous pas passer toute votre vie ? S'il m'était possible de sortir de ce malheureux cloître, je n'attendrais pas en Portugal l'effet de vos promesses : j'irais, sans garder aucune mesure, vous chercher, vous suivre et vous aimer par tout le monde. Je n'ose me flatter que cela puisse être, je ne veux point nourrir une espérance qui me donnerait assurément quelque plaisir et je ne veux plus être sensible qu'aux douleurs. J'avoue cependant que l'occasion que mon frère m'a donnée de vous écrire a surpris en moi quelques mouvements de joie et qu'elle a suspendu pour un moment le désespoir où je suis. Je vous conjure de me dire pourquoi vous vous êtes attaché à m'enchanter comme vous avez fait, puisque vous saviez bien que vous deviez m'abandonner ? Et pourquoi avez-vous été si acharné à me rendre malheureuse ? Que ne me laissiez-vous en repos dans mon cloître ? Vous avais-je fait quelque injure ? Mais je vous demande pardon : je ne vous impute rien ; je ne suis pas en état de penser à ma vengeance et j'accuse seulement la rigueur de mon destin. Il me semble qu'en nous séparant, il nous a fait tout le mal que nous pouvions craindre ; il ne saurait séparer nos cœurs ; l'amour qui est plus puissant que lui les a unis pour toute notre vie. Si vous prenez quelque intérêt à la mienne, écrivez-moi souvent. Je mérite bien que vous preniez quelque soin de m'apprendre l'état de votre cœur et de votre fortune ; surtout venez me voir. Adieu, je ne puis quitter ce papier ; il tombera entre vos mains ; je voudrais bien avoir le même bonheur. Hélas ! insensée que je suis, je m'aperçois bien que cela n'est pas possible. Adieu, je n'en puis plus. Adieu, aimez-moi toujours et faites-moi souffrir encore plus de maux.

SECONDE LETTRE

Il me semble que je fais le plus grand tort du monde aux sentiments de mon cœur de tâcher de vous les faire connaître en les écrivant. Que je serais heureuse si vous en pouviez bien juger par la violence des vôtres ! Mais je ne dois pas m'en rapporter à vous, et je ne puis m'empêcher de vous dire, bien moins vivement que je ne le sens, que vous ne devriez pas me maltraiter comme vous faites par un oubli qui me met au désespoir et qui est même honteux pour vous ; il est bien juste, au moins, que vous souffriez que je me plaigne des malheurs que j'avais bien prévus quand je vous vis résolu de me quitter ; je connais bien que je me suis abusée lorsque j'ai pensé que vous auriez un procédé de meilleure foi qu'on n'a accoutumé d'avoir, parce que l'excès de mon amour me mettait, ce semble, au-dessus de toutes sortes de soupçons et qu'il méritait plus de fidélité qu'on n'en trouve d'ordinaire. Mais la disposition que vous avez à me trahir l'emporte enfin sur la justice que vous devez à tout ce que j'ai fait pour vous ; je ne laisserais pas d'être bien malheureuse si vous ne m'aimiez que parce que je vous aime, et je voudrais tout devoir à votre seule inclination ; mais je suis si éloignée d'être en cet état que je n'ai pas reçu une seule lettre de vous depuis six mois. J'attribue tout ce malheur à l'aveuglement avec lequel je me suis abandonnée à m'attacher à vous : ne devais-je pas prévoir que mes plaisirs finiraient plus tôt que mon amour ? Pouvais-je espérer que vous demeureriez toute votre vie en Portugal et que vous renonceriez à votre fortune et à votre pays pour ne penser qu'à moi ? Mes douleurs ne peuvent recevoir aucun soulagement et le souvenir de mes plaisirs me comble de désespoir. Quoi ! tous mes désirs seront donc inutiles et je ne vous verrai jamais en ma chambre avec toute l'ardeur et tout l'emportement que vous me faisiez voir ? Mais hélas ! je m'abuse et je ne connais que trop que tous les mouvements qui occupaient ma tête et mon cœur n'étaient excités en vous que par quelques plaisirs et qu'ils finissaient aussi tôt qu'eux ; il fallait que dans ces moments trop heureux j'appelasse ma raison à mon secours pour modérer l'excès funeste de mes délices et pour m'annoncer tout ce que je souffre présentement. Mais je me donnais toute à vous et je n'étais pas en état de penser à ce qui eût pu empoisonner ma joie et m'empêcher de jouir pleinement des témoignages ardents de votre passion ; je m'apercevais trop agréablement que j'étais avec vous pour penser que vous seriez un jour éloigné de moi. Je me souviens pourtant de vous avoir dit quelquefois que vous me rendriez malheureuse, mais ces frayeurs étaient bientôt dissipées et je prenais plaisir à vous les sacrifier et à m'abandonner à l'enchantement et à la mauvaise foi de vos protestations. Je vois bien le remède à tous mes maux et j'en serais bientôt délivrée si je ne vous aimais plus ; mais hélas ! quel remède ! Non, j'aime mieux souffrir encore davantage que vous oublier. Hélas ! cela dépend-il de moi ? Je ne puis me reprocher d'avoir souhaité un seul moment de ne vous plus aimer ; vous êtes plus à plaindre que je ne suis et il vaut mieux souffrir tout ce que je souffre que de jouir des plaisirs languissants que vous donnent vos maîtresses de France. Je n'envie point votre indifférence et vous me faites pitié. Je vous défie de m'oublier entièrement ; je me flatte de vous avoir mis en état de n'avoir sans moi que des plaisirs imparfaits et je suis plus heureuse que vous puisque je suis plus occupée. L'on m'a fait depuis peu portière en ce couvent ; tous ceux qui me parlent croient que je suis folle, je ne sais ce que je leur réponds et il faut que les religieuses soient aussi insensées que moi pour m'avoir crue[1] capable de quelque soin. Ah ! j'envie le bonheur d'Emmanuel et de Francisque[2] ; pourquoi ne suis-je pas incessamment avec vous, comme eux ? Je vous aurais suivi et je vous aurais assurément servi de meilleur cœur ; je ne souhaite rien en ce monde que vous voir. Au moins souvenez-vous de moi. Je me contente de votre souvenir, mais je n'ose m'en assurer ; je ne bornais pas mes espérances à votre souvenir quand je vous voyais tous les jours ; mais vous m'avez bien appris qu'il faut que je me soumette à tout ce que vous voudrez. Cependant je ne me repens point de vous avoir adoré, je suis bien aise que vous m'ayez séduite ; votre absence rigoureuse, et peut-être éternelle, ne diminue

---

1. Au masculin dans l'édition originale, « conformément à l'usage du temps qui consiste à ne pas faire l'accord lorsque le participe est étroitement lié au mot suivant. Cf. *fait*, au début de la même phrase, que nous laissons subsister pour ne pas modifier la prononciation » (éd. Garnier 1962).
2. « Deux petits laquais portugais » (note de l'édition originale).

en rien l'emportement de mon amour. Je veux que tout le monde le sache, je n'en fais point un mystère et je suis ravie d'avoir fait tout ce que j'ai fait pour vous contre toute sorte de bienséance ; je ne mets plus mon honneur et ma religion qu'à vous aimer éperdument toute ma vie, puisque j'ai commencé à vous aimer. Je ne vous dis point toutes ces choses pour vous obliger à m'écrire. Ah ! ne vous contraignez point, je ne veux de vous que ce qui viendra de votre mouvement et je refuse tous les témoignages de votre amour dont vous pourriez vous empêcher [1]. J'aurai du plaisir à vous excuser, parce que vous aurez peut-être du plaisir à ne pas prendre la peine de m'écrire, et je sens une profonde disposition à vous pardonner toutes vos fautes. Un officier français a eu la charité de me parler ce matin plus de trois heures de vous, il m'a dit que la paix de France était faite [2] ; si cela est, ne pourriez-vous pas me venir voir et m'emmener en France ? Mais je ne le mérite pas, faites tout ce qu'il vous plaira, mon amour ne dépend plus de la manière dont vous me traiterez ; depuis que vous êtes parti, je n'ai pas eu un seul moment de santé et je n'ai aucun plaisir qu'en nommant votre nom mille fois le jour. Quelques religieuses, qui savent l'état déplorable où vous m'avez plongée, me parlent de vous fort souvent ; je sors le moins qu'il m'est possible de ma chambre où vous êtes venu tant de fois et je regarde sans cesse votre portrait, qui m'est mille fois plus cher que ma vie. Il me donne quelque plaisir ; mais il me donne aussi bien de la douleur, lorsque je pense que je ne vous reverrai peut-être jamais ; pourquoi faut-il qu'il soit possible que je ne vous verrai [3] peut-être jamais ?

---

1. Qui pourraient vous apporter de la gêne.
2. La paix d'Aix-la-Chapelle (mai 1668).
3. L'indicatif futur se rencontrait aussi bien que le subjonctif après « il est possible que ». Cf. Introduction, note 3, p. 31.

M'avez-vous pour toujours abandonnée ? Je suis au désespoir, votre pauvre Mariane n'en peut plus, elle s'évanouit en finissant cette lettre. Adieu, adieu, ayez pitié de moi.

TROISIÈME LETTRE

Qu'est-ce que je deviendrai, et qu'est-ce que vous voulez que je fasse ? Je me trouve bien éloignée de tout ce que j'avais prévu ; j'espérais que vous m'écririez de tous les endroits où vous passeriez et que vos lettres seraient fort longues ; que vous soutiendriez ma passion par l'espérance de vous revoir, qu'une entière confiance en votre fidélité me donnerait quelque sorte de repos et que je demeurerais cependant [1] dans un état assez supportable sans d'extrêmes douleurs ; j'avais même pensé à quelques faibles projets de faire tous les efforts dont je serais capable pour me guérir, si je pouvais connaître bien certainement que vous m'eussiez tout à fait oubliée ; votre éloignement, quelques mouvements de dévotion, la crainte de ruiner entièrement le reste de ma santé par tant de veilles et par tant d'inquiétudes, le peu d'apparence de votre retour, la froideur de votre passion et de vos derniers adieux, votre départ, fondé sur d'assez méchants prétextes et mille autre raisons, qui ne sont que trop bonnes et que trop inutiles, semblaient me promettre un secours assez assuré, s'il me devenait nécessaire ; n'ayant enfin à combattre que contre moi-même, je ne pouvais jamais me défier de

---

1. Pendant ce temps.

toutes mes faiblesses, ni appréhender tout ce que je souffre aujourd'hui. Hélas ! que je suis à plaindre de ne partager pas mes douleurs avec vous et d'être toute seule malheureuse ! Cette pensée me tue et je meurs de frayeur que vous n'ayez jamais été extrêmement sensible à tous nos plaisirs. Oui, je connais présentement la mauvaise foi de tous vos mouvements : vous m'avez trahie toutes les fois que vous m'avez dit que vous étiez ravi d'être seul avec moi ; je ne dois qu'à mes importunités vos empressements et vos transports ; vous aviez fait de sens[1] froid un dessein de m'enflammer, vous n'avez regardé ma passion que comme une victoire et votre cœur n'en a jamais été profondément touché. N'êtes-vous pas bien malheureux et n'avez-vous pas bien peu de délicatesse de n'avoir su profiter qu'en cette manière de mes emportements ? Et comment est-il possible qu'avec tant d'amour je n'aie pu vous rendre tout à fait heureux ? Je regrette pour l'amour de vous seulement les plaisirs infinis que vous avez perdus. Faut-il que vous n'ayez pas voulu en jouir ? Ah ! si vous les connaissiez, vous trouveriez sans doute qu'ils sont plus sensibles que celui de m'avoir abusée et vous auriez éprouvé qu'on est beaucoup plus heureux et qu'on sent quelque chose de bien plus touchant quand on aime violemment que lorsqu'on est aimé. Je ne sais ni ce que je suis, ni ce que je fais, ni ce que je désire ; je suis déchirée par mille mouvements contraires. Peut-on s'imaginer un état si déplorable ? Je vous aime éperdument et je vous ménage assez pour n'oser, peut-être, souhaiter que vous soyez agité des mêmes transports ; je me tuerais, ou je mourrais de douleur sans me tuer, si j'étais assurée que vous n'avez jamais aucun repos, que votre vie n'est que trouble et qu'agitation, que vous pleurez sans cesse et que tout vous est odieux ; je ne puis

---

1. Sang.

suffire [1] à mes maux, comment pourrais-je supporter la douleur que me donneraient les vôtres, qui me seraient mille fois plus sensibles ? Cependant je ne puis aussi me résoudre à désirer que vous ne pensiez point à moi ; et, à vous parler sincèrement, je suis jalouse avec fureur de tout ce qui vous donne de la joie et qui touche votre cœur et votre goût en France. Je ne sais pourquoi je vous écris, je vois bien que vous aurez seulement pitié de moi et je ne veux point de votre pitié. J'ai bien du dépit contre moi-même quand je fais réflexion sur tout ce que je vous ai sacrifié : j'ai perdu ma réputation, je me suis exposée à la fureur de mes parents, à la sévérité des lois de ce pays contre les religieuses et à votre ingratitude, qui me paraît le plus grand de tous les malheurs. Cependant je sens bien que mes remords ne sont pas véritables, que je voudrais du meilleur de mon cœur avoir couru pour l'amour de vous de plus grands dangers et que j'ai un plaisir funeste d'avoir hasardé ma vie et mon honneur : tout ce que j'ai de plus précieux ne devait-il pas être en votre disposition ? Et ne dois-je pas être bien aise de l'avoir employé comme j'ai fait ? Il me semble même que je ne suis guère contente ni de mes douleurs ni de l'excès de mon amour, quoique je ne puisse, hélas ! me flatter assez pour être contente de vous. Je vis, infidèle que je suis, et je fais autant de choses pour conserver ma vie que pour la perdre. Ah ! j'en meurs de honte : mon désespoir n'est donc que dans mes lettres ? Si je vous aimais autant que je vous l'ai dit mille fois, ne serais-je pas morte il y a longtemps ? Je vous ai trompé, c'est à vous à vous plaindre de moi. Hélas ! pourquoi ne vous en plaignez-vous pas ? Je vous ai vu partir, je ne puis espérer de vous voir jamais de retour, et je respire cependant : je vous ai trahi, je vous en demande pardon. Mais ne me

---

1. Je n'ai pas en moi de ressources suffisantes.

l'accordez pas ! Traitez-moi sévèrement ! Ne trouvez point que mes sentiments soient assez violents ! Soyez plus difficile à contenter ! Mandez-moi [1] que vous voulez que je meure d'amour pour vous ! Et je vous conjure de me donner ce secours afin que je surmonte la faiblesse de mon sexe et que je finisse toutes mes irrésolutions par un véritable désespoir ; une fin tragique vous obligerait sans doute à penser souvent à moi, ma mémoire vous serait chère et vous seriez, peut-être, sensiblement touché d'une mort extraordinaire : ne vaut-elle pas mieux que l'état où vous m'avez réduite ? Adieu, je voudrais bien ne vous avoir jamais vu. Ah ! je sens vivement la fausseté de ce sentiment et je connais, dans le moment que je vous écris, que j'aime bien mieux être malheureuse en vous aimant que de ne vous avoir jamais vu ; je consens donc sans murmure à ma mauvaise destinée, puisque vous n'avez pas voulu la rendre meilleure. Adieu, promettez-moi de me regretter tendrement si je meurs de douleur, et qu'au moins la violence de ma passion vous donne du dégoût et de l'éloignement pour toutes choses ; cette consolation me suffira, et s'il faut que je vous abandonne pour toujours, je voudrais bien ne vous laisser pas à une autre. Ne seriez-vous pas bien cruel de vous servir de mon désespoir pour vous rendre plus aimable et pour faire voir que vous avez donné la plus grande passion du monde ? Adieu encore une fois, je vous écris des lettres trop longues, je n'ai pas assez d'égard pour vous, je vous en demande pardon et j'ose espérer que vous aurez quelque indulgence pour une pauvre insensée, qui ne l'était pas, comme vous savez, avant qu'elle vous aimât. Adieu, il me semble que je vous parle trop souvent de l'état insupportable où je suis ; cependant je vous remercie dans le fond de mon cœur du désespoir que

---

1. Écrivez-moi.

vous me causez et je déteste la tranquillité où j'ai
vécu avant que je vous connusse. Adieu, ma passion
augmente à chaque moment. Ah ! que j'ai de choses à
vous dire !

QUATRIÈME LETTRE

Votre lieutenant vient de me dire qu'une tempête
vous a obligé de relâcher au royaume d'Algarve [1]. Je
crains que vous n'ayez beaucoup souffert sur la mer, et
cette appréhension m'a tellement occupée que je n'ai
plus pensé à tous mes maux ; êtes-vous bien persuadé
que votre lieutenant prenne plus de part que moi à tout
ce qui vous arrive ? Pourquoi en est-il mieux informé,
et enfin pourquoi ne m'avez-vous point écrit ? Je suis
bien malheureuse si vous n'en avez trouvé aucune
occasion depuis votre départ et je la suis bien davantage
si vous en avez trouvé sans m'écrire ; votre injustice et
votre ingratitude sont extrêmes ; mais je serais au
désespoir si elles vous attiraient quelque malheur et
j'aime beaucoup mieux qu'elles demeurent sans punition
que si j'en étais vengée. Je résiste à toutes les apparences
qui me devraient persuader que vous ne m'aimez guère
et je sens bien plus de disposition à m'abandonner
aveuglément à ma passion qu'aux raisons que vous me
donnez de me plaindre de votre peu de soin. Que vous
m'auriez épargné d'inquiétudes si votre procédé eût été
aussi languissant les premiers jours que je vous vis qu'il

---

1. Au sud-ouest de la province de l'Alentejo où se trouvent Mertola,
dont il est parlé plus loin, et Beja (Cf. Introduction, p. 38-39).

m'a paru depuis quelque temps ! Mais qui n'aurait été abusée, comme moi, par tant d'empressements, et à qui n'eussent-ils paru sincères ? Qu'on a de peine à se résoudre à soupçonner longtemps la bonne foi de ceux qu'on aime ! Je vois bien que la moindre excuse vous suffit et, sans que vous preniez le soin de m'en faire, l'amour que j'ai pour vous vous sert si fidèlement que je ne puis consentir à vous trouver coupable que pour jouir du sensible plaisir de vous justifier moi-même. Vous m'avez consommée [1] par vos assiduités, vous m'avez enflammée par vos transports, vous m'avez charmée par vos complaisances, vous m'avez assurée par vos serments, mon inclination violente m'a séduite et les suites de ces commencements si agréables et si heureux ne sont que des larmes, que des soupirs et qu'une mort funeste, sans que je puisse y porter aucun remède. Il est vrai que j'ai eu des plaisirs bien surprenants en vous aimant, mais ils me coûtent d'étranges douleurs et tous les mouvements que vous me causez sont extrêmes. Si j'avais résisté avec opiniâtreté à votre amour, si je vous avais donné quelque sujet de chagrin et de jalousie pour vous enflammer davantage, si vous aviez remarqué quelque ménagement artificieux dans ma conduite, si j'avais enfin voulu opposer ma raison à l'inclination naturelle que j'ai pour vous, dont vous me fîtes bientôt apercevoir (quoique mes efforts eussent été sans doute inutiles), vous pourriez me punir sévèrement et vous servir de votre pouvoir. Mais vous me parûtes aimable avant que vous m'eussiez dit que vous m'aimiez ; vous me témoignâtes une grande passion, j'en fus ravie et je m'abandonnai à vous aimer éperdument. Vous n'étiez point aveuglé comme moi ; pourquoi avez-vous donc souffert que je devinsse en l'état où je me trouve ? qu'est-ce que vous vouliez faire

---

1. Consumée.

de tous mes emportements qui ne pouvaient vous être que très importuns ? Vous saviez bien que vous ne seriez pas toujours en Portugal, et pourquoi m'y avez-vous voulu choisir pour me rendre si malheureuse ? Vous eussiez trouvé sans doute en ce pays quelque femme qui eût été plus belle, avec laquelle vous eussiez eu autant de plaisirs, puisque vous n'en cherchiez que de grossiers, qui vous eût fidèlement aimé aussi longtemps qu'elle vous eût vu, que le temps eût pu consoler de votre absence et que vous auriez pu quitter sans perfidie et sans cruauté. Ce procédé est bien plus d'un tyran, attaché à persécuter, que d'un amant, qui ne doit penser qu'à plaire. Hélas ! pourquoi exercez-vous tant de rigueurs sur un cœur qui est à vous ? Je vois bien que vous êtes aussi facile à vous laisser persuader contre moi que je l'ai été à me laisser persuader en votre faveur ; j'aurais résisté, sans avoir besoin de tout mon amour et sans m'apercevoir que j'eusse rien fait d'extraordinaire, à de plus grandes raisons que ne peuvent être celles qui vous ont obligé à me quitter : elles m'eussent paru bien faibles et il n'y en a point qui eussent jamais pu m'arracher d'auprès de vous ; mais vous avez voulu profiter des prétextes que vous avez trouvés de retourner en France ; un vaisseau partait : que ne le laissiez-vous partir ? Votre famille vous avait écrit : ne savez-vous pas toutes les persécutions que j'ai souffertes de la mienne ? Votre honneur vous engageait à m'abandonner : ai-je pris quelque soin du mien ? Vous étiez obligé d'aller servir votre roi : si tout ce qu'on dit de lui est vrai, il n'a aucun besoin de votre secours, et il vous aurait excusé. J'eusse été trop heureuse si nous avions passé notre vie ensemble ; mais puisqu'il fallait qu'une absence cruelle nous séparât, il me semble que je dois être bien aise de n'avoir pas été infidèle et je ne voudrais pas, pour toutes les choses du monde, avoir commis une action si noire. Quoi ! vous avez connu le fond de mon cœur et de ma tendresse, et vous avez pu vous résoudre à me laisser pour jamais et à m'exposer aux frayeurs que je dois avoir que vous ne vous souvenez[1] plus de moi que pour me sacrifier à une nouvelle passion ? Je vois bien que je vous aime comme une folle ; cependant je ne me plains point de toute la violence des mouvements de mon cœur, je m'accoutume à ses persécutions et je ne pourrais vivre sans un plaisir que je découvre et dont je jouis en vous aimant au milieu de mille douleurs ; mais je suis sans cesse persécutée avec un extrême désagrément par la haine et par le dégoût que j'ai pour toutes choses ; ma famille, mes amis et ce couvent me sont insupportables ; tout ce que je suis obligée de voir et tout ce qu'il faut que je fasse de toute nécessité m'est odieux ; je suis si jalouse de ma passion qu'il me semble que toutes mes actions et que tous mes devoirs vous regardent. Oui, je fais quelque scrupule si je n'emploie tous les moments de ma vie pour vous ; que ferais-je, hélas ! sans tant de haine et sans tant d'amour qui remplissent mon cœur ? Pourrais-je survivre à ce qui m'occupe incessamment pour mener une vie tranquille et languissante ? Ce vide et cette insensibilité ne peuvent me convenir. Tout le monde s'est aperçu du changement entier de mon humeur, de mes manières et de ma personne ; ma mère m'en a parlé avec aigreur, et ensuite avec quelque bonté ; je ne sais ce que je lui ai répondu, il me semble que je lui ai tout avoué. Les religieuses les plus sévères ont pitié de l'état où je suis, il leur donne même quelque considération et quelque ménagement pour moi ; tout le monde est touché de mon amour, et vous demeurez dans une profonde indifférence, sans m'écrire que des lettres froides, pleines de redites ; la moitié du papier n'est pas rempli et il paraît grossière-

---

1. L'emploi de l'indicatif au lieu du subjonctif actualise le procès.

ment que vous mourez d'envie de les avoir achevées.
Dona Brites me persécuta ces jours passés pour me
faire sortir de ma chambre, et, croyant me divertir, elle
me mena promener sur le balcon d'où l'on voit Mertola ;
je la suivis, et je fus aussitôt frappée d'un souvenir
cruel qui me fit pleurer tout le reste du jour ; elle me
ramena, et je me jetai sur mon lit où je fis mille
réflexions sur le peu d'apparence que je vois de guérir
jamais. Ce qu'on fait pour me soulager aigrit ma
douleur et je trouve dans les remèdes mêmes des raisons
particulières de m'affliger. Je vous ai vu souvent passer
en ce lieu avec un air qui me charmait, et j'étais sur ce
balcon le jour fatal que je commençai à sentir les
premiers effets de ma passion malheureuse ; il me
sembla que vous vouliez me plaire, quoique vous ne
me connussiez pas, je me persuadai que vous m'aviez
remarquée entre toutes celles qui étaient avec moi, je
m'imaginai que lorsque vous vous arrêtiez, vous étiez
bien aise que je vous visse mieux et j'admirasse votre
adresse et votre bonne grâce lorsque vous poussiez votre
cheval ; j'étais surprise de quelque frayeur lorsque vous
le faisiez passer dans un endroit difficile ; enfin je
m'intéressais secrètement à toutes vos actions, je sentais
bien que vous ne m'étiez point indifférent et je prenais
pour moi tout ce que vous faisiez. Vous ne connaissez
que trop les suites de ces commencements, et quoique
je n'aie rien à ménager, je ne dois pas vous les écrire
de crainte de vous rendre plus coupable, s'il est possible,
que vous ne l'êtes et d'avoir à me reprocher tant
d'efforts inutiles pour vous obliger à m'être fidèle. Vous
ne le serez point : puis-je espérer de mes lettres et de
mes reproches ce que mon amour et mon abandonnement [1] n'ont pu sur votre ingratitude ? Je suis trop
assurée de mon malheur, votre procédé injuste ne me

---

1. Le fait de s'abandonner à l'amour.

laisse pas la moindre raison d'en douter et je dois tout appréhender puisque vous m'avez abandonnée. N'aurez-vous de charmes que pour moi et ne paraîtrez-vous pas agréable à d'autres yeux ? Je crois que je ne serai pas fâchée que les sentiments des autres justifient les miens en quelque façon, et je voudrais que toutes les femmes de France vous trouvassent aimable, qu'aucune ne vous aimât et qu'aucune ne vous plût. Ce projet est ridicule et impossible ; néanmoins, j'ai assez éprouvé que vous n'êtes guère capable d'un grand entêtement [1], et que vous pourrez bien m'oublier sans aucun secours et sans y être contraint par une nouvelle passion. Peut-être voudrais-je que vous eussiez quelque prétexte raisonnable ? Il est vrai que je serais plus malheureuse, mais vous ne seriez pas si coupable. Je vois bien que vous demeurerez en France sans de grands plaisirs, avec une entière liberté ; la fatigue d'un long voyage, quelque petite bienséance et la crainte de ne répondre pas à mes transports vous retiennent. Ah ! ne m'appréhendez [2] point ! Je me contenterai de vous voir de temps en temps et de savoir seulement que nous sommes en même lieu. Mais je me flatte peut-être, et vous serez plus touché de la rigueur et de la sévérité d'une autre que vous ne l'avez été de mes faveurs ; est-il possible que vous serez [3] enflammé par de mauvais traitements ? Mais avant que de vous engager dans une grande passion, pensez bien à l'excès de mes douleurs, à l'incertitude de mes projets, à la diversité de mes mouvements, à l'extravagance de mes lettres, à mes confiances, à mes désespoirs, à mes souhaits, à ma jalousie ! Ah ! vous allez vous rendre malheureux ; je vous conjure de profiter de l'état où je suis, et qu'au

---

1. Attachement à une passion.
2. Ne me craignez point.
3. Cf. Introduction, p. 31, note 3.

moins ce que je souffre pour vous ne vous soit pas inutile ! Vous me fîtes, il y a cinq ou six mois, une fâcheuse confidence et vous m'avouâtes de trop bonne foi que vous aviez aimé une dame en votre pays : si elle vous empêche de revenir, mandez-le-moi[1] sans ménagement, afin que je ne languisse plus ; quelque reste d'espérance me soutient encore, et je serai bien aise, si elle ne doit avoir aucune suite, de la perdre tout à fait et de me perdre moi-même ; envoyez-moi son portrait avec quelqu'une de ses lettres et écrivez-moi tout ce qu'elle vous dit. J'y trouverais, peut-être, des raisons de me consoler, ou de m'affliger davantage ; je ne puis demeurer plus longtemps dans l'état où je suis et il n'y a point de changement qui ne me soit favorable. Je voudrais aussi avoir le portrait de votre frère et de votre belle-sœur : tout ce qui vous est quelque chose m'est fort cher et je suis entièrement dévouée à ce qui vous touche ; je ne me suis laissé aucune disposition de moi-même. Il y a des moments où il me semble que j'aurais assez de soumission pour servir celle que vous aimez ; vos mauvais traitements et vos mépris m'ont tellement abattue que je n'ose quelquefois penser seulement qu'il me semble que je pourrais être jalouse sans vous déplaire et que je crois avoir le plus grand tort du monde de vous faire des reproches ; je suis souvent convaincue que je ne dois point vous faire voir avec fureur, comme je fais, des sentiments que vous désavouez. Il y a longtemps qu'un officier attend votre lettre ; j'avais résolu de l'écrire d'une manière à vous la faire recevoir sans dégoût, mais elle est trop extravagante, il faut la finir. Hélas ! il n'est pas en mon pouvoir de m'y résoudre, il me semble que je vous parle quand je vous écris et que vous m'êtes un peu

---

1. Cf. p. 73, note 1.

plus présent. La première[1] ne sera pas si longue ni si importune, vous pourrez l'ouvrir et la lire sur l'assurance que je vous donne ; il est vrai que je ne dois point vous parler d'une passion qui vous déplaît, et je ne vous en parlerai plus. Il y aura un an dans peu de jours que je m'abandonnai toute à vous sans ménagement ; votre passion me paraissait fort ardente et fort sincère, et je n'eusse jamais pensé que mes faveurs vous eussent assez rebuté pour vous obliger à faire cinq cents lieues et à vous exposer à des naufrages pour vous en éloigner ; personne ne m'était redevable d'un pareil traitement. Vous pouvez vous souvenir de ma pudeur, de ma confusion et de mon désordre, mais vous ne vous souvenez pas de ce qui vous engagerait à m'aimer malgré vous. L'officier qui doit vous porter cette lettre me mande pour la quatrième fois qu'il veut partir ; qu'il est pressant ! Il abandonne sans doute quelque malheureuse en ce pays. Adieu, j'ai plus de peine à finir ma lettre que vous n'en avez eu à me quitter, peut-être, pour toujours. Adieu, je n'ose vous donner mille noms de tendresse, ni m'abandonner sans contrainte à tous mes mouvements ; je vous aime mille fois plus que ma vie et mille fois plus que je ne pense ; que vous m'êtes cher ! et que vous m'êtes cruel ! Vous ne m'écrivez point, je n'ai pu m'empêcher de vous dire encore cela ; je vais recommencer et l'officier partira. Qu'importe qu'il parte ? J'écris plus pour moi que pour vous, je ne cherche qu'à me soulager ; aussi bien la longueur de ma lettre vous fera peur, vous ne la lirez point. Qu'est-ce que j'ai fait pour être si malheureuse ? Et pourquoi avez-vous empoisonné ma vie ? Que ne suis-je née en un autre pays ? Adieu, pardonnez-moi ! je n'ose plus vous prier de m'aimer : voyez où mon destin m'a réduite ! Adieu.

---

1. La suivante.

CINQUIÈME LETTRE

Je vous écris pour la dernière fois, et j'espère vous faire connaître, par la différence des termes et de la manière de cette lettre, que vous m'avez enfin persuadée que vous ne m'aimiez plus, et qu'ainsi je ne dois plus vous aimer ; je vous renverrai donc par la première voie tout ce qui me reste encore de vous. Ne craignez pas que je vous écrive ; je ne mettrai pas même votre nom au-dessus du paquet ; j'ai chargé de tout ce détail Dona Brites, que j'avais accoutumée à des confidences bien éloignées de celle-ci ; ses soins me seront moins suspects que les miens, elle prendra toutes les précautions nécessaires afin de pouvoir m'assurer que vous avez reçu le portrait et les bracelets que vous m'avez donnés. Je veux cependant que vous sachiez que je me sens, depuis quelques jours, en état de brûler et de déchirer ces gages de votre amour qui m'étaient si chers, mais je vous ai fait voir tant de faiblesse que vous n'auriez jamais cru que j'eusse pu devenir capable d'une telle extrémité. Je veux donc jouir de toute la peine que j'ai eue à m'en séparer et vous donner au moins quelque dépit. Je vous avoue, à ma honte et à la vôtre, que je me suis trouvée plus attachée que je ne veux vous le dire à ces bagatelles et que j'ai senti que j'avais un nouveau besoin de toutes mes réflexions pour me défaire de chacune en particulier, lors même que je me flattais de n'être plus attachée à vous ; mais on vient à bout de tout ce qu'on veut avec tant de raisons. Je les ai mises entre les mains de Dona Brites : que cette résolution m'a coûté de larmes ! Après mille mouvements et mille incertitudes que vous ne connaissez pas et dont je ne vous rendrai pas compte assurément, je l'ai conjurée de ne m'en parler jamais, de ne me les rendre jamais, quand même je les demanderais pour les revoir encore une fois, et de vous les renvoyer, enfin, sans m'en avertir.

Je n'ai bien connu l'excès de mon amour que depuis que j'ai voulu faire tous mes efforts pour m'en guérir, et je crains que je n'eusse osé l'entreprendre si j'eusse pu prévoir tant de difficultés et tant de violences. Je suis persuadée que j'eusse senti des mouvements moins désagréables en vous aimant, tout ingrat que vous êtes, qu'en vous quittant pour toujours. J'ai éprouvé que vous m'étiez moins cher que ma passion et j'ai eu d'étranges peines à la combattre, après que vos procédés injurieux m'ont rendu votre personne odieuse.

L'orgueil ordinaire de mon sexe ne m'a point aidée à prendre des résolutions contre vous. Hélas ! j'ai souffert vos mépris, j'eusse supporté votre haine et toute la jalousie que m'eût donnée l'attachement que vous eussiez pu avoir pour une autre[1], j'aurais eu, au moins, quelque passion à combattre, mais votre indifférence m'est insupportable ; vos impertinentes protestations d'amitié et les civilités ridicules de votre dernière lettre m'ont fait voir que vous aviez reçu toutes celles que je vous ai écrites, qu'elles n'ont causé dans votre cœur aucun mouvement et que cependant vous les avez lues. Ingrat, je suis encore assez folle pour être au désespoir de ne pouvoir me flatter qu'elles ne soient pas venues jusques à vous et qu'on ne vous les ait pas rendues. Je déteste votre bonne foi ; vous avais-je prié de me mander sincèrement la vérité ? Que ne me laissiez-vous ma passion ? Vous n'aviez qu'à ne me point écrire ; je ne cherchais pas à être éclaircie ; ne suis-je pas bien malheureuse de n'avoir pu vous obliger à prendre quelque soin de me tromper et de n'être plus en état de

---

1. « Un autre » dans l'édition originale, la prononciation nasalisée confondant les genres de l'article indéfini singulier devant voyelle.

vous excuser ? Sachez que je m'aperçois que vous êtes indigne de tous mes sentiments et que je connais toutes vos méchantes qualités. Cependant (si tout ce que j'ai fait pour vous peut mériter que vous ayez quelques petits égards pour les grâces que je vous demande), je vous conjure de ne m'écrire plus et de m'aider à vous oublier entièrement ; si vous me témoigniez, faiblement même, que vous avez eu quelque peine en lisant cette lettre, je vous croirais peut-être ; et peut-être aussi votre aveu et votre consentement me donneraient du dépit et de la colère, et tout cela pourrait m'enflammer. Ne vous mêlez donc point de ma conduite, vous renverseriez sans doute tous mes projets, de quelque manière que vous voulussiez y entrer ; je ne veux point savoir le succès [1] de cette lettre ; ne troublez pas l'état que je me prépare, il me semble que vous pouvez être content des maux que vous me causez, quelque dessein que vous eussiez fait de me rendre malheureuse. Ne m'ôtez point de mon incertitude ; j'espère que j'en ferai, avec le temps, quelque chose de tranquille. Je vous promets de ne vous point haïr, je me défie trop des sentiments violents pour oser l'entreprendre. Je suis persuadée que je trouverais peut-être, en ce pays, un amant plus fidèle et mieux fait ; mais, hélas ! qui pourra me donner de l'amour ? La passion d'un autre m'occupera-t-elle ? La mienne a-t-elle pu quelque chose sur vous ? N'éprouvé-je pas qu'un cœur attendri n'oublie jamais ce qui l'a fait apercevoir des transports qu'il ne connaissait pas, et dont il était capable, que tous ses mouvements sont attachés à l'idole qu'il s'est faite, que ses premières idées et que ses premières blessures ne peuvent être ni guéries ni effacées, que toutes les passions qui s'offrent à son secours et qui font des efforts pour le remplir et pour le contenter lui promettent vainement une sensibi-

---

1. Le résultat (sens neutre).

lité qu'il ne retrouve plus, que tous les plaisirs qu'il cherche sans aucune envie de les rencontrer ne servent qu'à lui faire bien connaître que rien ne lui est si cher que le souvenir de ses douleurs ? Pourquoi m'avez-vous fait connaître l'imperfection et le désagrément d'un attachement qui ne doit pas durer éternellement et les malheurs qui suivent un amour violent, lorsqu'il n'est pas réciproque ? Et pourquoi une inclination aveugle et une cruelle destinée s'attachent-elles d'ordinaire à nous déterminer pour ceux qui seraient sensibles pour quelque autre ?

Quand même je pourrais espérer quelque amusement dans un nouvel engagement et que je trouverais quelqu'un de bonne foi, j'ai tant de pitié de moi-même que je ferais beaucoup de scrupule de mettre le dernier homme du monde en l'état où vous m'avez réduite ; et quoique je ne sois pas obligée à vous ménager, je ne pourrais me résoudre à exercer sur vous une vengeance si cruelle, quand même elle dépendrait de moi, par un changement que je ne prévois pas.

Je cherche dans ce moment à vous excuser et je comprends bien qu'une religieuse n'est guère aimable d'ordinaire. Cependant il semble que si on était capable de raisons dans les choix qu'on fait, on devrait plutôt s'attacher à elles qu'aux autres femmes : rien ne les empêche de penser incessamment à leur passion, elles ne sont point détournées par mille choses qui dissipent et qui occupent dans le monde. Il me semble qu'il n'est pas fort agréable de voir celles qu'on aime toujours distraites par mille bagatelles et il faut avoir bien peu de délicatesse pour souffrir, sans en être au désespoir, qu'elles ne parlent que d'assemblées, d'ajustements et de promenades. On est sans cesse exposé à de nouvelles jalousies ; elles sont obligées à des égards, à des complaisances, à des conversations ; qui peut s'assurer qu'elles n'ont aucun plaisir dans toutes ces occasions, et qu'elles souffrent toujours leurs maris avec un extrême dégoût et sans aucun consentement ? Ah ! qu'elles doivent se défier d'un amant qui ne leur fait pas rendre un compte bien exact là-dessus, qui croit aisément et sans inquiétude ce qu'elles lui disent et qui les voit avec beaucoup de confiance et de tranquillité sujettes à tous ces devoirs ! Mais je ne prétends pas vous prouver par de bonnes raisons que vous deviez m'aimer ; ce sont de très méchants moyens, et j'en ai employé de beaucoup meilleurs qui ne m'ont pas réussi ; je connais trop bien mon destin pour tâcher à le surmonter ; je serai malheureuse toute ma vie ; ne l'étais-je pas en vous voyant tous les jours ? Je mourais de frayeur que vous ne me fussiez pas fidèle, je voulais vous voir à tous moments, et cela n'était pas possible ; j'étais troublée par le péril que vous couriez en entrant dans ce couvent ; je ne vivais pas lorsque vous étiez à l'armée, j'étais au désespoir de n'être pas plus belle et plus digne de vous, je murmurais contre la médiocrité de ma condition, je croyais souvent que l'attachement que vous paraissiez avoir pour moi vous pourrait faire quelque tort ; il me semblait que je ne vous aimais pas assez, j'appréhendais pour vous la colère de mes parents et j'étais enfin dans un état aussi pitoyable qu'est celui où je suis présentement. Si vous m'eussiez donné quelques témoignages de votre passion depuis que vous n'êtes plus au Portugal, j'aurais fait tous mes efforts pour en sortir, je me fusse déguisée pour vous aller trouver. Hélas ! qu'est-ce que je fusse devenue si vous ne vous fussiez plus soucié de moi après que j'eusse été en France ? Quel désordre ! quel égarement ! quel comble de honte pour ma famille, qui m'est fort chère depuis que je ne vous aime plus ! Vous voyez bien que je connais de sens [1] froid qu'il était possible que je fusse

---

1. Cf. p. 71, note 1.

encore plus à plaindre que je ne suis ; et je vous parle, au moins, raisonnablement une fois en ma vie. Que ma modération vous plaira et que vous serez content de moi ! Je ne veux point le savoir, je vous ai déjà prié de ne m'écrire plus et je vous en conjure encore.

N'avez-vous jamais fait quelque réflexion sur la manière dont vous m'avez traitée ? Ne pensez-vous jamais que vous m'avez plus d'obligation qu'à personne du monde ? Je vous ai aimé comme une insensée ; que de mépris j'ai eu pour toutes choses ! Votre procédé n'est point d'un honnête homme ; il faut que vous ayez eu pour moi de l'aversion naturelle, puisque vous ne m'avez pas aimée éperdument ; je me suis laissé[1] enchanter par des qualités très médiocres : qu'avez-vous fait qui dût me plaire ? Quel sacrifice m'avez-vous fait ? N'avez-vous pas cherché mille autres plaisirs ? Avez-vous renoncé au jeu et à la chasse ? N'êtes-vous pas parti le premier pour aller à l'armée ? N'en êtes-vous pas revenu après tout les autres ? Vous vous y êtes exposé follement, quoique je vous eusse prié de vous ménager pour l'amour de moi ; vous n'avez point cherché les moyens de vous établir en Portugal, où vous étiez estimé ; une lettre de votre frère vous en a fait partir sans hésiter un moment ; et n'ai-je pas su que, durant le voyage, vous avez été de la plus belle humeur du monde ? Il faut avouer que je suis obligée à vous haïr mortellement. Ah ! je me suis attiré[2] tous mes malheurs : je vous ai d'abord accoutumé à une grande passion avec trop de bonne foi, et il faut de l'artifice pour se faire aimer ; il faut chercher avec quelque adresse les moyens d'enflammer, et l'amour tout seul ne donne point de l'amour ; vous vouliez que je vous

---

1. « Laissée » dans l'édition originale, l'accord avec le sujet étant constant avec l'auxiliaire être.
2. « Attirée » dans l'édition originale. Cf. note 1, p. 68.

aimasse et, comme vous aviez formé ce dessein, il n'y a rien que vous n'eussiez fait pour y parvenir ; vous vous fussiez même résolu à m'aimer s'il eût été nécessaire ; mais vous avez connu que vous pouviez réussir dans votre entreprise sans passion et que vous n'en aviez aucun besoin. Quelle perfidie ! Croyez-vous avoir pu impunément me tromper ? Si quelque hasard vous ramenait en ce pays, je vous déclare que je vous livrerais à la vengeance de mes parents. J'ai vécu longtemps dans un abandonnement [1] et dans une idolâtrie qui me donne de l'horreur et mon remords me persécute avec une rigueur insupportable ; je sens vivement la honte des crimes que vous m'avez fait commettre et je n'ai plus, hélas ! la passion qui m'empêchait d'en connaître l'énormité. Quand est-ce que mon cœur ne sera plus déchiré ? quand est-ce que je serai délivrée de cet embarras cruel ? Cependant je crois que je ne vous souhaite point de mal et que je me résoudrais à consentir que vous fussiez heureux ; mais comment pourrez-vous l'être si vous avez le cœur bien fait ? Je veux vous écrire une autre lettre, pour vous faire voir que je serai peut-être plus tranquille dans quelque temps. Que j'aurai de plaisir de pouvoir vous reprocher vos procédés injustes après que je n'en serai plus si vivement touchée et lorsque je vous ferai connaître que je vous méprise, que je parle avec beaucoup d'indifférence de votre trahison, que j'ai oublié tous mes plaisirs et toutes mes douleurs et que je ne me souviens de vous que lorsque je veux m'en souvenir ! Je demeure d'accord que vous avez de grands avantages sur moi et que vous m'avez donné une passion qui m'a fait perdre la raison ; mais vous devez en tirer peu de vanité : j'étais jeune, j'étais crédule, on m'avait enfermée dans ce couvent depuis mon enfance, je n'avais vu que des gens désagréables,

---

1. Laisser-aller moral, vie de péché.

je n'avais jamais entendu les louanges que vous me donniez incessamment ; il me semblait que je vous devais les charmes et la beauté que vous me trouviez et dont vous me faisiez apercevoir, j'entendais dire du bien de vous, tout le monde me parlait en votre faveur, vous faisiez tout ce qu'il fallait pour me donner de l'amour. Mais je suis enfin revenue de cet enchantement, vous m'avez donné de grands secours et j'avoue que j'en avais un extrême besoin. En vous renvoyant vos lettres, je garderai soigneusement les deux dernières que vous m'avez écrites et je les relirai encore plus souvent que je n'ai lu les premières, afin de ne retomber plus dans mes faiblesses. Ah ! qu'elles me coûtent cher et que j'aurais été heureuse si vous eussiez voulu souffrir que je vous eusse toujours aimé ! Je connais bien que je suis encore un peu trop occupée de mes reproches et de votre infidélité, mais souvenez-vous que je me suis promis [1] un état plus paisible et que j'y parviendrai, ou que je prendrai contre moi quelque résolution extrême que vous apprendrez sans beaucoup de déplaisir ; mais je ne veux plus rien de vous, je suis une folle de redire les mêmes choses si souvent, il faut vous quitter et ne penser plus à vous, je crois même que je ne vous écrirai plus ; suis-je obligée de vous rendre un compte exact de tous mes divers mouvements ?

---

1. « Promise » dans l'édition originale. Cf. note 1, p. 68.

Annexes

Dans la première partie de cette section, on trouvera les trois ouvrages dont la publication suit de près celle des cinq *Lettres* :

— les *Lettres portugaises, Seconde partie*, Paris, Barbin, 1669, 1 vol. in-12, 151 p. ;

— les *Réponses aux Lettres portugaises, Traduites en François*, Paris, J.B. Loyson, 1669, 1 vol. in-12, 92 et 46 p. ;

— les *Réponses aux Lettres portugaises*, Grenoble, R. Philippes, 1669, 1 vol. in-12, 144 p.

L'ordre, conjectural, de parution serait le suivant : 1) *Réponses* de Paris, dont le privilège est daté du 3 février 1669 ; 2) ou 3) *Réponses* de Grenoble, qui pourraient difficilement être antérieures à celles de Paris et qui, lorsque les deux séries sont publiées ensemble, sont placées en seconde position. On leur a donné, pour cette raison, à la suite d'E. Asse, le nom de « Nouvelles Réponses » ; 2) ou 3) *Seconde partie*, dont l'achevé d'imprimer est du 30 août 1669.

Les avis *Au Lecteur* font apparaître deux groupes distincts : les *Réponses* de Paris sont présentées, à l'instar des *Portugaises*, comme des lettres authentiques traduites ; la *Seconde partie* et les *Réponses* de Grenoble, comme des émulations, exploitant le succès des cinq *Lettres*.

Les auteurs de ces œuvres demeurent inconnus. Pour les *Réponses* de Paris, le privilège fait état d'une cession au libraire par « le sieur D.F.D.M. », traducteur. Cet initialisme n'a pas été déchiffré. Elles sont présentées, et acceptées, comme des lettres de Chamilly. La *Seconde partie* est-elle de Subligny ? Ce nom a été mis en avant par Mercier de Saint-Léger, qui confond dans une même provenance les *Lettres portugaises* et la *Seconde partie*. Il serait intéressant de savoir à qui l'on doit ces ouvrages très différents les uns des autres.

La *Seconde partie* reprend habilement les procédés qui viennent de faire leurs preuves : une seule voix, celle de la femme amoureuse, qui se plaint de la froideur de son amant ; la même conception paroxystique de l'amour ; les mêmes emportements, un style abandonné aux impulsions du cœur, une absence de composition logique ; une trame narrative mince, qui rappelle celle de son modèle : conquête, liaison sans perspective d'avenir, dépeinte dans un moment de crise. L'amour de la « femme du monde » est, comme celui de Mariane, entier et exigeant. En dépit des évidences (l'amour de l'officier ne répond pas au sien), elle pardonne et cède pour ne pas perdre son amant ; elle l'accable de reproches, tout en sachant qu'ils sont vains et, de plus, importuns, et que son insatisfaction permanente n'est guère aimable.

Mais la situation est différente, et développée différemment. La femme n'est pas abandonnée, l'absence de l'amant n'est pas irrémédiable, ce sont des absences suivies de retours. Un thème est privilégié, celui de la jalousie, avec ses brouilles et ses réconciliations. L'amour y est traité sur un registre plus ordinaire, l'atmosphère n'est pas tragique comme dans les *Portugaises*, mais mondaine et plus légère. Sans illusion sur son amant, la femme lui reste attachée pour des qualités plus extérieures qu'intérieures, pour « ses charmes », et cède pour éviter la rupture. C'est une œuvre originale, qui sait se démarquer de son modèle, une petite nouvelle épistolaire réussie qui mériterait une étude spécifique.

Imaginer des réponses, l'entreprise se justifiait par le mystère entretenu sur la personnalité de l'amant. Mais elle était difficile. Les *Portugaises* imposaient une contrainte et un choix : ne pas contredire l'attitude de Mariane, ou bien la contredire nettement. Faire du personnage masculin soit un bellâtre sot et mou qui tenterait, sans y parvenir, de répondre sur le même ton ; mais alors surgit un obstacle : quel serait l'intérêt littéraire de telles lettres ? soit un séducteur qui considérerait l'attitude de Mariane comme psychotique, chercherait à ramener l'aventure à de « justes » proportions et ferait comprendre qu'il n'aime plus.

Les *Réponses* de Paris correspondent à l'image que Mariane donne de ces lettres, mais non pas le personnage de l'amant : il est fidèle, aimant, victime d'un malentendu ; ses lettres n'ont pas été remises à la destinataire (on se demande par quel mystère celles-là le sont !), et il annonce son retour au Portugal. Les *Réponses* de Grenoble sont telles que l'on hésite sur leur signification. Elles tentent de faire basculer la vérité de Mariane : l'amant est constant, tendre, passionné ; c'est Mariane qui est légère, infidèle et perfide ; son désir est de faire porter à son amant la responsabilité de la rupture. L'intention (si du moins telle a été l'intention) est ingénieuse, mais tellement mal exécutée qu'on a de la peine à cerner de façon nette la personnalité de l'amant.

Les *Réponses* de Paris sont dépourvues de toute idée personnelle et ne font que reprendre celles de Mariane dans un style affadi, où tout est « doux ». L'épistolier avoue ne pas savoir parler d'amour autrement que Mariane, qui l'exprime en des termes « si doux » (Lettre I). Le prix de sa conquête ? il le reconnaît : « Il est bien doux de recevoir une si belle vie que la vôtre et d'en jouir heureusement » (Lettre I). Mariane est de son « imagination l'idée la plus douce », il est « doux » d'endurer la souffrance, le titre d'amant est « doux », les plaisirs, le souvenir aussi. Toutes ces protestations d'amour manquent de sel, et de deux sous de poivre. Les reprises des lettres de Mariane vont jusqu'à la lourdeur la plus épaisse : « N'enviez point le bonheur d'Emmanuel et de Francisque, ils ne sont avec moi qu'en qualité de laquais » (Lettre I). Quant aux « civilités ridicules » que récuse Mariane, elles sont partout ; dans les fins de lettres, mondaines et compassées, ponctuées par des « Madame » à l'intérieur des lettres ; il prend part à la douleur de Mariane de la sorte : « Tout cela n'est rien au prix des ressentiments que j'ai présentement de la douleur que vous souffrez de mon absence, et je puis vous assurer que je participe de tout mon cœur à tous les maux et aux différentes indispositions que vous avez » (Lettre I).

Que peut faire Mariane d'un tel amant ? Mais, après tout, l'image qui en est donnée montre seulement qu'il ne sait pas écrire. Pour le reste, il est parfait. Trop parfait. La réhabilitation va trop loin, le dénouement aussi, pour assurer une cohérence entre les lettres et les réponses.

Les *Réponses* de Grenoble sont aussi ambiguës dans leur présentation que dans leur exécution. Le projet avoué est de démontrer qu'un homme non amoureux peut faire d'excellentes lettres amoureuses, que l'esprit vaut le cœur dans ce domaine, mais que, si les lecteurs en jugent autrement, la réalisation sera conforme à ce que Mariane en dit.

Ce défi lancé par l'esprit au cœur est relevé par une narration minutieuse et soporifique de tout ce que l'on sait déjà, dans une avalanche de passés simples. Par des raffinements dans l'analyse des sentiments, qui ne sont que de la sottise très raffinée ; témoin le début de la première lettre, et sa suite : « Je vois bien que c'est moi qui voudrais partir, et que c'est moi qui ne le veux pas, ou pour parler plus juste, qui ne le peux pas. Je ne le veux ni ne le peux ; mais il le faut » ; ou encore le développement subtil de la lettre V, qui commence par « j'ai bien le plaisir de vous aimer » et s'achève par « Disons donc que je n'ai pas le plaisir d'aimer ». Par des jeux de mots : « J'avais moins d'amour pour ma fortune que d'envie de trouver quelque bonne fortune dans mon amour » (Lettre V). Par des répliques percutantes : « S'il est des femmes en France, il est des hommes en Portugal » (Lettre V). Par des stances poignantes : « Je l'ai abandonné, disais-je, pourquoi ne m'abandonne-t-elle pas ? Je l'aime pourtant encore, reprenais-je, pourquoi ne m'aimera-t-elle pas ? Et si je n'aime qu'elle, pourquoi en aimera-t-elle d'autres que moi ? » (Lettre V). Par des exclamations cornéliennes sur la douleur de la séparation : « Ah, cruel départ ! funeste éloignement ! mortelle séparation ! (Lettre V). Par l'expression virile et vigoureuse de la solitude insupportable : « J'ai soupiré tout seul, j'ai souffert tout seul, j'ai failli à mourir tout seul » (Lettre V). Par des variations infinies pour nommer Mariane, tantôt « aimable personne », « chère Mariane », « mon cœur », « ma chère âme », etc., tantôt « méchante », plus les qualifications de « présente », « absente », « passionnée », « douce », « indifférente », « cruelle », parsemées çà et là et reprises dans un bouquet final. On n'en finirait pas. Il n'est pas une ligne qui ne soit à marquer au coin de l'affectation sotte du bel esprit, jusqu'aux dernières lignes, où l'on trouve un incongru : « Ouvrez cette lettre, Mariane ».

Que penser, d'autre part, de galanteries sincères qui sont de cette encre : « Qui me répondra que je ne perde pas avec une égale facilité ce que j'ai gagné avec si peu de peine ? » (Lettre V) ; « Il n'est guerre ni danger qui m'empêche de retourner en Portugal, et d'aller sacrifier à vos pieds, et peut-être, hélas, à votre tombeau, la vie du plus lâche de tous les amants » (Lettre III) ; que penser de la raison qui accompagne le refus de tout nouvel engagement, celle d'éviter de s'exposer à de nouveaux ennuis ? (Lettre V) ; tout cela est du dernier galant.

On peut considérer que ces traits correspondent à une intention de l'auteur : l'amant est lucide, intelligent, il n'est pas dupe ; Mariane a des torts, et elle est injuste. Les réponses, en effet, prennent le contrepied des lettres, renversent le point de vue. L'amant de Grenoble retourne à Mariane ses reproches, ses critiques, ses arguments, il va parfois jusqu'à la satire pour contredire Mariane (satire de l'amour des religieuses, Lettre V). Mais cette goujaterie s'accorde mal avec l'image qui est donnée parallèlement de l'amant parfait, constant, tendre, passionné. L'effet est celui d'une palinodie constante, celle de l'avis au lecteur.

Les *Réponses* de Paris, sans génie, appliquées, naïves même, n'apportent rien. Celles de Grenoble ont sans doute voulu trop en faire, et l'on s'y perd. Il n'est pas jusqu'au style (redites, insistance sur les mots-clés, reprises de métaphores éculées, développements verbeux, exclamations peu naturelles) qui ne soulève des questions sur les intentions de l'auteur : est-ce fait exprès ?

Dans les deux cas, l'artifice est invraisemblable, le sujet mal traité : on ne peut croire à ces deux contre-vérités des *Portugaises*. Les auteurs n'ont pas su entrer dans le jeu de façon crédible. Qu'ont-ils voulu faire ? Réhabiliter l'honneur masculin ? Sans doute les questions que l'on se pose sur la signification à donner aux deux séries de réponses sont-elles dues moins à un manque de talent des auteurs qu'à une nouvelle tentative maladroite de constituer un ensemble romanesque par lettres. Le résultat n'est qu'un dialogue de sourds, un duo épistolaire manqué. L'adjonction de ces textes aux *Portugaises*, ainsi que celle de la *Seconde Partie*, démontre l'incompréhension totale, en 1669, de la part des auteurs, des libraires et des lecteurs, de ce qui fait un roman par lettres réussi.

*
* *

La seconde partie de cette section présente les deux mises en vers des *Lettres portugaises* au XVIIIᵉ siècle :

— les *Lettres portugaises en vers libres, par Mlle d'Ol****, de Ximénès, Lisbonne [Paris, Duchesne], 1759, in-12, 23 p.

— les *Lettres d'une chanoinesse de Lisbonne à Melcour, officier françois en Portugal*, de Dorat, La Haye-Paris, Lambert-Jorry-Delalain, 1770, in-8°, 119 p. [1]

Entreprises sans précédent (le XVIIᵉ siècle ne fournit pas de sujet d'héroïdes) et sans lendemain.

Le premier ouvrage est dû au marquis Auguste-Louis de Ximénès (1726-1817), officier, auteur de tragédies, d'essais, de lettres et de discours, et d'héroïdes. Le deuxième à Claude-Joseph Dorat (1734-1780), écrivain fécond qui toucha à tous les domaines : tragédie, comédie, roman, poésie en tous genres, tout particulièrement l'héroïde. Ces deux « imitations » en vers se rattachent à ce dernier genre. *L'Année littéraire* écrit, en octobre 1759, à propos de l'ouvrage de Ximénès : « Il mérite de tenir une place dans le Recueil des Héroïdes qui ont paru successivement ». L'entreprise de Dorat, à un moment où le genre s'essoufflait, est

---

1. Les deux ouvrages ont été étudiés par R. Carocci, dans *Les Héroïdes dans la deuxième moitié du XVIIIᵉ siècle* (1758-1788), Fasano-Paris, Schena-Nizet, 1988, *Biblioteca della ricerca 21*, chap. VI, p. 187-205. Sur la mise en vers de Dorat, voir A.M. Clin et Y. Giraud, « Les *Lettres portugaises* ''rajeunies'' par Dorat », art. cité.

plus qu'une suite d'héroïdes ; elle est un essai de roman par lettres en vers.

Sous le pseudonyme énigmatique de Mlle d'Ol***, Ximénès compose deux héroïdes imitant deux des lettres portugaises. Dans un bref *Avertissement*, il explique son entreprise par une attirance pour ces lettres réelles, où, comme dans celles d'Héloïse, la passion est peinte avec force et naturel, donc avec plus de persuasion que dans des lettres fictives et purement littéraires. Son idéal est de garder aux vers la simplicité de la prose. Il ne souffle mot, en revanche, de son choix sélectif de la première et de la quatrième portugaise, se contentant d'observer entre elles une différence de contenu, le « plus ou moins d'espoir et de confiance ».

Il ne reprend pas de formules à son modèle ; il semble même que partout le mot à mot soit soigneusement évité. C'est une véritable réécriture. Par contre, le mouvement est fidèlement suivi : pour la lettre I, apostrophe initiale, peinture de la douleur présente, prosopopée, souvenirs, mouvements du cœur, évanouissement, reproches, confiance finale, « mot » sur le bonheur de la lettre. Le désir de retrouver la simplicité de la phrase prosaïque est quelque peu gâté par la mise en vers, qui impose un ordre des mots peu naturel, emprunte son vocabulaire au registre de la tragédie classique *(feu, feux, fers, chaînes, climats, temple, carrière)*, ce qui ne va pas sans une certaine affectation, il abuse des adjectifs clichés, ne redoute pas le grotesque de certaines chevilles (« N'as-tu pas bien souffert de la fureur des flots ? »); les formules sont un peu trop visiblement recherchées, les vers un peu trop régulièrement balancés, le modèle racinien trop présent. Une forme conventionnelle, banale et abstraite reproduit de façon terne et décolorée l'expression vigoureuse et véhémente de la prose. La lettre II, très longue, avec de pareils procédés ne peut être que languissante. Des ruptures de ton, enfin, entre ces héroïdes et leur modèle, sont mal venues : analyses (« À quels renversements la pensée est sujette ! »), conception vaudevillesque de la situation (« Du sort de tous les trois tu peux être encor maître »).

Peu d'échos, peu de retentissement. Le *Mercure de France*[1] reconnaît de l'élégance à ces vers mais les trouve un peu lents. Une réédition, à Francfort, en 1760. La mise en vers n'a pas ranimé une flamme vacillante pour ce texte, condamné par les puristes, comme en témoigne Dorat (voir *infra*) :

« Ils vous diront que les Lettres portugaises sont du *dernier médiocre* ; que cela *ne se laisse point lire*, et qu'il est *incroyable* qu'un pareil texte ait encore des partisans. »

Lorsque Dorat, à son tour, décide de mettre en vers les *Lettres portugaises*, il s'en explique longuement dans des *Réflexions préliminaires*. Comme Ximénès, il est sensible à la vérité des sentiments et à la force de la communication. Mais, tout en admirant l'excellence du fond (la peinture de l'amour « dans toutes ses nuances » y est digne d'un Racine), il reconnaît que la forme l'« a souvent dégoûté » par sa médiocrité. Pour en faire une œuvre achevée, une élaboration et un élagage sont nécessaires. Son ambition ne se limite pas à une transposition en alexandrins ; il entend promouvoir un genre nouveau, le roman épistolaire en vers, dont les lettres de Valcour et de Zéïla avaient été l'esquisse[2].

La réécriture porte sur l'ensemble des textes de 1669 *(Lettres portugaises, Seconde partie, Réponses)*. Dorat

---

1. Octobre 1759, p. 82.
2. *Lettres de Zéïla, jeune sauvage, esclave à Constantinople, à Valcour, officier françois*, Paris, Jorry, 1764 ; *Réponse de Valcour à Zéïla, ibid.*, 1765 ; *Lettres de Valcour à son père, pour servir de suite et fin au roman de Zéïla, ibid.*, 1767.

élimine les réponses, ne conservant que la lettre d'adieu de Melcour (Lettre X, reprise de la lettre I de Grenoble), qu'il place entre les sept premières lettres (reprise de la *Seconde partie*), écrites pendant le temps de la liaison, et les cinq de l'abandon. Il ajoute à son modèle deux lettres : une d'introduction (Lettre I), qui joue le rôle d'une scène d'exposition au théâtre, et une de conclusion (Lettre XVI), qui reprend le dénouement heureux de la dernière lettre des réponses de Paris. Il rétablit l'ordre logique de la succession des lettres : la septième suit la cinquième, la sixième vient après la septième (Lettres VII, VIII, IX). Enfin, et c'est la dernière modification apportée à la structure d'ensemble, il scinde en deux la première lettre : l'exposé de la circonstance qui a provoqué la colère de Melcour et cette colère elle-même sont séparées (Lettres II et III), dans un souci de clarté et de netteté.

Ces modifications importantes révèlent un désir de rationalisation et de normalisation propres à l'esthétique classique. La conclusion par contre, appartient à la tendance sensible et moralisante de la fin du XVIIIe siècle, telle que l'annonçaient déjà les *Réponses* de Paris : l'amour et le devoir sont réconciliés, l'amant n'est pas un vil séducteur, la femme n'est plus abandonnée. La religieuse est transformée en chanoinesse, son amour n'est pas coupable. La triple volonté de renoncer au tragique et de moraliser modifient profondément le ton de l'œuvre, comme il l'avait été par la réunion des textes repris par Dorat. En prenant comme modèle la « vulgate monstrueuse[1] », Dorat en perpétue les faiblesses. Lui non plus n'a pas compris qu'à intégrer

---

1. Nous appelons ainsi la présentation alternée des lettres (dans l'ordre : *Seconde Partie*, puis *Lettres portugaises*) et des réponses (dans l'ordre : Loyson, puis Philippes), comme s'il s'agissait d'un ensemble cohérent.

les cinq *Portugaises* dans cet ensemble, on en altère fâcheusement la signification. La tragédie de Mariane tire sa principale force de la concentration et du monologue désespéré des cinq lettres. À prendre son histoire de trop loin et en la prolongeant par des réponses, on l'affadit, on la banalise, on la réduit à une liaison ordinaire.

Si la conception manque de goût, le travail de réécriture, en revanche, aboutit à des résultats souvent heureux. Les deux préoccupations majeures de Dorat, plus d'ordre et de clarté dans la composition, plus de force dans l'expression, se retrouvent à l'intérieur de chaque lettre. Cela se traduit d'abord par un effort de structuration : chaque lettre présente un schéma ordonné en quelques vers d'introduction, une succession de mouvements thématiques soigneusement clos, une conclusion. La tendance à la condensation est visible en maints endroits ; il est fréquent qu'à une, deux ou même trois pages de prose correspondent trois vers seulement. Dorat supprime des redites, les fluctuations du cœur disparaissent devant un discours qui va de l'avant. Le détail de l'expression révèle une recherche de pittoresque et de force. C'est le cas, par exemple, du passage qui a trait à la galanterie française, beaucoup plus vigoureux que dans le modèle. Le remodelage en alexandrins de phrases ou de certains membres de phrase va à l'essentiel et frappe davantage. Ainsi « et vous auriez éprouvé qu'on est beaucoup plus heureux et qu'on sent quelque chose de bien plus touchant quand on aime violemment que lorsqu'on est aimé » devient :

> Et vous éprouveriez qu'on est bien plus heureux
> De ressentir l'amour que d'inspirer ses feux.
>
> (Lettre XII)

Sans doute Dorat corrige-t-il là ce qu'il appelle la diction « commune » de son modèle. De même, « Hélas, qu'est-ce que je fusse devenue, si vous ne vous fussiez plus soucié de moi après que j'eusse été en France ? » est rendu par :

> Que devenais-je, hélas, si toujours abusée,
> J'eusse volé vers vous, pour me voir méprisée ?
>
> (Lettre XV)

Malgré des trouvailles heureuses, la mise en vers paraît, chez Dorat comme chez Ximénès, plus verbeuse que la prose, bien qu'elle soit, chez l'un et chez l'autre, plus courte. Cela tient aux contraintes de la rime, lorsque les adaptateurs ne s'abandonnent pas à l'emphase des exclamations, des apostrophes et des interjections. Les ficelles de la versification, bourre et chevilles, accompagnent une grandiloquence sentimentale qui habille parfois la banalité des clichés. Les alexandrins manquent de vivacité, de naturel et de souplesse et l'imitation de Corneille et de Racine aboutit à un langage conventionnel et guindé, le sujet ne s'y prêtant pas.

Les *Lettres d'une chanoinesse* connaissent six éditions en douze ans, signe de quelque succès. *Le Journal Encyclopédique* en parle en termes élogieux[1]. Le *Mercure de France* également, mais avec une réserve : « Ces nouvelles lettres en vers occuperont agréablement le lecteur ; mais l'intéresseront-elles autant que les lettres originales[2] ? ». *L'Almanach des Muses* atteste la faveur du public. Mercier de Saint-Léger, nous l'avons vu, en excuse les faiblesses par la médiocrité du modèle dont s'est servi Dorat. En revanche, le jugement de Grimm est sévère : « M. Dorat, pour le malheur de sa réputation, trop fécond en essais et en productions de toute espèce, a délayé ces lettres en rimes alexandrines et les

---

1. Mars 1771, p. 416-424, avril 1771, p. 84-93.
2. Février 1771, p. 110 *sq.*

a publiées dans cet état de langueur[1] ». Quant aux éditeurs et biographes de Dorat, ils sont muets sur cette œuvre.

Bien que ces deux réécritures passent généralement pour des œuvres peu réussies, nous avons trouvé bon de les présenter dans cette édition, pour trois raisons.

Malgré les critiques que l'on a pu faire, ni l'ouvrage de Ximénès ni celui de Dorat ne sont dépourvus de mérite. Ce ne sont pas des imitations serviles et, pour les goûter, il faut peut-être les lire comme des œuvres à part entière. N'est-ce pas ainsi que nous lisons la plupart des écrivains classiques, sans comparaisons constantes avec leurs sources ?

D'autre part les éditions sont anciennes et difficiles à trouver. Les trois éditions Delance (1796, 1806 et 1807) n'offrent que des extraits du texte de Dorat, l'édition de Forot (1946) une lettre seulement, et rien des *Réflexions préliminaires*. L'édition Delalain de 1782 est la dernière à reproduire l'ouvrage dans son intégralité. Quant aux lettres de Ximénès, elles n'ont jamais été rééditées depuis le XVIIIe siècle.

Ce sont enfin des jalons intéressants de la fortune du texte et de sa réception. Plus proches et plus éclairants, sans aucun doute, que les *Valentins*.

Comme les *Lettres portugaises*, les textes annexes ont été modernisés.

---

1. Année 1771, t. IX, p. 269.

LETTRES PORTUGAISES
SECONDE PARTIE

AU LECTEUR

Le bruit qu'a fait la traduction des cinq *Lettres portugaises* a donné le désir à quelques personnes de qualité d'en traduire quelques nouvelles qui leur sont tombées entre les mains. Les premières ont eu tant de cours dans le monde que l'on devait appréhender avec justice d'exposer celles-ci au public ; mais comme elles sont d'une femme du monde qui écrit d'un style différent de celui d'une religieuse, j'ai cru que cette différence pourrait plaire, et que peut-être l'ouvrage n'est pas si désagréable qu'on ne me sache quelque gré de le donner au public.

PREMIÈRE LETTRE

Il est donc possible que vous ayez été un moment en colère contre moi, et qu'avec une passion la plus tendre et la plus délicate qui fut jamais, je vous aie donné un instant de chagrin ! Hélas ! de quel remords ne serais-je point capable si je manquais à la fidélité que je vous dois, puisque je ne m'accuse que d'un excès de délicatesse et que je ne puis me pardonner votre courroux ? Mais pourquoi faut-il qu'il me donne ce remords ? N'ai-je pas eu raison de me plaindre, et n'offenserais-je pas votre propre passion si j'avais pu souffrir, sans murmure, que vous ayez la force de me cacher[1] quelque chose ? Hé, bon Dieu ! je fais des reproches continuels à mon âme de ce qu'elle ne vous découvre pas assez l'ardeur de ses mouvements, et vous voulez me cacher tous les secrets de la vôtre ! Quand mes regards sont trop languissants, il me semble qu'ils ne servent que ma tendresse et qu'ils volent quelque chose à mon ardeur. S'ils sont trop vifs, ma langueur leur fait le même reproche, et avec les actions du monde les plus parlantes, je crois n'en pas assez dire, pendant que vous me faites des réserves d'une bagatelle. Ah ! que ce procédé m'a touchée, et que je vous aurais fait de pitié si vous aviez pu voir tout ce qu'il m'a fait

_____

1. « Lascher » dans l'édition originale.

penser ! Mais pourquoi suis-je si curieuse ? Pourquoi veux-je lire dans une âme où je ne trouverais que de la tiédeur, et peut-être de l'infidélité ? C'est votre honnêteté propre qui vous rend si réservé et je vous ai de l'obligation de votre mystère. Vous voulez m'épargner la douleur de connaître toute votre indifférence, et vous ne dissimulez vos sentiments que par pitié pour ma faiblesse. Hélas, que ne m'avez-vous paru tel dans les commencements de notre connaissance ! peut-être que mon cœur se fût réglé sur le vôtre. Mais vous ne vous êtes résolu à m'aimer avec peu d'empressement que quand vous avez reconnu que j'en avais jusques à la fureur. Ce n'est pourtant pas par tempérament que vous êtes si retenu. Vous êtes emporté, je l'éprouvai hier au soir. Mais, hélas ! votre emportement n'est pas fait pour le courroux [1] et vous n'êtes sensible qu'à ce que vous croyez des outrages. Ingrat, que vous a fait l'amour pour être si mal partagé ? Que n'employez-vous cette impétuosité pour répondre à la mienne ? Pourquoi faut-il que ces démarches précipitées ne se fassent pas pour avancer les moments de notre félicité ? Et qui dirait en vous voyant si prompt à sortir de ma chambre quand le dépit vous en chasse, que vous êtes si lent à y venir quand l'amour vous y appelle ? Mais je mérite bien ce traitement : j'ai pu vous ordonner quelque chose. Est-ce à un cœur tout à vous à entreprendre de vous donner des lois ? Allez, vous avez bien fait de l'en punir et je devrais mourir de honte d'avoir cru être maîtresse d'aucun [2] de mes mouvements. Ah ! que vous savez bien comme il faut châtier cette espèce de révolte ! Vous souvient-il de la tranquillité apparente avec laquelle vous m'offrîtes, hier au soir, de m'aider à

---

1. Le sens semble plutôt : « votre emportement n'est fait que pour le courroux ».
2. Un seul.

ne plus vous voir ? Avez-vous bien pu m'offrir ce
remède, ou pour mieux dire, m'avez-vous cru capable
de l'accepter ? car dans la délicatesse de mon amour, il
me serait bien plus douloureux de me voir soupçonnée
d'un crime que de vous en voir commettre un. Je suis
plus jalouse de ma passion que de la vôtre et je vous
pardonnerais plus aisément une infidélité que le soupçon
de me la voir faire. Oui, c'est de moi-même que je veux
être contente plutôt que de vous. Ma tendresse m'est si
précieuse et l'estime que je fais de vous m'y fait trouver
tant de gloire que je ne sais point de plus grand crime
que de vous en laisser douter. Mais comment en
douteriez-vous ? Tout vous le persuade et dans votre
cœur et dans le mien. Vous n'avez pas une négligence
qui ne vous apprenne que je vous aime jusques à
l'adoration ; et l'amour m'a si bien appris l'art de tirer
du profit de toutes choses qu'il n'y a pas jusques à la
retenue de mes caresses qui ne vous convainque de
l'excès de ma passion. N'avez-vous jamais remarqué cet
effet de ma complaisance ? Combien de fois ai-je retenu
les transports de ma joie à votre arrivée, parce qu'il me
semblait remarquer dans vos yeux que vous me vouliez
plus de modération ? Vous m'auriez fait grand tort si
vous n'aviez pas observé ma contrainte dans ces occasions ; car ces sortes de sacrifices sont les plus pénibles
pour moi que je vous aie jamais faits ; mais je ne
vous les reproche point. Que m'importe que je sois
parfaitement heureuse, pourvu que ce qui manque à
mon bonheur augmente le vôtre ? Si vous étiez plus
empressé, j'aurais le plaisir de me croire plus aimée ;
mais vous n'auriez pas celui de l'être tant. Vous croiriez
devoir quelque chose à votre amour, et j'ai la gloire de
voir que vous ne devez rien qu'à mon inclination.
N'abusez pourtant pas de cette générosité amoureuse et
n'allez pas vous aviser de la pousser jusques à m'arracher
le peu d'empressement qui vous reste ; au contraire,

soyez généreux à votre tour et venez me protester que le désintéressement de ma tendresse augmente la vôtre, que je ne hasarde rien quand je crois mettre tout au hasard, et que vous êtes aussi tendre et aussi fidèle que je suis tendrement et fidèlement à vous.

SECONDE LETTRE

Sans mentir, cette dame d'hier au soir est bien laide ; elle danse d'un méchant air, et le comte de Cugne avait eu grand tort de la dépeindre comme une belle personne. Comment pûtes-vous demeurer si longtemps auprès d'elle ? Il me semblait, à l'air de son visage, que ce qu'elle vous disait n'était point spirituel. Cependant vous avez causé avec elle une partie du temps que l'assemblée a duré, et vous avez eu la dureté de me dire que sa conversation ne vous avait pas déplu. Que vous disait-elle donc de si charmant ? Vous apprenait-elle des nouvelles de quelque dame de France qui vous soit chère, ou si elle commençait à vous le devenir elle-même ? car il n'y a que l'amour qui puisse faire soutenir une si longue conversation. Je ne trouvai point vos Français nouveaux arrivés si agréables, j'en fus obsédée tout le soir ; ils me dirent tout ce qu'ils purent imaginer de plus joli et je voyais bien qu'ils l'affectaient ; mais ils ne me divertirent point et je crois que ce sont leurs discours qui m'ont causé la migraine effroyable que j'ai eue toute la nuit. Vous ne le sauriez point si je ne vous l'apprenais. Vos gens sont occupés sans doute à aller savoir comme cette heureuse Française se trouve de la fatigue d'hier au soir ; car vous la fîtes assez danser

pour la faire malade. Mais qu'a-t-elle de si charmant ?
la croyez-vous plus tendre et plus fidèle qu'une autre ?
lui avez-vous trouvé une inclination plus prompte à
vous vouloir du bien que celle que je vous ai fait
paraître ? Non sans doute, cela ne se peut pas ; vous
savez bien que pour vous avoir vu passer seulement, je
perdis tout le repos de ma vie et que, sans m'arrêter à
mon sexe et à ma naissance, je courus la première aux
occasions de vous voir une seconde fois. Si elle en a
fait davantage, elle est à votre lever ce matin, et le petit
Durino la trouvera sans doute assise auprès de votre
chevet. Je le souhaite pour votre félicité ; j'aime si fort
votre joie que je consens à la faire toute ma vie aux
dépens de la mienne propre et, si vous voulez régaler
ce bel objet de la lecture de cette lettre-ci [1], vous le
pouvez faire sans scrupule. Ce que je vous écris ne sera
pas inutile à l'avancement de vos affaires ; j'ai un nom
connu dans ce royaume, on m'y a toujours flattée de
quelque beauté, et j'avais cru en avoir jusques au
moment que votre mépris m'a désabusée. Proposez-moi
donc pour exemple à votre nouvelle conquête, dites-lui
que je vous aime jusques à la folie ; je veux bien en
tomber d'accord et j'aime mieux contribuer à ma perte
par un aveu que de nier une passion si chère. Oui, je
vous aime mille fois plus que moi-même. Au moment
que je vous écris, je suis jalouse, je l'avoue ; votre
procédé d'hier a mis la rage dans mon cœur et je vous
crois infidèle, puisqu'il faut vous dire tout. Mais malgré
tout cela, je vous aime plus qu'on n'a jamais aimé. Je
hais la marquise de Furtado de vous avoir donné
l'occasion de voir cette nouvelle venue. Je voudrais que
la marquise de Castro n'eût jamais été, puisque c'était
à ses [2] noces que vous deviez me donner la douleur que

---

1. « Ceste lettre icy » dans l'édition originale.
2. « Ces » dans l'édition originale.

je ressens. Je hais celui qui a inventé la danse, je me hais moi-même et je hais la Française mille fois plus que tout le reste ensemble ; mais de tant de haines différentes, aucune n'a eu l'audace d'aller jusques à vous. Vous me paraissez toujours aimable. Sous quelque forme où je vous regarde, et jusques aux pieds de cette cruelle rivale qui vient troubler toute ma félicité, je vous trouvais mille charmes qui n'ont jamais été qu'en vous. J'étais même si sotte que je ne pouvais m'empêcher d'être ravie qu'on vous les trouvât comme moi ; et bien que je sois persuadée que c'est à cette opinion que je devrai peut-être la perte de votre cœur, j'aime mieux me voir condamnée à cet abîme de désespoir que de vous souhaiter une louange de moins. Mais comment est-ce que l'amour peut faire pour accorder tant de choses opposées ? Car il est certain qu'on ne peut pas avoir plus de jalousie pour tout ce qui vous approche que j'en ai, et cependant j'irais au bout du monde vous rechercher de nouveaux admirateurs. Je hais cette Française d'une haine si acharnée qu'il n'y a rien de si cruel que je ne me croie capable de faire pour la détruire ; et je lui souhaiterais la félicité d'être aimée de vous si je pensais que cet amour vous rendît plus heureux que vous ne l'êtes. Oui, je sens bien, j'aime tant votre joie, je me trouve si heureuse quand je vous vois content, que s'il fallait immoler tout le plaisir de ma vie à un instant du vôtre, je le ferais sans balancer. Pourquoi n'êtes vous pas comme cela pour moi ? Ah ! que si vous m'aimiez autant que je vous aime, que nous aurions de bonheur l'un et l'autre ! Votre félicité ferait la mienne et la vôtre en serait bien plus parfaite. Aucune personne sur la terre n'a tant d'amour dans le cœur que j'en ai ; nulle ne connaît si bien ce que vous valez et vous me ferez mourir de pitié si vous êtes capable de vous attacher à quelque autre. Après avoir été accoutumé à mes manières d'aimer, croyez-moi, mon cher, vous ne sauriez être heureux qu'avec moi. Je connais les autres femmes par moi-même, et je sens bien que l'amour n'a fait naître que moi sur la terre pour vous. Que[1] deviendrait toute votre délicatesse, si elle ne trouvait plus mon cœur pour y répondre ? Ces regards si éloquents et si bien entendus seraient-ils secondés par d'autres yeux, comme ils le sont par les miens ? Non, cela n'est pas possible ; seuls nous savons bien aimer ; et nous mourrions de chagrin l'un et l'autre si nos deux âmes avaient trouvé quelque assortiment qui n'eût pas été elles-mêmes.

TROISIÈME LETTRE

Quand donc finira votre absence ? Passerez-vous encore aujourd'hui sans revenir à Lisbonne et ne vous souvenez-vous point qu'il y a déjà deux jours que vous êtes parti ? Pour moi, je pense que vous avez envie de me trouver morte à votre retour ; et c'est moins pour accompagner le roi à la visite des vaisseaux que vous avez quitté la Cour que pour vous défendre d'une maîtresse incommode. En effet, je le suis au dernier point, il faut en tomber d'accord ; je ne suis jamais contente ni de vous ni de moi-même. Une absence de vingt-quatre heures me met à la mort et ce qui serait un excès de félicité pour une[2] autre n'en est pas toujours une pour moi. Tantôt il me semble que vous n'en avez pas assez, d'autres fois je vous en trouve tant, que je

---

1. « De quoy » dans l'édition originale.
2. Cf. p. 68, note 1.

crains de ne la pas faire toute seule, et il n'y a pas jusques à mes transports qui ne me chagrinent quand je crois m'apercevoir que vous ne les remarquez pas assez bien. Vos distractions me font peur ; je voudrais vous voir tout renfermé dans vous-même lorsque j'y sais tout ce qui s'y passe ; et quand vous manquez à en sortir pour examiner mes emportements, vous me mettez au désespoir. Je ne suis pas sage, je l'avoue, mais le moyen de l'être et[1] d'avoir autant d'amour que j'en ai ? Je sais bien qu'il serait de la raison d'être en repos au moment que j'écris. Vous n'êtes qu'à deux pas de la ville, votre devoir vous y retient et la maladie de mon frère m'aurait empêché de vous voir depuis que vous êtes absent ; de plus, il n'y a point de femmes où vous êtes, et c'est une grande inquiétude hors de mon cœur. Mais, hélas ! qu'il y en est resté d'autres, et qu'il est vrai qu'une amante se fait des tourments de toutes choses quand elle aime comme je fais ! Ces armes, ces vaisseaux, cet équipage de guerre vont vous désaccoutumer des plaisirs pacifiques de l'amour. Peut-être, à l'heure qu'il est, vous envisagez le moment de notre séparation comme un malheur infaillible et vous commencez à donner des raisons à votre cœur pour l'y faire résoudre. Ah ! la vue des plus grandes beautés de l'Europe ne serait pas si funeste pour moi que celle de nos canons, s'il est vrai qu'ils produisent cet effet sur votre esprit. Ce n'est pas que je veuille combattre votre devoir, j'aime votre gloire plus que je ne m'aime moi-même et je sais bien que vous n'êtes pas né pour passer tous vos jours auprès de moi ; mais je voudrais que cette nécessité vous donnât autant d'horreur qu'elle m'en donne, que vous n'y puissiez songer sans trembler et que, tout inévitable qu'une séparation doive paraître, vous ne puissiez croire de la supporter sans mourir. Ne

---

1. « est » dans l'édition originale.

m'accusez pas toutefois d'aimer à voir votre désespoir, vous ne verserez jamais une larme que je ne voulusse essuyer. Je serai la première à vous prier de supporter courageusement ce qui m'arrachera la vie par un excès de douleur et je ne me consolerais pas d'avoir été au monde si je croyais que mon absence vous laissât sans consolation. Que veux-je donc ? Je n'en sais rien. Je veux vous aimer toute ma vie jusques à l'adoration ; je veux, s'il se peut, que vous m'aimiez de même ; mais on ne peut vouloir tout cela sans vouloir en même temps être la plus folle de toutes les femmes. Que cette folie ne vous dégoûte pas de moi : je n'en ai jamais été capable que pour vous, et je ne la voudrais pas changer [1] pour la plus solide sagesse, s'il fallait, pour être sage, vous aimer un peu moins que je ne fais. Votre esprit a mille charmes ; vous m'avez dit que vous en trouvez autant dans le mien ; mais je renoncerais à nous en voir à tous deux, s'il s'opposait au progrès de notre folie. C'est l'amour qui doit régner sur toutes les fonctions de notre âme. Tout ce qui est en nous doit être fait pour lui et, pourvu qu'il soit satisfait, il m'est indifférent que la raison se plaigne. Avez-vous été de ce sentiment depuis que je ne vous ai vu ? Je tremble de peur que vous n'ayez eu toute la liberté de votre esprit. Mais serait-il possible qu'il vous en fût resté, en parlant d'une guerre qui doit vous éloigner de moi ? Non, vous n'êtes pas capable de cette trahison ; vous n'aurez pas vu un soldat qui ne vous ait arraché un soupir, et j'aurai le plaisir d'entendre dire à votre retour que votre esprit est journalier et que vous n'en avez point eu pendant votre voyage. Pour moi, je suis assurée que personne ne vous parlera de moi, qui ne m'accuse de ce défaut. Je dis des extravagances qui étonnent tous ceux qui m'entendent ; et si la maladie de mon frère n'autorisait

1. « Je ne le voudrois pas la changer » dans l'édition originale.

mes égarements, on croirait parmi mon domestique que je suis devenue insensée ; il ne s'en faut guère que je ne la sois aussi. Vous pouvez juger du dérèglement de mon esprit par celui de cette lettre ; mais voilà comme vous devez m'en vouloir. Les ravages que votre absence a faits sur mon visage doivent vous paraître plus agréables que la fraîcheur du plus beau teint et je me trouverais bien horrible si trois jours de la privation de votre vue ne m'avaient point enlaidie. Que deviendrai-je donc si je la perds pour six mois ? Hélas ! on ne s'apercevra point du changement de ma personne car je mourrai en me séparant de vous. Mais il me semble entendre quelque bruit dans les rues et mon cœur m'annonce que c'est le bruit de votre retour. Ah ! mon Dieu, je n'en puis plus ! Si c'est vous qui arrivez et que je ne puisse vous voir en arrivant, je vais mourir d'inquiétude et d'impatience ; et si vous n'arrivez pas après l'espérance que je viens de concevoir, le trouble et la révolution des mouvements de mon âme vont m'ôter le sentiment.

QUATRIÈME LETTRE

Quoi ! vous serez toujours froid et paresseux et rien ne pourra troubler votre tranquillité ? Que faut-il donc faire pour l'ébranler ? Faut-il se jeter dans les bras d'un rival à votre vue ? Car, hors ce dernier effet d'inconstance que mon amour ne me permettra jamais, je crois vous avoir dû faire appréhender tous les autres. J'ai reçu la main du duc d'Almeida à la promenade ; j'ai affecté d'être auprès de lui pendant le souper. Je l'ai regardé tendrement toutes les fois que vous avez pu le remarquer ; je lui ai même dit des bagatelles à l'oreille que vous pouviez prendre pour des choses d'importance, et je n'ai pu vous faire changer de visage. Ingrat ! avez-vous bien l'inhumanité d'aimer si peu une personne qui vous aime tant ? Mes soins, mes faveurs et ma fidélité n'ont-ils point mérité un moment de votre jalousie ? Suis-je si peu précieuse pour celui qui m'est plus précieux que mon repos et que ma gloire qu'il puisse envisager ma perte sans frayeur ? Hélas ! l'ombre de la vôtre me fait trembler ; vous ne jetez pas un regard sur une autre femme qui ne me cause un frisson mortel ; vous n'accordez pas une action à la civilité la plus indifférente qui ne me coûte vingt-quatre heures de désespoir, et vous me voyez parler tout un soir à un autre, à votre vue, sans témoigner la moindre inquiétude ! Ah ! vous ne m'avez jamais aimée, et je sais trop bien comme on aime pour croire que des sentiments si opposés aux miens puissent s'appeler de l'amour. Que ne voudrais-je point faire pour vous punir de cette froideur ! Il y a des moments où je suis si transportée de dépit que je souhaiterais d'en aimer un autre. Mais quoi ? au milieu de ce dépit, je ne vois rien au monde d'aimable que vous. Hier même que vos tiédeurs vous ôtaient mille charmes pour mes yeux, je ne pouvais m'empêcher d'admirer toutes vos actions. Vos dédains avaient je ne sais quoi de grand qui exprimait le caractère de votre âme et c'était de vous que je parlais à l'oreille du duc, tant je suis peu la maîtresse des occasions de vous offenser. Je mourais d'envie de vous voir faire quelque chose qui me fournît un prétexte de vous faire une brusquerie publique ; mais comment aurais-je pu vous la faire ? Ma colère même est un excès d'amour et, dans le moment où je suis outrée de rage pour votre tranquillité, je sens bien que j'aurais des raisons de la défendre si je ne vous aimais jusqu'au dérèglement. En effet, mon frère nous observait ; la moindre affectation que vous eussiez témoignée de me parler m'aurait perdue. Mais ne pouviez-vous avoir de la jalousie sans la faire remarquer ? Je me connais au mouvement de vos yeux et j'aurais bien vu des choses dans vos regards que le reste de la compagnie n'y aurait pas vues comme moi. Hélas ! je n'y vis jamais rien de tout ce que j'y cherchais ; j'avoue que j'y trouvai de l'amour, mais était-ce de l'amour qui devait y être en ce temps-là ? Il fallait y trouver du dépit et de la rage ; il fallait me contredire sur tout ce que je disais, me trouver laide, cajoler une autre dame à ma vue ; enfin il fallait être jaloux, puisque vous aviez des sujets apparents de l'être. Mais au lieu de ces effets naturels d'un véritable amour, vous me donnâtes mille louanges, vous prîtes la même main que j'avais donnée au duc, comme si elle n'avait pas dû vous faire horreur et je vis l'heure que vous alliez me féliciter sur ce que le plus honnête homme de notre Cour s'était attaché auprès de moi ! Insensible que vous êtes, est-ce comme cela qu'on aime et êtes-vous aimé de moi de cette sorte ? Ah ! si je vous avais cru si tiède avant que de vous aimer comme je fais ! Mais quoi ? quand j'aurais pu voir tout ce que je vois, et plus encore, s'il se peut, je n'aurais pu résister au penchant de vous aimer : ç'a été une violence d'inclination dont je n'ai pas été la maîtresse ; et puis quand je songe aux moments de plaisir que cette passion m'a causés, je ne puis me repentir de l'avoir conçue. Que ne ferais-je point si j'étais contente de vous, puisque je suis si transportée d'amour dans le temps où j'ai le plus de sujet de m'en plaindre ! Mais vous en savez les différences, vous m'avez vue satisfaite, vous m'avez vue mécontente, je vous ai rendu des grâces, je vous ai fait des plaintes et, dans la colère comme dans la reconnaissance, vous m'avez toujours vue la plus passionnée de toutes les

amantes. Un si beau caractère ne vous donnera-t-il
point d'émulation ? Aimez, mon cher insensible, aimez
autant que vous êtes aimé : il n'y a de plaisir véritable
pour l'âme que dans l'amour ; l'excès de la joie naît de
l'excès de la passion, et la tiédeur fait plus de tort aux
gens qui en sont capables qu'à ceux contre qui elle agit.
Ah ! si vous aviez bien éprouvé ce que c'est qu'un
véritable transport amoureux, combien porteriez-vous
d'envie à ceux qui les ressentent ? Je ne voudrais pas
pour votre cœur même être capable de votre tranquillité ;
je suis jalouse de mes transports comme du plus grand
bien que j'aie jamais possédé ; et j'aimerais mieux être
condamnée à ne vous voir de ma vie qu'à vous voir
sans emportement.

CINQUIÈME LETTRE

Est-ce pour éprouver ma docilité que vous m'écrivez
comme vous faites, ou s'il est possible que vous pensiez
tout ce que vous me mandez pour me croire capable
d'en aimer un autre ? Patience : bien que cette opinion
blesse mortellement ma délicatesse, je l'ai souvent eue
de vous, moi qui vous aime plus qu'on n'a jamais
aimé ! Mais de croire cette infidélité consommée, de
me dire des injures et de vouloir me persuader que je
ne vous verrai jamais, ah ! c'est là ce que je ne
saurais supporter. J'ai été jalouse, et quand on aime
parfaitement on n'est point sans jalousie ; mais je n'ai
jamais été brutale, je n'ai jamais perdu votre idée de
vue ; et dans le plus fort de mon dépit, je me suis
toujours souvenue que vous étiez celui que je soupçon-

nais. Ah ! que je vois de défauts dans votre passion !
que vous savez mal aimer, et qu'il est aisé de concevoir
que vous n'avez point d'amour dans le cœur, puisque
tout ce que vous laissez échapper sans étude est si peu
digne du nom d'amour ! Quoi ? ce cœur que j'ai acheté
de tout le mien, ce cœur que tant de transports et tant
de fidélité m'ont fait mériter et que vous m'avez assuré
que je possédais est capable de m'offenser de cette
sorte ! Ses premiers mouvements sont des injures, et
quand vous le laissez agir sur sa foi, il ne m'exprime
que des outrages. Allez, ingrat que vous êtes, je veux
vous laisser vos soupçons pour vous punir de les avoir
conçus ; il vous devait être assez doux de me croire
tendre et fidèle pour faire votre tourment d'en douter.
Il me serait aisé de vous guérir, et la liberté de vous
offenser ne m'est que trop interdite pour mon repos.
Mais je veux vous laisser une erreur qui me venge ; et
si vous en croyez mon ressentiment, toutes vos conjectu-
res sont injustes, et je suis la plus infidèle de toutes les
femmes. Je n'ai pourtant point vu l'homme qui cause
votre jalousie ; la lettre qu'on prétend être de moi n'en
est pas, et il n'y a point d'épreuve où je ne pusse me
soumettre sans crainte, s'il me plaisait de vous donner
cette satisfaction. Mais pourquoi vous la donnerais-je ?
Est-ce par des invectives qu'on l'obtient ? et n'auriez-
vous pas sujet de me croire aussi lâche que vous me
dépeignez si vous deviez ma justification à vos menaces ?
Vous ne me verrez plus, dites-vous ; vous sortez de
Lisbonne, de peur d'être assez malheureux pour me
rencontrer, et vous poignarderiez le meilleur de vos
amis s'il vous faisait la trahison de vous amener chez
moi. Cruel ! que vous a donc fait ma vue pour vous
être si insupportable ? Elle ne vous a jamais annoncé
que des plaisirs, vous n'avez jamais rencontré dans mes
yeux que de l'amour et de l'empressement de vous le
témoigner ; est-ce là de quoi vous obliger à quitter

Lisbonne pour ne plus me voir ? Ne partez point si vous n'avez que cette raison qui vous y oblige, je vous épargnerai la peine de m'éviter ; aussi bien c'est à moi à fuir et non pas à vous. Ma vue ne vous a coûté que l'indulgence de vous laisser aimer, et la vôtre me coûte toute la gloire et tout le repos de ma vie. J'avoue qu'elle en a souvent fait la joie aussi. Quand je me représente l'émotion secrète que je ressentais, lorsque je croyais discerner vos pas dans une promenade, la douce langueur qui s'emparait de tous mes sens, quand je rencontrais vos regards, et le transport inexprimable de mon âme, lorsque nous avions la liberté d'un moment d'entretien, je ne sais comme j'ai pu vivre avant que de vous voir et comment je vivrai quand je ne vous verrai plus. Mais vous avez dû sentir ce que j'ai senti ; vous étiez aimé et vous disiez que vous aimiez, et cependant vous êtes le premier à me proposer de ne me voir plus ! Ah ! vous serez satisfait, et je ne vous verrai de ma vie. J'aurais pourtant un plaisir extrême à vous reprocher votre ingratitude et il me semble que ma vengeance serait plus entière si mes yeux et toutes mes actions vous confirmaient mon innocence. Elle est si parfaite et le mensonge qu'on vous a fait si aisé à détruire que vous ne pourriez me parler un quart d'heure sans être persuadé de votre injustice et sans mourir de regret de l'avoir commise. Cette pensée m'a déjà sollicitée deux ou trois fois de courir chez vous ; je ne sais même si elle ne m'y conduira point malgré moi avant la fin de la journée car mon dépit est assez violent pour m'ôter la raison. Mais je m'étais fait une si douce habitude de vous étudier que je crains de vous déplaire par cet éclat. Je vous ai toujours vu pratiquer une discrétion sans égale ; vous avez eu plus de soin de ma réputation que moi-même et vous avez quelquefois porté vos précautions jusqu'à me forcer de m'en plaindre. Que diriez-vous si je faisais quelque chose qui découvrît notre intrigue, et qui me scandalisât parmi les gens d'honneur ? Vous auriez du mépris pour moi et je mourrais si je vous en croyais capable ; car, quoi qu'il arrive, je veux toujours être estimée de vous. Plaignez-vous, dites-moi des injures, faites-moi des trahisons, haïssez-moi, puisque vous le pouvez, mais ne me méprisez jamais. Je puis vivre sans votre amour, dès l'instant que cet amour ne fera plus votre félicité ; mais je ne puis vivre sans votre estime, et je crois que c'est par cette raison que j'ai tant d'impatience de vous voir ; car il n'est pas possible que ce soit par un effet de tendresse ; je serais bien insensée d'aimer un homme qui me traite comme vous me traitez. Cependant à bien prendre votre colère, ce n'est qu'un excès de passion qui la cause, vous ne seriez pas si transporté si vous étiez moins amoureux. Ah ! que ne puis-je me persuader cette vérité ! que les outrages que vous m'avez faits me seraient chers ! Mais non, je ne veux point me flatter de cette erreur agréable. Vous êtes coupable. Quand vous ne le seriez pas, je veux le croire, afin de vous punir de me l'avoir laissé penser. Je n'irai d'aujourd'hui dans aucun lieu où vous puissiez me voir, je passerai l'après-midi chez la marquise de Castro, qui est malade, et que vous ne voyez point. Enfin, je veux être en colère, et voici la dernière lettre que vous verrez jamais de moi.

SIXIÈME LETTRE

Est-ce bien moi-même qui vous écris ? Êtes-vous celui que vous étiez autrefois ? Par quel prodige m'avez-vous marqué de l'amour sans me donner de la joie ? Je vous ai vu de l'empressement et des dépits impatients ; j'ai lu dans vos yeux ces mêmes désirs où vous m'avez toujours trouvée si sensible. Ils étaient aussi ardents que quand ils faisaient toute ma félicité. Je suis aussi tendre et aussi fidèle que je la fus jamais, et cependant je me trouve tiède et nonchalante. Il semble que vous n'ayez fait qu'une illusion à mes sens, qui n'a pu passer jusqu'à mon cœur. Ah ! que les reproches que vous vous êtes attirés me coûtent cher et qu'un jour de votre négligence me dérobe de transports ! Je ne sais quel démon secret m'inspire sans cesse que c'est à ma colère que je dois vos tendresses et qu'il y a plus de politique que de sincérité dans les sentiments que vous m'avez fait paraître. Sans mentir, la délicatesse est un don de l'amour qui n'est pas toujours aussi précieux qu'on se le persuade. J'avoue qu'elle assaisonne les plaisirs, mais elle aigrit terriblement les douleurs. Je m'imagine toujours vous voir dans cette distraction qui m'a causé tant de soupirs. Ne vous y trompez pas, mon cher, vos empressements font toute ma félicité ; mais ils feraient toute ma rage, si je croyais les devoir à quelque autre chose qu'au mouvement naturel de votre cœur. Je crains l'étude des actions beaucoup plus que la froideur du tempérament, et l'extérieur est pour les âmes grossières un piège où les âmes délicates ne peuvent être surprises. Vous dirai-je toutes mes manies là-dessus ? Ce fut hier l'excès de votre emportement qui fit naître tous mes soupçons. Vous me sembliez hors de vous, et je vous cherchais à travers de tout ce que vous paraissiez. Ô

123

Dieu ! que serais-je devenue si j'avais pu vous convaincre de dissimulation ? Je préfère votre passion à ma fortune, à ma gloire et à ma vie ; mais je supporterais plus aisément les assurances de votre haine que les fausses apparences de votre amour. Ce n'est point au dehors que je m'arrête, c'est aux sentiments de l'âme : soyez froid, soyez négligent, soyez même léger si vous le pouvez, mais ne soyez jamais dissimulé. La trahison est le plus grand crime qu'on puisse commettre contre l'amour, et je vous pardonnerais plus volontiers une infidélité que le soin que vous prendriez à me la déguiser. Vous me dîtes hier au soir de grandes choses et j'aurais souhaité que vous eussiez pu vous voir vous-même dans ce moment comme je vous voyais : vous vous seriez trouvé tout autre qu'à votre ordinaire. Votre air était encore plus grand qu'il ne l'est naturellement ; votre passion brillait dans vos yeux et elle les rendait plus tendres et plus perçants. Je voyais que votre cœur venait sur vos lèvres. Hélas ! que je suis heureuse, il n'y venait point à faux ! car enfin je ne vous sens que trop et il n'est guère en mon pouvoir de vous sentir moins. Le plaisir d'aimer de toute mon âme est un bien que je tiens de vous ; mais il ne vous est plus possible de me le ravir. Je connais bien que je vous aimerai toujours malgré moi et je suis sûre que je vous aimerai même malgré vous. Voilà des assurances dangereuses ; mais quoi ! vous n'avez pas un cœur qu'il faille retenir par la crainte et je ne croirais votre conquête guère assurée si je ne la conservais que par là. L'honnêteté et la reconnaissance sont comptées pour quelque chose dans l'amitié, mais elles ne tiennent pas lieu beaucoup dans l'amour. Il faut suivre son cœur sans consulter sa raison. La vue de ce qu'on aime enlève l'âme malgré qu'on en ait : au moins sais-je bien que voilà comme je suis pour vous. Ce n'est ni l'habitude de vous voir ni la crainte de vous fâcher en ne vous voyant pas qui m'oblige à rechercher votre vue, c'est une avidité curieuse qui part du cœur, sans art et sans réflexion. Je vous cherche souvent en des lieux où je suis assurée que je ne vous trouverai pas. Si vous êtes comme cela pour moi, sans doute que l'instinct de nos cœurs fera qu'ils se rencontreront partout. Je suis forcée de passer la meilleure partie du jour dans un lieu où vous ne pouvez vous trouver. Mais abandonnons-nous à notre passion, laissons-nous guider à nos désirs, et vous verrez que nous ne laisserons pas de passer agréablement le temps que nous ne pouvons être ensemble.

SEPTIÈME LETTRE

Ne tenons pas nos serments, mon cher, je vous prie, il coûte trop de les observer. Voyons-nous et que ce soit, s'il se peut, tout à l'heure. Vous m'avez soupçonnée d'infidélité, vous m'avez exprimé ces soupçons d'une manière outrageante ; mais je vous aime plus que moi-même et je ne puis vivre sans vous voir. À quoi bon de nous faire des absences volontaires, n'en avons-nous pas assez d'inévitables à éprouver ? Venez rendre toute la joie à mon âme par un moment d'entretien en liberté. Vous me mandez que vous ne voulez me voir que pour me demander pardon. Ah ! venez, quand ce serait pour me dire des injures ; venez, je vous en conjure, j'aime mieux voir vos yeux irrités que de ne les point voir du tout. Mais, hélas ! je ne hasarde guère, quand je laisse ce choix dans votre disposition. Je sais que je les verrai tendres et brûlants d'amour : ils m'ont déjà paru tels ce matin à l'église ; j'y ai lu la confusion de votre crédulité, et vous avez dû voir dans les miens des assurances de votre pardon. Ne parlons plus de cette querelle ou, si nous en parlons, que ce soit pour en éviter une pareille à l'avenir. Comment pourrions-nous douter de notre amour ? Nous ne sommes au monde que pour lui. Je n'aurais jamais eu le cœur que j'ai s'il n'avait dû être plein de votre idée ; vous n'auriez pas l'âme que vous avez si vous n'aviez pas dû m'aimer ; et ce n'est que pour vous aimer autant que vous êtes aimable et que pour m'aimer autant que vous êtes aimé que le Ciel nous a faits si capables d'amour l'un et l'autre. Mais dites-moi, de grâce, avez-vous senti tout ce que j'ai senti depuis que nous feignons de nous vouloir du mal ? Car nous ne nous en sommes jamais voulu, nous n'en avons pas la force et notre étoile est plus puissante que tous les dépits. Grand Dieu ! que j'ai trouvé cette feinte pénible, que mes yeux se sont fait de violence quand ils vous ont déguisé leurs mouvements et qu'il faut être ennemi de soi-même pour se dérober un moment de bonne intelligence, quand on s'aime comme nous nous aimons ! Mes pas me portaient malgré moi où je devais vous rencontrer ; mon cœur, qui s'est fait une habitude si douce d'épanchement à votre rencontre, cherchait mes yeux pour les répandre ; et comme je m'efforçais de les lui refuser, il me donnait des élans secrets qui ne peuvent être compris que par ceux qui les ont éprouvés. Il me semble que vous avez été tout de même ; je vous ai trouvé dans des lieux où le hasard ne pouvait vous conduire ; et s'il faut vous confier toutes mes vanités, je n'ai jamais remarqué tant d'amour dans vos regards que depuis que vous affectez de n'en plus laisser voir. Qu'on est insensé de se donner toutes ces gênes ! mais plutôt qu'on fait bien de se montrer ainsi son âme tout entière ! Je connaissais toute la tendresse de la vôtre, et j'aurais distingué ses mouvements amoureux entre ceux de toutes les autres âmes ; mais je ne connaissais ni votre colère ni votre fierté. Je savais bien que vous étiez capable de jalousie, puisque vous aimiez ; mais je ne connaissais point le caractère que cette passion prenait dans votre cœur. Ç'aurait été trahison que de m'en laisser douter plus longtemps, et je ne puis m'empêcher de vouloir du bien à votre injustice puisqu'elle m'a fait faire une découverte si importante. Je vous avais voulu jaloux, je vous l'ai trouvé ; mais renoncez à votre jalousie comme je renonce à ma curiosité. Quelque figure que prenne un amant, il n'y en a point de si avantageuse pour lui que celle d'un amant heureux. C'est une grande erreur que de dire qu'un amant est sot quand il est content. Ceux qui ne sont pas aimables sous cette forme le seraient encore moins sous une autre ; et quand on n'a pas assez de délicatesse pour profiter du caractère d'un amant satisfait, c'est la faute du cœur et non pas celle de la félicité. Hâtez-vous de venir me confirmer cette vérité, mon cher, je vous en prie. Je ne serais pas si peu délicate que d'en retarder l'instant par une si longue lettre si je ne savais que vous ne pouvez me voir à l'heure que je vous écris. Quelque plaisir que je trouve à vous entretenir de cette sorte, je sais bien lui préférer celui d'un autre entretien. Il n'y a que moi qui goûte le plaisir de vous écrire, et vous partagez celui de me voir. Mais quoi ? je ne puis avoir l'un qu'avec des ménagements de bienséance, et j'ai l'autre quand il me plaît. Présentement que tous les gens de notre maison reposent et se croient peut-être heureux de bien reposer, je jouis d'un bonheur que le repos le plus profond ne saurait me donner. Je vous écris, mon cœur vous parle comme si vous deviez lui répondre, il vous immole ses veilles avec son impatience. Ah ! qu'on est heureux quand on aime parfaitement et que je plains ceux qui languissent dans l'oisiveté qui naît de la liberté ! Bonjour, mon cher ! Le jour commence à paraître ; il aurait paru bien plus

tôt qu'à l'ordinaire s'il avait consulté mon impatience :
mais il n'est pas amoureux comme nous ; il faut lui
pardonner sa lenteur et tâcher à la tromper par quelques
heures de sommeil afin de la trouver moins insupportable.

RÉPONSES [DE PARIS] AUX LETTRES
PORTUGAISES TRADUITES
EN FRANÇAIS

AU LECTEUR

La curiosité que vous avez eue de voir les cinq *Lettres portugaises* écrites à un gentilhomme de retour de Portugal en France m'a persuadé que vous ne seriez pas moins curieux de voir ses réponses ; elles me sont tombées entre les mains de la part d'un de ses amis qui m'est inconnu ; il m'a assuré qu'étant en Portugal il en obtint les copies écrites, en langue du pays, d'une abbesse d'un monastère qui recevait ces lettres et les retenait, au lieu de les donner à la religieuse à qui elles s'adressaient. Je ne sais pas le nom de celui qui les a écrites ni qui en a fait la traduction, mais j'ai cru ne leur rendre pas de déplaisir en les rendant publiques, puisque les autres le sont déjà. Les personnes qui se reconnaissent en ce genre d'écriture ne les ont pas désapprouvées. Quoi qu'il en soit, si elles ne sont pas aussi galantes que les autres, elles sont aussi touchantes. L'on m'a assuré que le gentilhomme qui les a écrites est retourné en Portugal.

PREMIÈRE LETTRE

J'avoue que vous exprimez l'amour que vous me portez par des termes si doux que je serais un insensible si je n'en étais vivement touché ; les témoignages que vous m'en avez donnés la première fois que j'eus l'honneur de vous voir étaient des marques trop certaines pour n'en être pas convaincu. Il n'était pas de besoin de me les réitérer par des sentiments si pressants de votre tendresse, cela ne fait qu'affliger un misérable amant qui ne pense qu'à vous, ne respire et ne vit que pour vous. Tous les moments du jour et de la nuit, vous êtes de mon imagination l'idée la plus douce qui flatte mon âme et mes sens. Je ne dors ni nuit ni jour, ou si le sommeil me ferme les yeux un moment, ce n'est que pour me gêner davantage par d'agréables songes qui vous représentent à mes sens. Ah ! plût à Dieu que ces songes amoureux n'eussent jamais d'entrée dans mon imagination, ou qu'ils y demeurassent toujours après mon réveil ! Mais que dis-je, malheureux ? Ah ! je trahis ma passion. Je me reprends : je me plais dans ma souffrance et je trouve qu'il m'est doux d'endurer pour l'objet le plus aimable et la personne la plus charmante du monde. Ce sont les purs sentiments de mon âme. Vous m'avez toujours paru telle dès le moment que je fus assez heureux de vous voir, et je conçus dès lors un amour si violent pour vous que je

131

ne fais depuis que languir doucement dans vos fers. Jugez après cela si votre amour a manqué de prévoyance en mon endroit ? Non, non, vous n'êtes point trahie, vos espérances sont fondées sur une personne qui ne vous manquera qu'à la fin de sa vie. Je connais que votre passion est extrême et que mon absence vous est cruelle, mais elle ne vous saurait causer plus de tourment que la vôtre me cause de douleurs et de déplaisirs, et j'espère que mon retour ne vous donnera pas plus de contentement que votre présence me donnera de joie. Prenez courage, Madame, apaisez votre douleur ; qu'elle ne soit plus ingénieuse à vous tourmenter pour une personne qui ne dépend que de vous et qui est toute à vous. J'espère revoir l'éclat charmant de vos beaux yeux, qui me tient lieu de tous les plaisirs et qui fait toute ma félicité. Que ces beaux yeux donc se raniment, qu'ils reprennent leur première clarté et qu'ils cessent de verser des larmes ! Soyez assurée qu'ils reverront celui que vous avez tant souhaité. Si mon éloignement vous est ennuyeux, le vôtre me l'est encore davantage, puisqu'il m'a fait mourir mille fois le jour. Il est bien doux de recevoir une si belle vie que la vôtre et d'en jouir heureusement ; mais ne parlez pas de me la sacrifier, je n'ai rien en moi qui mérite un si beau sacrifice, sinon la qualité d'un parfait amant, et c'est sous un titre si doux que j'ose l'accepter et vous sacrifier la mienne tout entière. Je sais que vous envoyez incessamment des soupirs vers moi, et j'en pousse à tout moment vers vous ; les vôtres m'apprennent votre inquiétude, et les miens vous annoncent mon amour qui durera éternellement et vous doivent faire espérer que vous verrez un jour la fin de votre tristesse. Cessez donc, Madame, de vous affliger davantage, et sachez que les plus doux plaisirs de la France me sont de rigoureux supplices quand je songe que je suis assez malheureux d'être éloigné de vous. Je sais que vous êtes très persuadée de ma tendresse, comme vous me le témoignez, puisque vous vous souvenez encore des empressements que j'ai eus pour vous et des services que je vous ai rendus : c'est peu de chose au regard de mon amour, qui va infiniment au-delà de ce qu'il a fait pour vous. La moindre reconnaissance que vous en avez vaut mille fois plus que tous les soins imaginables que le plus parfait amant pourrait prendre pour vous servir. Que ces petits soins que j'ai eus pour vous ne vous tourmentent plus ; mais songez plutôt à ceux que j'ai présentement de vous en aller témoigner de nouveaux. Ne pensez plus aussi à ma dernière lettre, mais bien à celle que je vous écris ; elle doit vous faire ressentir autant de joie que les autres vous ont causé de déplaisirs. Pour moi, je vous assure que je n'ai jamais été plus sensiblement touché que lorsque j'ai reçu de vos nouvelles et que je me suis pâmé plus de trois heures de joie et d'amour dans le cercle des plus belles dames de ce pays. Mais tout cela n'est rien au prix des ressentiments que j'ai présentement de la douleur que vous souffrez de mon absence, et je vous puis assurer que je participe de tout mon cœur à tous les maux et aux différentes indispositions que vous avez. Ce sont autant de traits qui me percent à tout moment le cœur et plus le souvenir de votre amour et de vos perfections est doux, plus je suis accablé de douleur du mal que vous endurez. Mais à quoi bon vous plaindre davantage du mal que vous souffrez en m'aimant ? Que puis-je faire plus, sinon que de vous adorer tous les jours et que de vous sacrifier ma vie ? Ce sont les termes si doux dont vous vous servez pour me témoigner votre amour, et moi j'ai un sensible déplaisir de n'en avoir pas de plus pressants pour vous exprimer ma tendresse. Je me résous à suivre entièrement vos sentiments d'amour et à vous consacrer tous les miens sans les partager avec aucune personne. Ils sont tous à vous, ils

ne regardent que vous, et je vous assure que jamais
mon âme ne poussera aucun soupir que pour vous.
Aussi ne puis-je aimer une personne plus parfaite et
plus accomplie ; le seul mérite de votre beauté et de
votre amour vous doit être un présage assuré que je
n'aurai jamais d'autre inclination que pour vous.
Croyez, Madame, que si j'ai quitté le Portugal, ç'a été
pour le déplaisir que j'ai eu de ne pouvoir pas assez
familièrement converser avec vous dans votre malheureux cloître. Je vous ai fait espérer que j'irai passer
quelque temps avec vous, mais je sais bien que c'est
trop peu ; et puisque vous le désirez, j'y passerai toute
ma vie ; je chercherai les moyens d'accomplir vos
volontés et de vous rendre les respects et les adorations
que je vous dois comme à la plus belle et à la plus
parfaite amante. Je vous confirme cette vérité pour
mettre fin tous deux à nos déplaisirs et à nos douleurs.
J'ai une extrême joie de savoir que la lettre que j'ai
reçue de M. votre frère ait donné quelque trêve à vos
déplaisirs ; elle m'a aussi beaucoup soulagé. Je sais
que votre enchantement et votre passion amoureuse
proviennent de moi, mais vous n'ignorez pas que je
n'en ai pas moins pour vous ; et si je vous ai rendue
malheureuse, je me suis aussi rendu malheureux en vous
quittant. Mais ce ne sera pas pour longtemps ; ni mon
éloignement ni votre cloître ne m'empêcheront pas de
vous aimer et de m'approcher de vous : ce lieu possède
un trésor qui n'appartient qu'à moi ; c'est ce que vous
connaîtrez à mon retour et dont vous pouvez être
assurée par mes lettres. Le malheureux destin ne nous
a séparés que pour un temps, mais l'amour a uni nos
cœurs pour jamais. Je vous écrirai souvent pour vous
témoigner l'intérêt que je prends à la conservation de
votre vie, et que je souffre vos douleurs, afin que vous
connaissiez par là que mon amour est au plus haut
point. Adieu, je n'en puis plus, je conserve votre lettre

plus chèrement que ma propre vie, je la baise mille fois le jour, et plût à Dieu vous pouvoir embrasser de la même manière ! je l'espère un jour, et que le destin nous réunira ainsi qu'il nous a séparés. Adieu ! la plume me tombe de la main, j'attends avec impatience votre réponse. Conservez-moi votre amitié, et croyez que je ne retournerai en Portugal que pour vous délivrer des maux que vous endurez pour moi, qui vous suis tout acquis et qui suis plus à vous mille fois qu'à moi-même.

SECONDE LETTRE

C'est à tort que vous m'accusez de vous maltraiter et de vous mettre en oubli ; je ne crois pas en vérité que vous ayez de tels sentiments de moi ou, si cela est, vous n'avez pas encore reçu ma lettre. Je m'assure que lorsque vous l'aurez reçue, vous en serez entièrement dissuadée. Je ne puis que faire présentement, sinon de vous désabuser de cette croyance en vous témoignant toujours la forte passion que j'ai pour vous : je serais le plus perfide amant du monde, si après tant de témoignages si doux de mon amitié et de la réciproque que vous m'avez rendue, je ne persévérais pas dans mon amour. Oui, Madame, croyez que je suis et serai toujours le même. Mon éloignement ne fait que m'enflammer davantage ; il me cause un tourment si rigoureux que je juge aisément par le mal que je souffre de la violence du vôtre. Cessez donc de vous affliger davantage, oubliez ce désespoir où vous êtes, si vous ne voulez donner la mort à un misérable qui ne pense à toute heure qu'à vous et dont vous augmentez infiniment les supplices par le surcroît de vos douleurs et des plaintes que vous me faites. Ah ! pourquoi vous ai-je jamais vue ou, lorsque je vous ai vue, que n'aviez-vous moins d'amour et de beauté ? Mais que dis-je, malheureux ! non, je ne voudrais pas, pour mille vies comme la mienne, avoir été privé du bonheur de vous voir, puisque cette première vue a fait le comble de ma félicité. J'en suis content et, si je souffre éloigné de vous, ce sont des tourments si doux que je ne saurais m'en plaindre qu'avec injustice ; ou si je m'en plains, c'est de savoir les vôtres et de connaître les plaintes que vous faites contre une personne qui n'a pas un moment de vie que pour vous. Ne me faites point ces reproches honteux que je vous ai abusée, cela est indigne d'un honnête homme et d'un véritable amant ; vous devez être persuadée par la tendresse que j'ai pour vous que mon procédé est de meilleure foi. L'excès de mon amour vous doit mettre au-dessus de tous ces soupçons ; comme vous êtes la plus agréable et la plus parfaite amante, aussi méritez-vous plus de fidélité et d'amour que l'on en trouve dans tous les amants du monde. Mais à quoi bon me dire que je vous trahis ? Est-ce là la justice que vous rendez à mon amour et voulez-vous m'arracher la vie par des termes si rigoureux ? Que vous ai-je fait pour avoir ces sentiments de moi ? Ai-je manqué de fidélité ? Avez-vous reconnu quelque froideur en moi ? Vous ai-je rendu quelque déplaisir ? Je choisirais plutôt mille fois la mort que de vous avoir désobligée en aucune manière. Vous dites que vous n'avez point reçu de mes nouvelles depuis six mois, mais accusez-en l'infidélité du messager, puisque je vous ai écrit deux fois depuis ce temps-là, et non l'aveuglement que vous croyez avoir eu en m'aimant. Nos plaisirs ne sont point finis ou, s'ils le sont, ce n'est que pour un temps. Vous me reverrez un jour en Portugal, et vous devez être assurée que je veux renoncer de tout mon cœur à mes parents, à mes biens et à mon pays, pour m'attacher entièrement à vous. Si vos douleurs sont vraies, vos désirs ne seront point inutiles. J'espère jouir de vos douceurs et de vos charmes dans votre chambre plus tôt que vous ne croyez, avec toute l'ardeur et les ressentiments d'amour que vous désirez de moi, sans que nos plaisirs finissent qu'à la fin de la vie. Réjouissez-vous dans cette heureuse espérance de goûter plus que jamais les plus tendres délices de notre amour. Je sais que vous m'avez dit que je vous rendrais malheureuse, mais ce n'est que pour un temps, puisque mon éloignement fini, ma présence et la vôtre nous feront goûter à tous deux des joies excessives ; ne cherchons point d'autres remèdes à nos maux que l'espérance de nous revoir au plus tôt. Si nous souffrons, souffrons agréablement ; vous me dites que je suis plus à plaindre que vous, mais je ne le suis pas davantage, puisque votre amour va jusqu'à l'excès ; ou, si je le suis, ce ne sont pas mes maîtresses de France qui me rendent malheureux, puisque vous êtes la seule à qui je me suis entièrement dévoué, je vous prie de tout mon cœur d'en être convaincue. Si vous avez pitié de moi, que ce soit pour l'amour que je vous porte et non point pour mon indifférence dont vous m'accusez : c'est faire injustice à ma passion. Mais c'est à bon droit que vous vous flattez que je ne puis goûter que des plaisirs imparfaits sans vous, puisque je n'en ai aucun que celui d'être incessamment occupé à vous, comme vous l'êtes à moi. J'ai bien de la joie de savoir que vous soyez portière de votre couvent, c'est un moyen assuré de faire réussir nos intentions ; mais je vous conjure de cacher votre amour plus que vous n'avez fait, afin que nous puissions le continuer avec plus d'assurance. N'enviez point le bonheur d'Emmanuel et de Francisque, ils ne sont avec moi qu'en qualité de laquais, et je ne les considère qu'à cause qu'ils viennent de vous ; mais, pour vous, vous êtes la véritable maîtresse de mon cœur. Plût à Dieu néanmoins que vous me fussiez aussi présente ! Que je me tiendrais heureux, puisque tout mon désir n'est que de vous servir et de vivre et mourir avec vous ! J'avoue que je ne me sers que des mêmes termes dont vous usez pour me témoigner votre amour ; mais où en pourrais-je trouver de plus doux et de plus sincères que ceux qui partent de votre cœur ? Si je les répète, ce n'est que pour vous assurer que je ne désire pas seulement me souvenir éternellement de vous, mais encore vous posséder toute ma vie au lieu que vous souhaiterez. Je me sacrifie à vous avec le même zèle que vous me témoignez. Je vous aime et je vous adore de toute mon âme. Ne vous imaginez point être séduite à cause de ma longue absence ; elle finira bientôt, et vous connaîtrez le contraire de ce que vous avez cru de moi. L'emportement de mon amour est du moins égal au vôtre. N'ayez point de déplaisir d'avoir trop divulgué votre amour contre l'honneur du monde et de votre religion ; au contraire, comme c'est une perfection que d'aimer, vous avez cet avantage et cette consolation avec moi que nous avons atteint au plus haut point. Je vous conjure de croire que ma passion est égale à la vôtre et que je mets pareillement toute ma religion et mon bonheur à vous aimer éperdument. Vous m'affligez lorsque vous me dites que vous ne voulez pas que je me contraigne à vous écrire. Dites-moi, je vous prie, puis-je jamais m'empêcher de vous faire savoir de mes nouvelles et de vous assurer que je vous adore comme la personne la plus parfaite et la plus accomplie ? Pourquoi dites-vous que vous prendrez plaisir à m'excuser et à me pardonner ? si je n'en fais rien, pensez-vous que je vous puisse oublier ? Je n'ai point de plus grande satisfaction que lorsque je pense à vous et lorsque je mets la plume à la main pour vous écrire, ni plus de déplaisir que lorsque je la quitte. Je suis infiniment obligé à ce galant homme qui a eu la bonté de vous entretenir de moi tant de temps. Assurez-vous que, puisque la paix est faite en France, je vous donnerai le contentement que vous désirez de moi, et que je vous ferai voir ce beau pays au plus tôt qu'il me sera possible. Adieu, consolez-vous, conservez ma santé en conservant la vôtre. Que mon portrait vous tienne lieu de ma personne, comme le vôtre me tient lieu de tout ce que j'aime le plus, jusqu'à ce qu'un heureux destin nous ait approchés les uns des autres. Adieu, je ne vous abandonnerai jamais. Je finis, croyez que je souffre toutes vos douleurs ; mais je vous conjure de ne prendre point de part aux miennes, de peur d'augmenter les vôtres.

TROISIÈME LETTRE

C'est à ce coup que je suis au désespoir d'apprendre que mes lettres ne vous soient pas rendues. Ah ! mon Dieu, que ferai-je, et que deviendrai-je, si ces dernières nouvelles ne vont pas jusques à vous ? D'où vient que je reçois les vôtres, et que vous ne recevez pas les miennes ? J'avoue que vous êtes bien éloignée de tout ce que vous aviez prévu ; mais au moins si une de mes lettres pouvait tomber entre vos mains, seriez-vous consolée d'un éloignement si ennuyeux. Ne doutez pas, Madame, que je n'aie fait réponse, avec tous les empressements de mon amour, à toutes les vôtres que j'ai reçues aux lieux où j'ai passé, et croyez que je vous récrirai à l'avenir par des personnes qui me seront plus affidées pour vous assurer de ma passion. Non, je ne vous oublierai jamais, je vous aime trop ardemment. Ne finissez point votre amour, non plus que je finirai la mienne, mais terminez vos langueurs et vos inquiétudes, et espérez qu'à mon retour vous goûterez toutes les douceurs que vous attendez de moi. Ne vous ennuyez point, je ne tâche qu'à me débarrasser de toutes mes affaires les plus pressées pour vous aller secourir. Hélas ! que je vous plains de savoir que vous soyez si inquiétée pour mon sujet et que j'ai un déplaisir extrême que vous n'ayez point de connaissance que toutes ces douleurs sont autant de traits qui me blessent mortellement ! Mais quelle gêne est-ce pour moi d'être malheureux à ce point d'apprendre que mes nouvelles n'aillent pas jusques à vous ! Cela me fait mourir de tristesse, je n'en puis plus, mon mal est dans le dernier excès. Je connais présentement que c'est avec raison que vous me soupçonnez d'infidélité. Accusez-moi de tout ce qu'il vous plaira, j'y consens, et vous pouvez me traiter avec toutes sortes de rigueurs, puisque je ne puis me justifier. Cependant Dieu m'est témoin que je ne vous ai jamais trahie et que je n'ai point eu plus de plaisir et de satisfaction que lorsque j'ai été seul avec vous. Ne me reprochez point que vous n'êtes redevable de mes soins et de mes empressements qu'à vos importunités, vous ne les devez qu'à votre mérite et qu'au véritable amour que j'ai eu pour vous. Je ne vous ai aimée qu'en qualité de la personne la plus parfaite et la plus accomplie qui fut au monde et, lorsque je vous ai enflammée, comme vous dites, je n'ai fait que vous rendre semblable à moi-même. Si vous m'avez rendu heureux en me faisant goûter des plaisirs infinis, j'espère encore un jour cette même grâce de vous, avec une pareille satisfaction, et des transports aussi doux que ceux que vous m'avez témoignés. Prenez patience, ne soyez point agitée de tant de divers mouvements ; si vous m'aimez éperdument, je vous aime au-delà de ce que l'on ne peut exprimer. Il n'y a que vous seule qui occupe mon cœur et mon âme, et je n'ose vous dire que je suis tous les jours agité des mêmes transports, de peur de vous jeter dans le dernier désespoir. Je sais bien que vous avez un excès de douleur de me savoir éloigné de vous ; mais l'espérance que je vous donne de vous aller voir en Portugal ne doit-elle pas diminuer vos déplaisirs ? Souvenez-vous de cette promesse et des serments d'amour et de fidélité que je vous ai faits, et vous vivrez avec plus de satisfaction et de joie. J'approuve et aime votre jalousie, c'est une marque assurée de votre tendresse, quoique ce soit à tort que vous soyez jalouse, car je n'ai jamais aimé que vous. Je n'oserais vous dire que vous me causez un désespoir mortel de vous savoir réduite à une telle extrémité, puisque vous méprisez le zèle que j'ai pour vous ; néanmoins je suis convaincu que vous changerez de langage quand vous connaîtrez mon procédé. Terminez toutes vos afflictions, ne vous repentez pas d'avoir aimé une personne qui vous est tout acquise. Votre réputation n'est pas perdue pour m'avoir aimé. Ni la sévérité de vos parents, ni la rigueur des lois du pays contre vous, ne m'empêcheront pas de vous faire jouir du bonheur que vous souhaitez pour toute votre vie. Je sais le moyen de ne vous paraître pas davantage ingrat pour l'amour que vous me portez. Si vous avez tout hasardé pour moi, je veux aussi tout abandonner pour vous. Attendez encore un peu de temps et vous flattez de l'espoir que je vous donne ; vous connaîtrez à la fin que le but de mes promesses est tel que vous le souhaitez. Je suis persuadé, quoi que vous me disiez, que le désespoir où vous êtes réduite pour moi est plus dans votre cœur que dans vos lettres. Vous ne me voulez dissimuler votre amour que parce que vous croyez que je ne me suis pas acquitté de mon devoir en vous écrivant ; mais j'espère que cette lettre vous désabusera de la mauvaise opinion que vous avez de moi. L'amour et le respect que je vous porte me disent incessamment que je vous appartiens tout entier et que le ciel nous a faits l'un pour l'autre. Je n'ai pour vous que les sentiments les plus tendres que l'on peut avoir pour une véritable maîtresse. Conservez-vous pour l'amour de moi, afin que nous puissions goûter ensemble les plaisirs les plus doux, quand je serai assez heureux de vous posséder. Domptez ces transports dont vous êtes agitée ; ne me parlez pas de cette fin tragique que vous espérez de moi. Cette pensée me tue et me fait mourir d'horreur et d'effroi, je ne suis pas capable d'avoir des sentiments si cruels ; la passion que j'ai pour vous est si forte que je ne puis que vous aimer éperdument. Ne vous affligez donc pas jusqu'à la mort ! mais conservez votre belle vie qui m'est si chère, afin de conserver la mienne. Ne m'attristez pas davantage, prenez compassion de moi en ayant pitié de vous. Je vous regrette si tendrement que, si vous périssiez pour moi, je ne vous survivrais pas un moment. La passion violente que vous avez pour moi me donne du dégoût et de l'éloignement pour toutes choses, de crainte que j'ai qu'il ne vous en arrive mal. N'appréhendez pas que je vous délaisse jamais pour une autre maîtresse, c'est une espèce de cruauté dont je ne suis pas capable. Votre passion ne peut servir qu'à m'animer davantage à vous aimer, et non pas à me glorifier de la victoire que vous prétendez que j'ai sur vous, afin de me rendre plus aimable envers une autre maîtresse. Je ne vous aime point par vanité, je ne suis pas si superbe ni si mal appris que d'en venir à ce point ; c'est affaire à des fous d'en user de la manière. Votre douceur, vos vertus, et vos autres perfections méritent un traitement plus doux et plus respectueux ; vous savez que j'ai toujours caché notre amour le plus que j'ai pu, de peur de vous désobliger. Je n'ai point plus de joie que quand je lis vos lettres, je ne trouve rien de si charmant; vous les croyez longues, et moi je les trouve si courtes que je vous conjure de les faire plus longues. Ne vous qualifiez pas d'insensée, vous êtes trop sage en amour et trop prudente en toute autre chose pour vous attribuer cette mauvaise qualité. Puisque je suis assez heureux pour recevoir vos lettres, écrivez-moi souvent, afin que je compatisse à vos douleurs, et fuyez ce désespoir que vous dites que je vous cause, pour vivre dans la tranquillité. Adieu, si votre amour augmente de moment en moment, le mien est dans la dernière violence. Adieu, je meurs de déplaisir si vous ne m'apprenez au plus tôt les choses que vous avez à me dire. Je prie Dieu de tout mon cœur que cette lettre vous soit fidèlement rendue pour vous témoigner l'ardeur de ma passion. Adieu.

QUATRIÈME LETTRE

J'ai bien de la joie d'apprendre que mon lieutenant vous ait saluée de ma part et vous ai dit de mes nouvelles. Je vous suis infiniment obligé du soin et de la tendresse que vous avez pour moi, je vous conjure de croire que j'en ai aussi réciproquement pour vous. N'appréhendez pas qu'il me soit arrivé de mal pendant mon voyage sur mer; il a été heureux pour moi, car j'ai très peu souffert. Je vous aurais écrit aussi bien qu'à mon lieutenant, mais la crainte que j'avais que mes lettres ne vous fussent pas rendues, non plus que les autres, m'a obligé de différer. J'espère que vous recevrez celle que je vous envoie fidèlement car la personne qui vous la doit rendre m'est bon ami. Si j'en reçois encore une des vôtres qui m'apprenne que vous n'ayez pas reçu de mes nouvelles, je partirai incontinent pour vous aller consoler. Je n'ai point manqué à vous récrire à toutes les occasions que j'en ai eues et de vous faire réponse. Il faut que j'avoue que je suis le plus malheureux de tous les amants, quoique le plus fidèle, puisque vous ne recevez point mes lettres. Je ne puis que faire davantage, sinon de vous témoigner toujours la même tendresse que j'ai pour vous, comme j'ai fait dans les autres. Mais à quoi bon vous récrire tant de fois, puisque mes réponses ne vont pas jusques à vous ? Il n'importe, je veux continuer. Je n'ai jamais plus de satisfaction et je respire aisément lorsque j'ai la plume à la main pour vous ; mais je deviens tout languissant et je semble mourir aussitôt que je la quitte. Lorsque vous m'écrivez, je meurs de déplaisir et de joie, sans pouvoir mourir : de déplaisir de vous savoir si affligée sans recevoir de mes nouvelles, et de joie, lorsque je reçois des vôtres par vos lettres. Je les conserve plus que ma propre personne, comme de précieux gages de votre amour, pour vous en rendre un compte fidèle, quand je serai assez heureux de vous voir. J'avoue que vous avez raison de me traiter d'ingrat, puisque vous ne recevez aucune réponse de moi, mais je suis persuadé que vous aurez des sentiments contraires quand je vous en aurai désabusée. J'ai toujours conservé la même tendresse que j'ai eue pour vous, et que je vous ai témoignée dans votre chambre. Ma vie, mes biens et mon honneur, tout est à vous tout dépend de vous, je vous les sacrifie. Je vous aime, je vous adore de tout mon cœur et de toute mon âme ; je vous conjure de le croire. Ne vous plaignez plus à l'avenir de mon peu de soin et de mes empressements envers vous ; je les ai de la même manière que j'ai eue auparavant. Que je suis malheureux que je ne vous puis dire ma pensée bouche à bouche ! que vous sauriez des témoignages d'amour !

Mais il n'en serait pas besoin, mes yeux languissants et ma contenance amoureuse vous feraient lire aisément dans mon cœur la passion qui m'enflamme. Épargnez toutes ces inquiétudes que vous avez pour moi, et apprenez que mon procédé est tel que celui que je vous fis paraître les premiers jours que je vous vis. Vous n'êtes point abusée ; mes soins et mes empressements ont toujours été sincères et le seront pour vous toute ma vie. Ne soupçonnez point ma bonne foi, je vous aime tendrement. Je ne saurais vous faire d'excuse de la négligence dont vous m'accusez, je n'en suis nullement coupable, je vous aime trop ardemment, et vous avez raison en cette rencontre de me justifier vous-même. J'avoue que mes assiduités, mes transports, mes complaisances, mes serments, mon inclination violente et mes commencements si agréables et si heureux vous ont entièrement charmée et enflammée, mais vous n'êtes point séduite ; c'est en vain que vous répandez tant de larmes, puisque je persévère et que je suis toujours le même. Si vous avez goûté beaucoup de plaisir en m'aimant, j'espère que vous en aurez encore autant et davantage à l'avenir. Finissez vos douleurs et les mouvements qui agitent votre âme. Vous me faites pitié ! je sens que je meurs de désespoir, lorsque vous m'assurez que vous souffrez pour moi. Ne me dites point que vous n'avez pas résisté avec opiniâtreté à mon amour, je le sais ; vous ne m'avez jamais donné de chagrin ni de jalousie pour m'enflammer davantage. C'est une marque assurée de la tendresse naturelle que vous avez pour moi ; c'est aussi ce qui m'oblige à vous aimer et vous adorer éternellement. J'admire et j'aime en même temps cette naïveté sans artifice et cette conduite amoureuse sans déguisement dont vous avez usé en mon endroit. Ah ! quel bonheur pour moi d'avoir rencontré dans une maîtresse une douceur si grande, une inclination si tendre et si naturelle, un amour si parfait et une beauté si accomplie ! Que ne vous dois-je pas pour tant de belles perfections qui se rencontrent dans vous ? Puisque vous me les sacrifiez tous les jours avec tant de tendresse et d'ardeur, je serais le plus ingrat et le plus perfide de tous les amants si je n'en avais pas une véritable reconnaissance. Je l'ai tout entière et, si vous en avez été persuadée le peu de temps que j'ai eu l'honneur de votre conversation, vous le serez encore davantage à l'avenir. Que vos témoignages d'amour sont doux, quand vous me dites que je vous parus aimable auparavant que je vous eusse dit que je vous aimais, et que vous avez été ravie de m'aimer éperdument ! Quel zèle ! quelle complaisance, ou plutôt quel excès d'amour ! Et quel bonheur pour moi de me savoir aimé de la manière par une personne si accomplie ! Quels remerciements ne vous dois-je pas ? Et de quelles paroles me puis-je servir présentement pour vous témoigner une passion réciproque à la vôtre ? Vous épuisez mon génie par des discours si tendres ; et mon amour, quoiqu'ingénieux, n'a point de termes plus pressants, pour vous exprimer l'ardeur de mon zèle, que ceux dont vous vous êtes servie pour me déclarer votre affection. Je vous dirai seulement que mes transports amoureux sont inconcevables et que je vous aime infiniment. Quoique ces paroles disent beaucoup, je sais bien qu'elles disent peu pour vous ; néanmoins vous pouvez être assurée par là que votre esprit n'a point été aveuglé, comme vous croyez, puisque je vous aime pareillement de tout mon cœur. Vos emportements m'ont toujours paru si doux et si agréables que j'en ai toujours été charmé. Je crois avoir fait un digne choix en Portugal, lorsque je vous ai préférée à toute autre personne pour aimer fidèlement, et pour toutes autres sortes de perfections, puisque ça été toujours mon dessein, après mon retour, de vivre et mourir avec vous. Ne m'accusez donc plus de cruauté et ne me traitez plus de tyran. Je n'exerce aucune rigueur contre vous, que celle que vous vous imaginez à cause que vous ne recevez point mes lettres. Il est vrai que vous eussiez pu résister à mon cœur et que par une bonté particulière vous avez voulu vous attacher à moi. Mais ne vous plaignez pas de ce que je vous ai quittée, j'ai eu de puissantes raisons pour le faire ; et cependant, quoiqu'elles soient très fortes, je ne l'aurais pas fait si vous n'y aviez consenti. Ni le vaisseau qui partait pour aller en France, ni ma famille, ni mon honneur, ni le service du roi que j'honore ne m'eussent jamais obligé à vous abandonner si vous ne me l'eussiez pas permis. Ne saviez-vous pas que j'étais tout à vous ? Que ne m'avez-vous donc retenu ? Vous n'aviez qu'à agréer l'offre que je vous fis de demeurer avec vous, j'y aurais consenti avec toute la joie imaginable. Mais ce qui nous doit consoler, vous et moi, c'est que le temps de mon départ s'approche, et que vous verrez dissiper la crainte et les frayeurs que vous avez de ne me revoir jamais. Ne soyez plus persécutée de cette appréhension et, puisque vous aimez avec tant de violence, que ce soit sans douleur et sans déplaisir. Quittez cette haine et ce dégoût que vous avez pour toutes choses, ne vous tourmentez plus ; que votre famille, vos amis et votre couvent servent à vous consoler et que tout ce qui vous a obligée de vous attrister serve à vous récréer et non pas à vous faire souffrir. Croyez très assurément que, si vous employez tous les moments de votre vie pour moi, que je fais la même chose pour vous. Ainsi, que votre cœur soit tout rempli d'amour. Quittez la haine que vous avez pour toutes choses, vivez dans la tranquillité et le repos ; ne menez plus une vie languissante, cachez votre passion jusqu'à mon retour, afin que Madame votre mère, M.M. vos parents et les religieuses soient désabusés de votre passion. Si tout le monde est touché de votre amour, je vous conjure de croire que j'y prends plus d'intérêt que qui que ce soit. Mes lettres ne sont pas si froides que vous vous imaginez. C'est que votre esprit est préoccupé d'amour. Si elles n'ont pas été aussi longues que vous le souhaitez, c'est que j'ai cru en peu de mots dire beaucoup, puisque je n'ai jamais plus de plaisir que lorsque je vous écris. Vous ne devez pas vous affliger pour aimer si parfaitement que vous faites. Divertissez votre esprit pour donner trêve à vos douleurs. Que ce balcon où vous allez quelquefois vous promener avec Dona Brites vous soit un sujet de joie, puisque c'est là où a commencé à naître cette passion qui vous enflamme et à laquelle je vous ai toujours témoigné que je réponds si tendrement. Vous ne vous méprîtes pas quand vous crûtes que j'eus dès lors le dessein de vous plaire ; en effet, c'était toute ma passion. Je vous ai remarquée par-dessus toutes vos compagnes ; je vous ai considérée attentivement et je fus si fort épris de votre beauté et de toutes vos autres perfections que je me suis laissé facilement aller au désir de vous aimer. Je connus dès lors par un geste amoureux, mais agréable, que vous aviez de l'inclination pour moi et que vous preniez un singulier plaisir à tout ce que je faisais, comme si mon amour vous avait suggéré dans le cœur que toutes mes actions n'avaient pour but que votre seule complaisance. Mais tous ces doux commencements de notre amour ne nous doivent pas emporter au désespoir et me faire passer pour coupable en votre endroit, puisque j'ai fait toutes ces choses pour une bonne fin et que je vous aime aussi fidèlement que vous m'aimez. Vous devrez tout espérer de moi, je ne suis point ingrat de toutes les tendresses que vous avez pour moi ; mon corps, mon âme, ma vie, mon honneur et mes biens, tout est à vous. Mon procédé est meilleur que vous ne croyez. N'appréhendez point que je vous abandonne, c'est une espèce de lâcheté et d'ingratitude qui m'est si odieuse qu'elle n'aura jamais de prise sur moi. Si vous êtes persuadée que j'ai quelques charmes, ou quelque chose d'agréable en moi, je vous en fais un sacrifice. Je ne veux jamais plaire à d'autres qu'à vous. Puisque vous trouvez que j'ai quelque mérite, il me suffit. Toutes les plus belles créatures au prix de vous ne me sont rien, je n'en veux aimer aucune que vous. Pourvu que je sois toujours bien dans votre esprit, je suis au comble de mes vœux. Ne me souhaitez donc point tant d'amour des plus belles dames de France, vous connaîtrez à la fin que je ne suis point sujet au changement et que les plus charmants objets ne me sauraient faire oublier l'amour que j'ai pour vous. Je ne cherche point de prétexte spécieux pour vous paraître coupable et vous rendre malheureuse : ce n'est point mon dessein de demeurer longtemps en France, je n'y puis captiver ma liberté sans vous y posséder. Ni la fatigue d'un long voyage, ni les dangers les plus grands, ni le respect de mes parents, ni mes biens, ni mon honneur, ni quelque bienséance que ce puisse être ne me peuvent détourner de vous aller rendre mes adorations. Je réponds de tout mon cœur à vos amoureux transports ; votre passion ne saurait être plus violente que la mienne. Plût à Dieu être éternellement dans un même lieu attaché auprès de vous, pour vous contempler, vous servir, vous aimer et vous adorer ! Je ne dis point ceci pour vous flatter ; je suis tellement enchanté par vos charmes et vos faveurs que je ne fais que languir peu à peu de désespoir que j'ai de ne vous pouvoir pas revoir assez tôt. Bien loin d'être touché de la rigueur et de la sévérité d'une autre maîtresse, les plus doux traitements, les plus charmantes caresses, les faveurs les plus avantageuses, les promesses les plus belles de l'objet le plus agréable ne me sauraient détourner un moment de votre amour. Étouffez cette crainte inutile dans votre cœur, ne pensez pas que je vous quitte pour une autre personne. Qu'avez-vous dans vous-même qui ne soit très aimable et qu'y a-t-il de plus charmant que votre beauté, de plus doux que votre entretien, de plus agréable que votre compagnie, de plus tendre que votre amour, de plus attrayant que vos plaisirs, de plus touchant que vos soupirs, de plus stable que vos promesses, de plus fervent que votre zèle ? Après tant d'appas et de perfections, pouvez-vous avoir la moindre pensée que je vous puisse délaisser pour me rendre malheureux sous l'esclavage d'une autre maîtresse ? Non, Madame, ne vous imaginez pas que je sois si inconstant, j'ai trop d'amour et de respect pour en user de la manière. Il est vrai que je vous ai dit en confidence, il y a déjà quelque temps, que j'avais aimé une autre dame en France ; mais son mérite n'est rien en comparaison de ce que vous valez ; ses appas ne sont que l'ombre des vôtres, son entretien est fade, sa conversation me rebute et, pour tout vous dire enfin, je ne la vois plus. Pour vous confirmer cette vérité, je vous enverrai une de ces lettres avec son portrait. Vous pourrez juger par là de sa beauté, de son esprit et de sa conduite. Je crois que vous n'en serez pas jalouse quand vous aurez reconnu tout ce que je vous dis ; et lorsque j'aurai l'avantage de vous voir, je vous entretiendrai des discours qu'elle me tient, ce sera un sujet de divertissement pour vous consoler. Et puisque vous prenez tant de part à tout ce qui m'est cher, je vous porterai le portrait de mon frère et de ma belle-sœur. Vous dites qu'il y a des moments où il vous semble que vous auriez assez de soumission pour servir celle que j'aime : cette pensée est fort obligeante mais, puisque vous avez tant de bonté pour moi, je vous conjure d'employer ce bon service pour vous. Vous êtes seule que je veux adorer et servir toute ma vie. Ne soyez pas persuadée que je vous fais de mauvais traitements ni que j'aie aucun mépris pour vous ; toutes ces choses sont infiniment éloignées de mon esprit ; je sais trop bien connaître votre mérite, le respect et le zèle que j'ai pour vous. C'est à tort que vous êtes jalouse et que vous me faites ces reproches. J'approuve avec ardeur les plus doux sentiments de votre âme, et vous consacre entièrement tous les mouvements de mon cœur. Je vous conjure de m'écrire souvent de vos lettres qui me sont si chères que je les conserve avec plus de soin que tous les plus grands trésors du monde. Vous ne les sauriez faire assez longues pour moi. Votre passion me plaît si fort que je n'ai jamais plus de joie que lorsque je la vois tracée amplement sur le papier ; cela vous soulage et moi aussi, et mon déplaisir est que je ne suis pas présent pour donner trêve à vos maux. Je sais qu'il y a un an présentement que vous me donnâtes les dernières et les plus douces faveurs de votre amour. Je me souviendrai toute ma vie de ce bienheureux jour. Que d'agréables transports ! que de doux emportements ! que d'ardeur ! que de feu ! que d'amour ne me témoignâtes-vous pas ! que de douceurs inconcevables ne me fîtes-vous pas goûter ! Mon âme pensa s'envoler dans le comble de la joie et des plaisirs qu'elle reçut. Vos autres faveurs, et la sincérité avec laquelle vous en avez usé depuis m'ont tellement charmé que je ne vous ai quittée qu'avec un regret non pareil pour entreprendre un long voyage qui me cause une infinité de déplaisirs. Quand je pense aux bienheureux moments que j'ai goûtés avec vous, je me souviens de cette aimable pudeur qui pour lors éclata sur votre charmant visage. S'il y parut quelque confusion, cela ne servit que pour m'enflammer davantage. Plût à Dieu que cet officier dont vous me parlez n'eût pas parti si tôt, j'aurais eu la satisfaction d'être entretenu plus longtemps des douceurs que vous m'auriez écrites. Adieu ! si vous avez peine à finir votre lettre, j'ai un extrême regret de mettre fin à la mienne. N'appréhendez pas que je vous quitte, j'ai trop de tendresse pour vous. Je vous remercie de tout mon cœur de l'amour que vous avez pour moi ; je vous prie de croire que j'en ai réciproquement pour vous. Que les noms de tendresse que vous me voulez donner me seraient agréables si vous me les aviez exprimés par votre lettre ! Mais n'importe, il me suffit que vous les ayez dans le cœur, puisque le temps ne vous a pas permis de me les écrire. Je n'en ai pas moins pour votre personne. Je me donne tout à vous ; mon corps, mon âme, mes biens, mon honneur, tout cela dépend de vous ; je vous fais un sacrifice de tout ce que j'ai de plus cher. Que je vous aime ! que je vous respecte ! que je vous adore ! Quels transports d'amour n'ai-je pas pour vous ! que vous m'êtes chère ! que le sort m'est cruel de m'avoir éloigné de vous ! que vous me faites de compassion ! que vous me causez de déplaisirs, de compassion pour tous les tendres sentiments que vous avez pour moi et de déplaisirs de ce que je ne puis vous témoigner la réciproque de l'amour que vous avez pour moi en votre présence ! Quels respects, quelles soumissions, quelles tendresses ne vous montrerais-je pas ? Que vous connaîtriez une âme sincère ! que vous verriez un cœur ouvert ! que de joie, que de plaisirs, que de satisfaction, que de consolation ne receviez-vous pas aussi bien que moi ? Adieu, écrivez-moi plus amplement à l'avenir ; je prends un plaisir infini à la douceur que vous me témoignez par vos lettres. Adieu, consolez-vous, j'aurai le bonheur de vous aller voir au plus tôt pour vous convaincre de la fidélité de mon amour. Adieu, vous me faites pitié.

CINQUIÈME LETTRE

Quel rigoureux traitement me faites-vous ? Hélas ! qui vous oblige à ne vouloir plus m'écrire ? Quel déplaisir vous ai-je rendu ? Quelle assurance avez-vous que je ne vous aime plus ? Je suis enflammé de votre amour plus que jamais ; je vous respecte et je vous adore de tout mon cœur, et suis prêt d'abandonner tout ce que j'ai de plus cher pour me soumettre à vous. Je vous conjure de me continuer votre amitié, et de conserver les gages de mon amour ; ne les donnez ni ne les montrez à personne. Ayez mon portrait devant vos yeux, considérez-le attentivement ; portez ces bracelets pour l'amour de moi, ne me les renvoyez point et n'employez pas Dona Brites, qui a été la confidente de nos plus doux secrets, à me rendre de si sensibles déplaisirs. Que le désespoir ne vous emporte pas contre moi, modérez votre haine : je suis innocent de tout ce que vous pouvez m'imputer. Ne brûlez pas ces précieux gages que vous avez de moi ou, si vous les consumez, que ce soit au feu de votre amour. Ne me poursuivez point avec tant de haine, c'est une espèce de cruauté et de faiblesse dont votre grand cœur ne fut jamais capable. L'amour est une vertu qui vous est si chère ! Vous avez trop de générosité pour être inconstante et pour me vouloir maltraiter. D'où vient cette rigueur ? ne vous suis-je pas soumis jusqu'au dernier soupir de ma vie ? Pourquoi vous emporter contre moi ? que vous ai-je fait ? quelle satisfaction désirez-vous d'une personne qui ne vous a point offensée ? Quoique je sois innocent, je veux vous paraître coupable puisque vous le souhaitez ; mais de quel crime m'accusez-vous ? Serez-vous inflexible envers moi, qui fais gloire de vous sacrifier tout ce que je suis ? Mais hélas ! que dis-je ?

153

le moyen de vous apaiser ? Vous êtes tellement irritée contre moi que je ne saurais que devenir. Que ferai-je ? à qui aurai-je recours ? qui fera ma paix avec vous, puisque je suis absent ? qui vous assurera de ma constance, puisque vous êtes persuadée du contraire ? Pour éloigner cette haine de votre cœur, je vous conjure de penser souvent aux délices de l'amour que nous avons goûtées ensemble et aux assurances que je vous ai données de ne vous abandonner jamais. Entretenez-vous de moment en moment avec Dona Brites de ces douceurs ; consolez-vous toutes deux ensemble ; songez à l'excès de ma passion et de la vôtre ; prévoyez toutes ces difficultés et ces violences dont vous me parlez ; opposez-les aux efforts que vous faites pour me quitter, et soyez convaincue que vous aurez des mouvements incomparablement plus agréables en m'aimant toujours qu'en me quittant pour jamais. Quoi ! vous voulez délaisser un amant si constant et si fidèle, qui vous a été si cher, que vous avez aimé si tendrement, qui a été l'objet le plus doux de votre passion, à qui vous avez donné des témoignages si pressants de votre affection, que vous avez embrassé avec tant d'ardeur et d'empressement, et qui par ses caresses vous a rendu si doucement la réciproque ? L'amour a trop bien uni nos cœurs : quoi que vous fassiez, je ne crois pas que vous puissiez vaincre une passion si forte et si agréable. C'est pour m'éprouver que vous m'écrivez de la manière, ou si c'est tout de bon, votre haine et votre rigueur sont si mal fondées qu'elles ne peuvent pas durer longtemps. Ne m'accusez point de mépris et d'indifférence. J'ose prendre le ciel à témoin de l'estime et de l'attachement que j'ai toujours eus pour vous. Si je vous ai fait des protestations d'amitié par mes lettres, ç'a été avec des respects et des soumissions véritables ; si vous les aviez toutes reçues, vous seriez persuadée du contraire de ce que vous m'avez écrit. Je crois que MM. vos parents et

Madame votre abbesse, à qui nos amours sont suspectes, sont d'intelligence ensemble et qu'ils vous ont donné de fausses lettres au lieu des réponses que j'ai faites à toutes les vôtres, que j'ai reçues avec joie et lues avec plaisir. Cela m'oblige à ne vous plus écrire davantage, de peur d'accident, mais à partir dans quinze jours pour vous aller trouver en Portugal. Après cette promesse que je vous fais de vous revoir au plus tôt, je vous conjure de rentrer en vous-même, et de faire agir votre passion amoureuse au lieu de votre haine. Si vous vous êtes éclaircie, ce doit être de l'estime, du respect et de l'amour que j'ai pour vous, et non pas du contraire. Je n'ai jamais eu de plus forte passion que de vous aimer, vous servir et vous adorer. Si j'avais été assez ingrat de vouloir vous quitter, après toutes vos faveurs, je vous en aurais donné des preuves devant mon départ, soit par paroles ou par mon refroidissement, ou j'aurais fait agir Dona Brites ou quelque autre confidente pour vous obliger à ne me récrire point, ou j'aurais tâché de vous détromper en ne vous faisant point de réponses, ou, sous quelque prétexte spécieux, j'aurais feint d'être obligé à demeurer en France pour ne vous point revoir. Ai-je usé de tous ces stratagèmes ? Vous ai-je trompé par mes discours ? Avez-vous reconnu quelque froideur en moi ? Ai-je fait agir quelqu'un pour vous détourner de mon amour ? Ne m'avez-vous pas récrit ? N'ai-je pas reçu vos lettres ? Vous ai-je pas fait réponse ? Ai-je cherché l'occasion de demeurer en France sans vous ? Vous ai-je dit que je ne veux point retourner en Portugal ? Vous ai-je donné quelque sujet de déplaisir ? Ne vous ai-je pas découvert les véritables sentiments de mon âme ? Ai-je manqué de civilité, d'amour et de respect en votre endroit ? De quoi vous plaignez-vous ? de quoi m'accusez-vous, et que vous ai-je fait enfin pour m'être si cruelle ? Désabusez-vous, Madame, et ne me croyez pas capable de faire une telle lâcheté que de vous abandonner. Ne m'attribuez point toutes ces méchantes qualités que vous dites et jugez-moi digne de tous les sentiments et de toutes les douceurs que vous avez pour moi. N'espérez pas que je vous donne occasion de m'oublier : cette grâce que vous me demandez ne sert en même temps qu'à m'affliger et à m'enflammer davantage. Il est vrai que j'ai eu peine en lisant votre lettre ; mais c'est à cause de vos reproches, de vos menaces, de vos mépris, du mauvais traitement que vous me faites et du désespoir où vous me jetez. Sans ces déplaisirs, que de joie ! que de contentement ! et que de satisfaction n'aurais-je pas reçu en apprenant de vos nouvelles ! N'importe, quelque rigueur dont vous usiez envers moi, je me veux consoler, dans l'espérance que j'ai de fléchir votre colère. Je souffre vos mépris et vos emportements, mais la raison ramènera un jour le calme dans votre âme et vous fera connaître, quand je serai en votre présence, que vous avez affligé un innocent. Pourquoi m'écrivez-vous que je ne me mêle point de votre conduite ? Qui peut avec plus de justice en prendre le soin que moi ? Doutez-vous de ma discrétion ? ne savez-vous pas jusqu'à quel point j'ai pris part à tout ce qui vous touche sans vous gêner ? Je sais bien que vous êtes très sage, que vous marchez droit dans vos entreprises et que vos actions sont sans reproches. Si je me suis informé de ce que vous faites, ce n'a été que pour admirer votre sagesse en vos conseils, votre prudence dans votre conduite, et votre adresse en tout ce que vous entreprenez, dont vous venez à bout avec une facilité si merveilleuse que c'est une chose aussi surprenante qu'admirable. Toutefois, puisque cela vous choque, je suis prêt à m'en désintéresser seulement pour vous obéir. Puis-je faire plus pour me remettre bien auprès de vous et pour vous obliger à favoriser ma passion et continuer votre tendresse ? Commandez, je suis prêt de vous satisfaire, plus pour

finir les maux que vous endurez que pour terminer mes
douleurs. Je souffre agréablement tout ce qui vient de
vous, vos rigueurs les plus sévères n'ont que des appas
pour moi. Je vous rends grâce même du mauvais
traitement que vous me faites : cela ne sert qu'à allumer
ma flamme et la rendre plus vive ; je suis content
d'endurer de la manière, pourvu que ma souffrance
apporte quelque soulagement à vos douleurs et vous
rende plus contente. Plût à Dieu que vous pussiez vivre
heureuse et tranquille dans la certitude de mon amour !
Après m'avoir fait paraître une si grande aversion, vous
me promettez de ne me point haïr ; cela est très
obligeant, mais je prendrai la liberté de vous dire que
vous feriez plus de justice à mon amour si vous m'aimiez
comme devant, puisque je n'ai rien fait qui vous puisse
déplaire. Je suis convaincu que vous pouvez trouver un
amant qui aura plus de mérite que moi, mais je suis
assuré que vous n'en trouverez jamais un qui soit plus
fidèle et plus constant que je le suis. Votre passion peut
tout sur mon esprit ; elle m'a enflammé, elle vous a
occupée et m'a occupé tout à fait et ne m'a pas laissé
en liberté un moment. Vous en êtes témoin, puisque
vous avouez que l'on ne saurait oublier ce qui cause
des transports dont l'on est capable, que les mouvements
d'un cœur s'attachent à l'objet qu'il a aimé, que les
premières idées ne se peuvent effacer, que les premières
blessures sont incurables, que toutes les passions et les
plus doux plaisirs que l'on cherche sans aucune envie
sont inutiles pour détourner de ce que l'on aime le plus
et ne servent qu'à faire connaître que rien n'est plus
cher que le souvenir des douleurs que l'on souffre. Que
ces paroles sont douces dans la bouche d'une véritable
amante ! et qu'elles ont d'appas et de charmes pour un
amant qui est dans le désespoir ! Ah ! qu'elles me
consolent, et qu'elles me font bien connaître que je suis
encore dans votre cœur, puisqu'il est sujet à des

sentiments si doux ! Mais combien dois-je espérer d'être encore mieux auprès de vous quand vous connaîtrez que mon attachement est très parfait, que mon amour est réciproque, que votre inclination n'a point été aveugle, et que vous vous êtes attachée à une personne qui fait gloire de vous aimer toute sa vie.

Je sais bien, Madame, que vous avez tant de douceur et de compassion que vous ne voudriez pas mettre ni moi ni personne en l'état pitoyable où vous êtes réduite ; c'est une marque assurée de votre bon naturel. Je vous prie de croire aussi que c'est mon inclination et que, si vous souffrez, je n'y ai contribué en aucune manière.

Ne cherchez point à m'excuser de ce côté-là ; je ne suis point criminel de ce que vous m'accusez. Je suis persuadé qu'une religieuse accomplie comme vous êtes est infiniment aimable. Les raisons que vous apportez pour montrer qu'on les doit aimer plus particulièrement que les femmes du monde sont très puissantes ; mais, sans avoir égard à toutes ces belles preuves que vous mettez en avant, je vous dirai en peu de mots que je ne vous ai considérée que pour votre propre mérite. Le procédé des femmes du monde me déplaît ; la plupart sont sujettes au changement, elles ne sauraient aimer en un seul lieu ou, si elles aiment, ce n'est que par feinte, par complaisance et par intérêt. La rigueur dont elles usent, le mépris, la peine, la coquetterie, les dissimulations causent aux amants cent fois plus de déplaisir que de joie. Je sais bien que vous n'alléguez pas ces raisons pour vous faire aimer : vous avez des qualités trop recommandables pour attirer les cœurs les plus fiers ; vos charmes sont si puissants que l'on n'y peut résister ; la beauté, la constance, la fidélité, la douceur vous font admirer, servir et adorer de tous ceux qui ont l'avantage de vous connaître. Les autres beautés sont peu de chose auprès de vous et j'ose dire que c'est un crime de renfermer une personne si accomplie que vous dans un couvent. Si vous êtes malheureuse, ce n'est qu'en qualité de captive, dont vous pouvez vous délivrer quand il vous plaira. Vous avez appréhendé sans raison que je ne vous fusse infidèle en ne vous voyant pas tous les jours. Ne savez-vous pas qu'il n'était point en mon pouvoir ni au vôtre de nous entrevoir si souvent, puisque vous étiez enfermée et à cause du danger où je m'exposais en entrant dans votre monastère ? Si je vous ai quittée pour aller à l'armée, ce n'a été qu'après votre consentement, et votre seul mérite était capable de me retenir. Si vous m'aviez commandé de demeurer, j'aurais quitté très volontiers le service de mon prince, pour m'attacher entièrement à vous, sans craindre la colère de vos parents et la rigueur des lois du pays. Je n'ai pas manqué à vous donner des témoignages de ma passion, depuis que je suis en Portugal. S'ils ne sont parvenus jusques à vous, je n'en suis pas coupable, mais j'aurais bien du déplaisir que vous fussiez sortie du couvent pour me venir trouver en France. Non pas que je n'eusse une joie infinie de vous embrasser en ce beau pays, mais à cause du péril où vous vous fussiez exposée, et de la fatigue que vous eussiez endurée en chemin. Je sais bien le moyen de faire réussir cette entreprise, lorsque je serai assez heureux de vous voir, si vous êtes encore dans ce dessein. J'ose bien vous parler de la manière dans mes lettres, puisque Madame votre abbesse et MM. vos parents sont instruits de notre procédé. Cependant la modération de votre amour, votre froideur, votre mépris, et votre changement si prompt me causent un si grand déplaisir que j'en suis dans le désespoir ; mais il n'importe, je me console, car je suis si persuadé de votre douceur et de votre amour que je m'assure que, sitôt que vous aurez reçu ma lettre et que vous m'aurez vu un moment, vous changerez de résolution. Je n'ignore pas, Madame, que je ne vous aie plus d'obligation qu'à personne du monde ; vous m'avez aimé éperdument, vous m'avez donné votre cœur, vous m'avez sacrifié votre honneur et votre vie, au mépris de vos parents, de votre religion et de la sévérité des lois du pays. Que de reconnaissances ne vous dois-je pas pour un amour si violent ! Croyez-vous que je vous puisse oublier et que je vous abandonne après des marques si grandes de votre amour ? Vous auriez raison, Madame, de vous emporter contre moi, si j'étais assez ingrat d'en venir à ce point de ne vous avoir pas récrit, ni témoigné réciproquement que je vous aime avec la même ardeur que vous me faites. Mon procédé ne serait pas d'un honnête homme, je serais un traître, un méchant et l'amant le plus ingrat du monde. Au contraire, Dieu m'est témoin que j'ai toujours persévéré à vous adorer et vous aimer plus que moi-même. Je n'ai jamais manqué de respect ni d'amour pour vous ; je vous ai récrit avec toute l'ardeur et la civilité possible ; je vous ai donné des preuves de la passion la plus parfaite et la plus violente qu'un homme puisse avoir pour la personne la plus aimable et la plus accomplie. Je persévère toujours dans ces sentiments. Que puis-je faire davantage ? Que désirez-vous de moi ? Je vous ai fait un sacrifice de tout ce que je suis et de tout ce qui m'appartient. Je suis prêt d'abandonner tout pour vous, et de faire un long voyage, de passer les mers et d'exposer ma vie à la merci des eaux pour vous aller chercher jusque dans votre monastère : il ne restera plus, après tant de marques de ma passion (si je suis assez heureux de surmonter tous ces hasards) que de m'aller immoler tout de nouveau à votre colère. C'est ce que je ferai, lorsque j'aurai le bien et l'avantage de vous voir. Je veux m'exposer, quoique innocent de tout ce que vous m'accusez, comme une victime à l'ardeur de votre courroux, sans résister à la moindre de vos volontés.

Toutes ces preuves de la passion que j'ai pour vous sont bien éloignées, ce me semble, de l'aversion naturelle que vous croyez que j'ai, puisque je vous chéris infiniment et que je vous suis entièrement soumis. Je sais bien que je n'ai aucunes qualités recommandables qui méritent votre amour que celle d'un véritable amant, quoique vous n'en soyez plus persuadée. Vous me demandez ce que j'ai fait pour vous plaire ? quel sacrifice je vous ai fait ? si je n'ai pas cherché tous mes plaisirs ? Et moi, je vous demande si je ne vous ai pas obéi en tout ce qu'il vous a plu ? Si je ne vous ai pas sacrifié tout ce que je suis et tout ce qui m'appartient et si j'ai cherché d'autres plaisirs que ceux que vous m'avez accordés ? Si j'ai joué ou été à la chasse, n'avez-vous pas approuvé ces récréations ? Si j'ai été à l'armée, n'y avez-vous pas consenti ? Si j'en suis revenu des derniers, j'ai été retenu par violence, et si je me suis exposé aux coups, ç'a été avec le plus de prudence et de sagesse qu'il m'a été possible ; mais toujours avec honneur, pour être plus digne de vous. Et lorsque j'en ai été de retour, si je ne me suis pas établi en Portugal, c'est que je n'ai pas trouvé d'occasion assez favorable à notre amour. Il est vrai qu'une lettre de mon frère m'a fait partir, mais c'était pour une occasion si pressante qu'elle ne souffrait point de retardement. Vous en êtes tombée d'accord et, si vous m'aviez commandé de différer mon voyage, et même de demeurer, je vous aurais obéi. J'ai pensé mourir d'ennui et de douleur en chemin et, si je me suis un peu réjoui, ce n'a été que pour me conserver pour vous. Après cela que faut-il faire ? Quelle raison avez-vous de me haïr mortellement, comme vous dites, sinon celle que vous vous êtes imaginée ? Quels malheurs vous êtes-vous attirés, sinon ceux que vous avez bien voulu ? Si vous m'avez accoutumé une grande passion avec bonne foi, je n'en ai point abusé ; au contraire, j'ai su la ménager, et vous rendre la réciproque avec fidélité. Si vous n'avez point usé d'artifice en mon endroit, n'ai-je pas été sincère au vôtre ? Il faut, dites-vous, chercher avec adresse les moyens d'enflammer ; ai-je résisté à votre passion ? Et pourquoi ne voulez-vous pas que l'amour ne donne de l'amour, puisque le véritable secret d'être aimé est d'aimer ? Vous dites que j'ai voulu que vous m'aimassiez ; je l'avoue. Mais quand je n'aurais pas formé ce dessein, vous m'auriez aimé, puisque vous m'avez confessé que vous m'aimiez auparavant que je vous eusse donné des preuves de mon amour. Que si sans votre consentement je me fusse efforcé de vous aimer, aurai-je pas eu raison, puisque je ne connaissais rien en vous que d'aimable ? Il est vrai que je vous ai crue d'une complexion assez amoureuse, mais je ne vous ai pas aimée avec moins de passion ; au contraire, c'est ce qui l'a augmentée au plus haut point. C'est en quoi je n'ai point usé de perfidie. Je ne vous ai point trompée, je ne crains point vos menaces. Je suis persuadée que, quand vous aurez examiné mes raisons, vous êtes trop raisonnable pour livrer à la vengeance de MM. vos parents un amant qui est innocent. Si vous croyez avoir vécu dans l'abandonnement et dans l'idolâtrie en m'aimant, n'ai-je pas fait la même chose en votre endroit ? Nous ne différons qu'en trois points, savoir : que vous avez changé, et que je suis constant ; que vous avez un remords de m'avoir aimé, et que je n'en ai point de vous avoir aimée ; que vous avez honte de votre amour que vous faites passer pour un crime, et moi je n'en ai point, parce que je suis convaincu que c'est une vertu que d'aimer. Votre passion ne vous a pas empêchée d'en connaître l'énormité, puisqu'il n'y en a point : de quoi donc votre cœur est-il déchiré ? quel est ce cruel embarras qui vous gêne ? je ne suis point cause de tous vos déplaisirs ; je vous ai toujours aimée et fidèlement servie. Ainsi, vous avez raison de ne me souhaiter point de mal, et de vous résoudre à consentir que je vive heureux ; je puis l'être facilement, si vous voulez, puisque je n'ai jamais manqué de générosité envers vous. J'espère que vous n'aurez point la peine de me récrire une autre lettre pour me faire voir que vous serez plus tranquille ; je serai arrivé auparavant en Portugal, où ma présence vous apportera la tranquillité que vous désirez, en vous désabusant des procédés injustes dont vous me croyez coupable et pour lesquels vous me voulez faire des reproches. Ce sera lorsqu'au lieu de me mépriser vous me donnerez des louanges ; au lieu de m'accuser de trahison, vous reconnaîtrez ma fidélité, et qu'au lieu d'oublier vos plaisirs, vous y penserez tous les jours, et que je serai dans votre esprit et votre souvenir mieux que jamais je n'ai été. Si vous croyez que j'aie quelques avantages sur vous pour avoir su vous enflammer, je n'en tire point de vanité ; je sais bien que je ne dois ce bonheur ni à votre jeunesse, ni à votre crédulité, ni aux louanges que je vous ai données, ni à toutes les raisons que vous apportez, mais à votre seule bonté. Quoique tout le monde vous dît du bien de moi, et vous parlât en ma faveur, je n'ai jamais eu la témérité de l'attribuer à mon mérite. Tout ce que j'ai fait n'a pas été pour vous tromper par enchantement, mais pour vous donner un véritable amour, puisque j'ai toujours la même passion pour vous. Je vous conjure de conserver toutes mes lettres et de les lire souvent pour affermir votre amour, et non pour vous en détourner. Ce m'est un bonheur et un plaisir incomparable d'être toujours aimé d'une personne si parfaite et si accomplie que vous. Je vous prie de croire que je vous aimerai pareillement et adorerai toute ma vie. Oubliez ces reproches que vous avez envie de me faire, et ne me traitez point d'infidèle : vous apprendrez le contraire, lorsque vous me verrez en Portugal, plutôt en vous souvenant de moi qu'en m'oubliant ; vous ne prendrez point d'autre résolution que de persévérer toujours dans vos mêmes transports, quand je vous aurai désabusée de la fausse croyance que vous avez de moi. Adieu, je vous conjure encore un coup de ne me quitter jamais et de penser incessamment à la violente passion que j'ai pour vous. Ne m'écrivez plus aussi, peut-être que vos lettres ne me seraient pas rendues pendant mon voyage. Adieu, je vous rendrai un compte exact de tous mes divers mouvements, et vous m'en rendrez un des vôtres tel qu'il vous plaira, quand j'aurai le bien et l'avantage de vous voir. Adieu.

RÉPONSES [DE GRENOBLE]
AUX
LETTRES PORTUGAISES

PRÉFACE

Pour la satisfaction du lecteur et pour ma propre justification, je crois que je dois dire deux mots du dessein qui m'a obligé d'entreprendre ces lettres. Je ne prétends pas d'éclaircir ici le lecteur si les cinq *Portugaises* sont ou véritables ou supposées, ni si elles s'adressent, comme l'on dit, à un des signalés seigneurs du royaume ; ce n'est pas sur cette matière que je veux faire montre de mon savoir : je dirai seulement que l'ingénuité et la passion toute pure qui paraissaient dans ces cinq *Lettres portugaises* permettent à peu de gens de douter qu'elles n'aient été véritablement écrites. Quant au dessein qui m'a obligé à y faire des réponses, je suis trop franc pour dissimuler ce que m'en a dit un des plus beaux esprits de France. On m'a d'abord représenté la grandeur de l'entreprise, la difficulté d'y réussir et la témérité dont on m'accuserait si la réussite n'était pas favorable. On m'a dit qu'une passion violente avait inspiré ces cinq premières lettres, et qu'un homme qui ne serait pas touché d'une pareille passion ne réussirait jamais heureusement à y faire des réponses ; que c'était une fille qui avait fait les premières et que, dans l'âme des personnes de ce sexe, les passions étaient plus fortes et plus ardentes que dans celle d'un homme où elles sont toujours plus tranquilles ; que c'était, outre cela, une religieuse, plus capable d'un grand attachement

et d'un transport amoureux qu'une personne du monde ;
et que moi, n'étant ni fille ni religieuse, ni peut-être
amoureux, je ne pourrais pas seconder, dans mes
lettres, ces sentiments qu'on admire avec sujet dans les
premières. Enfin on m'a proposé le dessein d'Aulus
Sabinus, qui avait répondu à quelques-unes des épîtres
héroïdes d'Ovide, mais avec si peu de succès que celles-
là ne faisaient presque que relever l'éclat de celles-ci,
quoique ce ne fût qu'un jeu d'esprit où la passion et le
cœur n'avaient nulle part. C'en était bien là assez pour
rebuter un courage moins échauffé que le mien : pour
moi, je ne me rendis pas à ces raisons, je vis bien que
la beauté naturelle des *Portugaises* était inimitable et
qu'elles pouvaient justement être appelées un prodige
d'amour ; je crus néanmoins que, quand mes réponses
n'en seraient pas si prodigieuses, elles ne laisseraient
pas pour cela de passer. Si elles ne sont pas si amoureuses
et si passionnées, qu'y faire, pourvu qu'il y ait quelque
feu ! J'aime mieux qu'on me prenne pour un homme
d'esprit que pour un homme amoureux. En tout cas,
que l'on s'imagine, si mes réponses sont si peu supporta-
bles, que je ne les ai faites ainsi que pour mieux imiter
celles dont la dame portugaise se plaint dans la quatrième
lettre, où elle les nomme des *lettres froides et pleines
de redites*, et dans la lettre cinquième, où elle se plaint
des *impertinentes protestations d'amitié et des civilités
ridicules* dont son amant avait rempli sa dernière lettre.
C'est bien là, à mon avis, la moindre grâce que l'on
me puisse accorder. Si l'on considère pourtant la
grandeur du dessein, on ne me blâmera pas entièrement
de n'y avoir pas bien réussi ; au contraire, peut-être
louera-t-on mon entreprise. Les raisons qui sont au
commencement de cette préface, et que je trouve
invincibles, serviront, au pis-aller, à me mettre à couvert
des traits de la critique, pour ne pas dire de l'envie. Au
reste, le lecteur sera peut-être étonné de voir six lettres

qui ne répondent qu'à cinq ; mais je l'avertis que la première des *Portugaises* parlant d'une lettre que lui avait déjà écrite son amant lors de son départ, j'ai cru que je ne pouvais pas me dispenser d'en faire une. Je n'avais garde de laisser passer un si beau sujet d'écrire sans en profiter. C'est tout ce que j'avais à dire. Adieu.

PREMIÈRE LETTRE

Adieu, Mariane, adieu ! Je te quitte, et je te quitte avec ce déplaisir de ne te pouvoir pas persuader le désespoir où me jette la nécessité inévitable de mon départ. Mais je t'en convaincrai, chère Mariane, et la vie que je quitterai bientôt après t'avoir quittée ne te permettra plus de douter de l'excès de mes douleurs. Sais-tu bien, ma chère âme, ce que veulent dire ces deux mots, *je te quitte* ? et crois-tu que je puisse dire que je *meurs*, en termes plus clairs et plus intelligibles ? Oui, je meurs, puisque je t'abandonne, je m'éloigne de la vie en m'éloignant de toi, et je vais au tombeau en retournant à ma patrie. Je pars pourtant, me diras-tu, et je te laisse. Ah ! cruelle, que ces paroles sont fortes, qu'elles sont puissantes, qu'elles sont éloquentes et que ton amour qui y paraît fait un étrange effet sur mon cœur et ébranle furieusement mes résolutions ! Quoi ? faut-il que des témoignages de la passion que tu as pour moi, sans que j'en puisse raisonnablement douter, fassent aujourd'hui un effet si contraire à celui qu'ils avaient accoutumé de faire ? Ma joie et mon repos en dépendaient, c'étaient les sources de mon bonheur et de ma félicité ; ils faisaient tous mes plaisirs, ils étouffaient mes sanglots, séchaient mes larmes, calmaient mes inquiétudes, dissipaient mes craintes et maintenant ils ne font que causer de nouveaux troubles dans mon âme et qu'y faire naître des appréhensions. Je vois bien la raison de ce changement : je profitais de tout le bien que promettaient les premières marques de ton amour, j'en goûtais à longs traits toutes les douceurs, et j'avais la satisfaction d'y répondre par mille paroles et par mille actions capables de persuader des personnes plus incrédules que vous de la grandeur et de la violence de ma flamme, au lieu que maintenant je vois les biens qu'elles m'offrent sans pouvoir les accepter, et je ne puis répondre à ces marques d'affection que par un voyage qui m'éloigne de vous de cinq cents lieues. Jugez par là de mon infortune et de la cruauté de mon destin, et considérez à qui de nous deux mon départ doit être le plus funeste. Pourquoi suis-je venu en Portugal ? Pourquoi venir si loin pour me rendre malheureux tout le reste de mes jours ? Pourquoi vous avoir vue ? Pourquoi vous ai-je aimée ? Devais-je mettre tout mon plaisir à vous voir si je devais un jour ne vous voir pas et ma vie devait-elle dépendre de vous, puisque je devais un jour vous quitter ? Que n'ai-je eu pour quelque dame de France ces sentiments tendres et passionnés que vous m'avez inspirés ? La cruauté d'une absence n'aurait pas entièrement renversé mes plaisirs et l'espoir d'un prompt retour, qu'on peut toujours avoir avec raison d'une personne qui quitte son pays, nous aurait laissé dans nos chagrins mêmes une merveilleuse satisfaction. Mais que dis-je, téméraire ? en aurais-je pu avoir une véritable sans vous ? Quelque autre eût-elle été capable de me causer des transports si doux, de me faire passer des moments si tendres que ceux que j'ai passés dans votre chambre ? Non, cela n'est pas possible ! Il fallait vos yeux, pour me donner autant d'amour que j'en pris à votre vue ; il fallait votre cœur, pour être le digne objet de mes soins et de mes adorations ; il vous fallait tout entière pour me causer ces plaisirs extraordinaires dont il est bien aisé de se ressouvenir et qu'il est impossible d'exprimer ; il fallait tout mon amour et tout le vôtre pour causer ces transports et ces extases amoureuses. Ah ! que cette pensée est douce, que cette idée est touchante, que cette réflexion est agréable ! Puis-je la faire et faire le dessein de partir ? Puis-je songer à les rompre par un voyage ? Votre amour, vos caresses, capables d'arrêter auprès de vous les premiers hommes du monde, d'attendrir les plus insensibles, de fléchir les plus cruels et les plus barbares me laisseront-elles la liberté de m'éloigner ? Mon amour tout seul consentira-t-il à cette absence ? Je vois bien que c'est moi qui voudrais partir, et que c'est moi qui ne le veux pas, ou, pour parler plus juste, qui ne le peux pas. Je ne le veux ni ne le peux ; mais il le faut. Dure nécessité ! étrange contrainte qui me force à vous quitter lorsque je vous aime avec le plus d'empressement ! Je vous aime, chère vie de mon âme, et j'ose bien dire que je vous aimais moins dans certaines conjonctures, auxquelles vous croyiez que je vous aimais le plus. Je meurs d'amour pour vous, et c'est aujourd'hui que je commence à sentir certains mouvements intérieurs qui m'avaient été jusqu'à présent inconnus. Que ces sentiments impétueux viennent mal à propos ! Ils ne peuvent que me tourmenter ; dans un autre temps, ils auraient pu me rendre le plus heureux des hommes. Vous m'avez parlé souvent de la grandeur de votre amour ; vous avez plus fait, vous m'en avez donné des preuves, en me disant pourtant que ces preuves, quelques grandes qu'elles fussent, n'exprimaient pas suffisamment vos sentiments. J'avais bien de la peine à vous croire en ce temps-là ; mais que je vois bien aujourd'hui combien ces paroles pouvaient être vraies, puisque dans ce moment que je vous écris je me sens tout à fait incapable de vous exprimer la moindre partie des mouvements qui m'agitent, qui me tourmentent sans cesse, et qui me rendent misérable ! La perte de ma vie ni celle de ma raison ne suffiraient pas, ce me semble, à vous représenter l'inquiétude funeste de mon âme ni le pitoyable état de mon cœur. Que ne le voyez-vous ? ce serait bien alors que vous cesseriez de m'accuser, que vous n'appelleriez plus léger le sujet qui m'oblige à retourner en France, et que vous déploreriez avec moi le malheureux état de ma condition, de ma fortune et de mon amour. En effet, je suis contraint à vous quitter lorsque je vous aime le plus, lorsque vous me témoignez plus d'amour que jamais, lorsque vous me soupçonnez de vous aimer le moins. Ainsi je cours le hasard de vous perdre et de vous quitter en même temps. Hélas ! quelle affliction serait la mienne si je vous perdais lorsque je souffre le plus pour l'amour de vous ! Vous étiez toute à moi quand mes plaisirs aussi bien que mon inclination me rendaient tout à vous ; vous m'aimiez toujours quand je ne bougeais de votre couvent ; vous faisiez tout pour moi, quand je ne faisais ni ne souffrais rien pour vous. Aujourd'hui que je commence à endurer pour vous, ne m'aimerez-vous plus ? Considérez qu'il est bien aisé d'aimer une personne auprès de laquelle on goûte mille contentements, et qu'on est bien plus obligé d'aimer ceux qui souffrent pour nous que ceux qui se divertissent par nous. J'ai savouré cent plaisirs auprès de vous : vous m'aimiez. Je ressens maintenant mille maux à cause de vous : ne m'en aimez pas moins, je vous en conjure, aimable personne, et je finis avec cette prière. Aussi bien vient-on de m'avertir que tout est prêt, et qu'on n'attend que moi. Ah ! pourqui m'attend-on ? que n'est-on impatient, et que ne me laisse-t-on en ce pays ? On ne le fera pas, il n'y a pas lieu de l'espérer. Adieu donc, Mariane, et souvenez-vous de moi ! Ayez pitié des absents, n'oubliez pas les soins que j'ai pris à vous donner de l'amour en vous persuadant le mien, n'oubliez pas mes promesses, mes assurances, mes protestations ni mes serments. Oubliez encore moins les vôtres, par lesquels vous vous êtes mille fois donnée à moi pour toujours. Pensez quelquefois à nos plaisirs, pensez aussi quelquefois à mon infortune. Je me vais mettre sur le plus infidèle des éléments : que n'est-il aussi le plus cruel ! et s'il est vrai que je ne vous verrai plus et que vous m'oublierez dans cette absence (ce que je ne puis m'imaginer), que ne m'engloutit-il mille fois ! que ne fait-il échouer mon vaisseau contre un banc de sable ! Que ne le rompt-il contre un écueil et que ne fait-il en ma faveur le traitement qu'il a fait à cent personnes moins misérables que moi ! Si ce malheur m'arrive, ma douleur et mon désespoir ne laisseront pas à la mer et aux vents la charge funeste de me priver du jour ; et dans le chagrin mortel qui me saisira de me voir abandonné par une personne que j'aimais plus que ma vie, j'aurai cette dernière satisfaction de mourir, et pour vous et par vous. Ne vous faites pas ce tort, ne me faites pas cette injustice : je crois que si vous m'ôtiez de votre souvenir, vous seriez aussi blâmable que je serais à plaindre.

SECONDE LETTRE

N'était-ce pas assez de mes malheurs ? Le désespoir d'être réduit à vous abandonner ne pouvait-il pas seul me rendre assez infortuné, sans qu'il fallût y joindre vos déplaisirs, auxquels je suis cent fois plus sensible qu'aux miens propres ? Quoi ? vous ne m'oubliez pas ? Vous pensez encore à un misérable ? vous vous réjouissez de mon amour ? Ah ! c'en est assez : contentez-vous de me plaindre et ne prenez pas autant de part à mes chagrins que moi-même. Il n'est pas juste que vous vous affligiez autant de ma perte que je fais de la vôtre. Vous trouverez en mille lieux un honnête homme sur lequel vos yeux feront les mêmes effets qu'ils ont faits sur moi et pour qui vous pourrez avoir de la tendresse. Mais que dis-je ? souffrirais-je que vous eussiez pour quelque autre ces sentiments que vous avez juré mille fois ne pouvoir avoir que pour moi ? Si je vous croyais capable d'un tel changement, je ne sais de quel excès je ne serais point capable moi-même ; et cet heureux que vous auriez choisi pour occuper ma place ne serait pas assuré de la vie tant que je serais en état de hasarder la mienne. Je vous demande pardon de cet emportement : il est bien difficile de garder un sang froid en une pareille matière. Modérez pourtant un peu vos transports et, si vous prenez mes plaisirs de France pour la cause de vos douleurs, apprenez combien elles ont peu de fondement. L'image de Mariane que j'avais si profondément gravée dans le cœur fut la première chose qui, après m'avoir occupé pendant tout le temps de mon voyage, occupa encore mon esprit à l'entrée de mon pays. Et vous le dirai-je ? ce fut cette image qui étouffa en moi certains sentiments de joie qui sont si naturels à ceux qui peuvent revoir leur patrie. Je pensai d'abord à vous et, voyant que ce n'était pas le lieu où il fallait vous chercher, au contraire que c'était celui où je ne vous trouverais jamais, je faillis à tomber dans ce pitoyable état auquel vous m'apprenez dans votre lettre que vous avez été. Je vis mes parents, je reçus des visites de mes amis et j'en rendis quelques autres et, parmi tant de sujets d'une joie au moins apparente, je témoignai un déplaisir si évident et un chagrin si violent que les plus insensibles eurent pitié de l'état où ils me voyaient. Ils se doutaient bien que j'avais apporté cette maladie de Portugal, mais ils en ignoraient la cause et j'étais le seul qui savait l'origine de mon mal et le remède qu'il y faudrait apporter. Combien de fois ai-je souhaité de pouvoir soulager mes douleurs en les partageant et en les communiquant ! J'ai regretté mille fois l'absence de Dona Brites, par le moyen de laquelle je vous ai si souvent exprimé mon amour. Je ne vous dirai pas avec quelle ardeur j'ai souhaité votre présence, quelle résolution j'ai faite pour la recouvrer. Si vous m'aimez, vous vous les imaginez suffisamment, et vous pouvez les mesurer à l'envie que vous avez de me revoir ; si vous ne m'aimez plus, qu'ai-je que faire de vous les représenter et de vous donner lieu de vous moquer de mes inquiétudes ? Enfin je ne goûte aucun repos, le jour et la nuit me sont également importuns. Si j'ouvre les yeux au matin, je ne les ouvre qu'aux larmes et j'ouvre aussitôt ma bouche aux soupirs et aux plaintes ; la pensée de notre éloignement et du peu d'apparence que je vois à nous rapprocher me jette dans une mélancolie insurmontable. Si je les ferme le soir, les songes et les visions me remplissent l'esprit de Mariane ; quelquefois de Mariane présente, et je suis au désespoir à mon réveil de voir la fausseté de mes songes et le renversement de ma joie ; quelquefois de Mariane absente, et je suis encore au désespoir de voir à mon réveil que les choses les plus trompeuses deviennent certaines et indubitables et sont des oracles assurés qui me prédisent des maux inévitables et qui me les représentent à toute heure pour ne me laisser pas un moment de repos et de quiétude. Voilà quelle est ma vie, voilà quels sont mes plaisirs et mes divertissements. Voyez s'il y a lieu de me porter envie et si je n'ai pas sujet de former autant de plaintes que vous contre cette cruelle absence qui nous sépare ! J'étais en cet état quand je reçus votre lettre ; je la baisai mille fois avant que l'ouvrir et je sentis dans mon âme un mouvement de joie qui m'était inconnu depuis que je vous avais quittée. Je l'ouvris, j'y vis des caractères que mes yeux ne purent démentir et je fus surpris que vous eussiez pu trouver la commodité de m'écrire. J'appris, en la lisant, que votre frère vous avait fourni l'occasion de me donner de vos nouvelles. Que je pardonnai de bon cœur alors à toute votre famille les empêchements qu'elle avait tâché d'apporter à notre commune satisfaction, les obstacles qu'elle y avait mis, la haine qu'elle avait conçue contre moi, et tout ce qu'elle avait pu nous faire souffrir, tant à votre considération qu'à la mienne ! que je lui voulus du bien de cette dernière action, qui récompense avec avantage toutes les précédentes ! Je l'appellai l'auteur de mon bonheur et lui vouai dès lors une amitié aussi grande que l'amour que je vous ai si souvent juré. Mais, mon cœur, que vos maux, que vos douleurs, que vos désespoirs, que vos appréhensions, que vos plaintes me touchèrent sensiblement ! J'en vins jusqu'à souhaiter de ne vous avoir jamais aimée, de n'avoir jamais été aimé de vous, puisque c'était mon amour et le vôtre qui vous causaient tant de dérèglements. La perte de votre santé altéra d'abord la mienne. Votre évanouissement, cet abandon de vos sens m'abandonna à la fureur et presqu'à la mort, car j'avais cru jusqu'à présent que ce n'était qu'auprès de moi que vous étiez sujette à des abandonnements. Ah ! conservez-vous, n'exposez pas ainsi nos deux vies, quittez ces souffrances, quelque chères qu'elles vous soient à cause de moi ; c'est par là qu'elles me sont insupportables, et je ne les puis endurer en vous, surtout tant que vous m'en considérerez comme l'auteur et que vous m'en croirez l'unique sujet. Hélas ! si les douleurs que je souffre, ou que je pourrais endurer à l'avenir, suffisaient pour apaiser les vôtres, vous seriez bientôt convaincue que vous n'avez nulle raison de vous plaindre et de m'accuser. S'il ne fallait que ma vie pour vous délivrer de tous vos maux, vous verriez bien, par la diligence que j'apporterais à vous la sacrifier, que je n'ai rien de plus précieux, rien de plus cher que votre repos. Cependant vous me reprochez de vous avoir rendue malheureuse, comme si j'étais moi-même exempt de ces tristesses dévorantes qui me rendent la vie si ennuyeuse et si insupportable, et qui ne me font trouver que des pointes et que des épines où les autres ne rencontrent que des lys et des roses. Ah ! de grâce, cessez de m'accuser, aussi bien que de me soupçonner que je puisse aimer en ces lieux quelque autre que vous. Je sais que je n'y trouverai jamais tant de charmes que j'en ai admirés en votre personne. Mais quand il serait possible que j'en trouvasse encore davantage, je ne trouverais pas chez moi un cœur propre à recevoir de nouvelles impressions ni à perdre celles que vous y avez mises. Je vous aime trop pour former jamais un pareil dessein. Bien loin de l'exécuter, le changement ni la distance des lieux n'apporte aucune altération à mon amour ; il n'en apporte qu'à mes plaisirs. Je goûtais plus de douceurs en vous aimant en Portugal ; je souffre plus de maux en vous aimant en France. Voilà toute la différence que j'y trouve, mais je vous aime toujours et partout. Je ressens en tous lieux la satisfaction de vous aimer et celle que donne l'espérance d'être aimé. Je ne saurais vivre sans l'un ni sans l'autre ; je réponds du premier, répondez-moi du second. Adieu, ne vous abandonnez plus si fort à la douleur. Ne me soupçonnez d'aucune indifférence, d'aucun changement, ni d'aucun oubli. Doutez moins de moi que de vous-même ; mais pourtant aimez-moi toujours beaucoup et plaignez-moi un peu ; je vous en donne chaque jour sujet par les maux que j'endure. Adieu.

TROISIÈME LETTRE

Jusques à quand dureront vos soupçons ? Ces sentiments injurieux que vous avez de moi ne finiront-ils jamais de me croire coupable, quoique je ne sois que malheureux ? Hélas ! quel est l'état où je me trouve réduit ? Cruelle et funeste absence, quel désordre n'apportes-tu pas et quelles suites dangereuses n'as-tu pas ? Parce que je suis absent, est-ce une nécessité absolue que je sois lâche, que je sois ingrat, que je sois infidèle, perfide et parjure ? Ah ! Mariane, je suis au désespoir, et de ce que vous m'accusez avec tant d'injustice, et des maux que vous endurez avec tant de rigueur pour l'amour de moi. Je n'ai pas eu un seul moment de plaisir depuis mon départ, j'ai été comme enseveli dans les chagrins et dans les déplaisirs. La vie m'a été un continuel supplice. J'attendais de vos lettres quelque soulagement à mes continuelles douleurs, et cependant elles les augmentent et les rendent absolument incurables. Tous les caractères, tous les termes, toutes les lignes en sont empoisonnés. Si j'y apprends que vous vivez, j'y apprends en même temps que vous n'y vivez que pour souffrir et que vous mourez chaque jour sous des tourments étranges et inconcevables ; si j'y vois que vous vous souvenez de moi, je vois bientôt que ce n'est que pour m'accuser et pour m'imputer tous les maux que vous endurez ; si vous m'y marquez que vous m'aimez, c'est ou pour me reprocher que je ne vous aime pas, ou pour me dire que vous mourez. Ne sauriez-vous vivre sans souffrir ? Quoi que vous disiez de mes sentiments, je juge bien facilement par moi-même que vous ne le pouvez pas. Au moins souvenez-vous de moi sans m'accuser, et aimez-moi sans mourir. Souffrez, Mariane ; je n'ose pas vous dire de ne souffrir plus, parce que je ne vous veux pas conseiller de ne m'aimer plus, et que je sais que quand on aime une personne absente, il faut souffrir ou mourir. Je ne veux pas vous dispenser d'une nécessité de laquelle je prétends ne me dispenser jamais. Dure extrémité, qui m'oblige à prier de souffrir une personne pour laquelle je souffrirais tous les tourments imaginables, pour laquelle je m'exposerais aux plus cruels dangers, et pour laquelle j'exposerais mille fois mille vies si je les avais. Souffrez pourtant, j'y consens ; mais ne vous imaginez pas, contre la vérité et contre toutes les apparences, que ce soit pour un infidèle que vous souffrez. Souvenez-vous de quelle manière je vous ai aimée et combien vous m'avez aimé. Voyez ce que j'ai fait et ce que je dois faire, et ne vous défiez ni de mon amour ni de mon devoir. Remettez-vous dans l'esprit tout ce que j'ai pu vous dire autrefois pour vous persuader que je vous adorais. Pensez à mes promesses, si souvent réitérées, de n'aimer jamais autre que vous. Souvenez-vous encore que vous m'avez cru et que cette créance a été l'origine de ma félicité, et qu'elle vous a obligée à m'aimer et à me faire passer tant et tant de doux moments. Il est vrai que j'ai quitté ces plaisirs en quittant le Portugal, mais je n'ai pas quitté ma passion ; on ne s'en défait pas si aisément, elle m'est trop chère pour ne la pas conserver tout le reste de mes jours. C'est la seule rivale que vous avez dans mon cœur, qui ne le serait pas si elle n'était votre ouvrage. N'en soyez pas jalouse, c'est cette passion qui me dit incessamment de vous aimer : « Adore, me dit-elle à tous moments, adore ta chère Mariane, ne me conserve que pour l'amour d'elle ; elle m'a donné la naissance, c'est à toi de m'entretenir : si je ne puis plus paraître dans tes yeux ni dans ta bouche, fais que je paraisse dans ton cœur et dans tes lettres. » En vérité, j'ai quelque sujet de me plaindre de vous ; et s'il est vrai que je sois bien dans votre cœur, il est encore plus vrai que je suis bien mal dans votre esprit. Vos soupçons me sont furieusement injurieux. Je ne vous aurais jamais crue capable de pareils sentiments en mon endroit. Qu'ai-je fait ? qu'est-il arrivé depuis mon départ qui ait pu vous obliger à quitter cette confiance que vous aviez auparavant en moi ? Qu'ai-je fait, méchante, depuis ce temps, que vous pleurer, que me plaindre, que vous aimer ? Ce procédé vous paraît-il d'un inconstant et d'un homme attaché à quelque beauté de France, comme vous me le reprochez ? Cependant vous m'accusez et peu s'en faut que vous ne me condamniez sur ce que je ne vous écris pas assez souvent. Hélas ! en aime-t-on moins pour en écrire moins ? Avant que notre mauvaise fortune nous eût séparés, croyez-vous que je ne vous aimasse que pendant le temps que je vous entretenais, et que ma flamme prît fin avec la conversation ? Je vous aimais en vous quittant, je vous aimais en me promenant, je vous aimais en retournant vous voir, et toujours aussi ardemment que je vous aimais entre mes bras. Quand je ne pouvais pas vous le dire, vous m'avez dit cent fois que vous vous le disiez à vous-même et que vous repassiez dans votre esprit mes assurances et mes protestations. Que n'en faites-vous autant aujourd'hui ? Ah ! c'est que vous ne m'aimez plus. Je le vois bien, et la seule chose que j'appréhendais tant est enfin arrivée. C'est tout ce que je puis m'imaginer d'une personne qui ne me demande que du papier pour preuve de mon amour. Considérez la différence de vos prières et des miennes. Je vous prie de m'aimer toujours, vous me priez de vous écrire ; je vous demande l'effet de tant de promesses que vous m'avez faites de me conserver votre cœur, de ne m'oublier jamais, de penser continuellement en moi, et vous me demandez des lettres. Il est vrai que vous me demandez moi-même. Ah ! je suis un ingrat, ou plutôt un insensé. Vous m'aimez plus que je ne mérite, bien que pourtant vous ne m'aimiez pas plus que je vous aime. Que cette dernière demande m'est avantageuse ! Elle me paraît pourtant inutile. Ne suis-je pas à vous ? Hélas ! je suis tant à vous que je ne suis pas à moi. Je ne pense qu'à vous, je ne vis que pour vous, vos douleurs sont les miennes, vos afflictions me tourmentent, vos maux me tuent. Puis-je mieux être à vous ? Plût au ciel que la nouvelle de la paix qu'un officier français vous a donnée fût vraie, ce serait à vos genoux que je vous irais confirmer que je vous aime ; je les mouillerais de mes larmes et je mourrais de joie de me voir rejoint à la personne dont l'absence me fait mourir de regret. Ah ! que vous n'auriez plus sujet d'appréhender un second éloignement si ma bonne fortune me pouvait ramener une seconde fois dans votre chambre ! Je sais trop bien maintenant quelles sont les cruautés de l'absence pour m'y retourner exposer. Mais, hélas ! me pourrai-je voir un jour en état d'exécuter ce que je vous promets ? Cette paix dont vous me parlez est-elle assurée ? Je le souhaite et je n'ose pas le croire ; je suis trop malheureux pour qu'un tel bonheur m'arrive. J'appréhende effroyablement ce que vous me dites : « *Je ne vous verrai peut-être jamais.* » Ce n'est pas, ma chère âme, que je vous aie abandonnée ; j'abandonnerais mes parents, mes biens, ma fortune et ma vie plutôt que vous : c'est le bonheur qui nous a abandonnés l'un et l'autre, et sans lequel il est bien difficile que nous nous revoyions. Que cette pensée est funeste ! qu'elle est contraire à notre repos ! Hélas ! c'est celle-là même qui est la cause de votre désespoir et de votre évanouissement. Ah ! Mariane, je suis donc la cause de l'un et de l'autre et je me contente de pleurer et de soupirer pour vous en même temps que vous mourez pour moi. Ah ! cruel, que je suis barbare et impitoyable ! vos yeux perdent la lumière et leur éclat ordinaire, et les miens se contentent de répandre des larmes ! votre belle bouche se fermera, et la mienne ne s'ouvrira qu'à quelques sanglots ! tous vos sens vous abandonnent, et les miens sont encore assez à moi pour vous consoler ! Et j'ose vous assurer avec tout cela que je vous aime ! Adieu, je meurs de honte de n'être pas mort de désespoir et d'amour, et si les destins me sont encore assez ennemis pour me faire survivre à ma honte et pour prolonger la fureur où me jettent les sentiments que j'ai présentement, il n'est ni guerre ni danger qui m'empêche de retourner en Portugal et d'aller sacrifier à vos pieds et, peut-être, hélas ! à votre tombeau, la vie du plus lâche de tous les amants et de celui qui méritait le moins vos faveurs. Je ne puis plus vous écrire, je suis indigne de prendre cette liberté : mes sens qui le reconnaissent se révoltent contre moi ; mon esprit refuse de me fournir des pensées, et ma main de les écrire ; à peine vous puis-je assurer que, malgré tout mon procédé, il ne laisse pas d'être très vrai que je vous aime plus que toutes choses. Adieu, adieu.

QUATRIÈME LETTRE

Que j'aurais, aussi bien que vous, de choses à vous dire, et que je vous en dirais beaucoup si je croyais que vous ajoutassiez quelque foi à mes paroles, et si je ne connaissais depuis quelque temps que vous avez conçu d'étranges et de peu favorables opinions de mon honneur et de mon amour ! J'ai en vain tâché de vous éclaircir de mes sentiments ; vous ne m'en prenez pas moins dans votre dernière lettre pour un infidèle et pour un trompeur. Ah ! que j'avais bien prévu le malheur qui

me devait arriver et que j'avais bien toujours appréhendé
que vous oublieriez mon amour et ma fidélité à mesure
que je m'éloignerais. Mais quoi ? vous ne vous contentez
pas de me soupçonner depuis mon départ, vous dites
encore que je ne vous aimais pas même dans le Portugal.
Ah ! cruelle ! que ce reproche m'est sensible, qu'il me
touche vivement ! J'ai donc toujours été un dissimulé ?
Quoi ? votre passion, votre amour était-elle si peu
clairvoyante qu'elle ne pût pas reconnaître mes déguise-
ments et mes contraintes ? ou comment est-elle devenue
si éclairée depuis que je suis en France, pour vous avoir
pu faire apercevoir de mille choses passées que vous
n'aviez point vues en leur temps ? Croyez-moi, chère
Mariane, vous ne vous êtes point trompée quand vous
avez cru que je vous aimais, et vous ne vous tromperez
point encore quand vous croirez que je vous aime plus
que jamais et plus que toutes les choses du monde.
Oui, Mariane, je vous ai aimée sans consulter l'avenir,
ni les suites que pourrait avoir ma passion ; je me
donnai tout à vous dès le moment que je vous vis ; ma
raison avait beau me dire qu'il faudrait partir un jour,
mon amour me persuadait au contraire que je ne
partirais jamais : mon cœur me disait qu'il n'y consenti-
rait point, et je me disais à moi-même que je ne le
pourrais pas. Je vous découvris l'effet que vos yeux
avaient fait sur mon âme ; vous me crûtes, il est vrai,
et vous eûtes pitié de moi ; vous m'aimâtes même,
cela m'est trop avantageux pour l'oublier ni pour le
dissimuler : mais comment eussiez-vous pu faire pour
ne me croire pas, pour ne me plaindre pas et, si je l'ose
dire, pour ne m'aimer pas ? Vous vîtes tant d'ingénuité,
tant de franchise sur mon visage, tant de vérité dans
mes discours, si peu de ménagement et si peu d'artifice
dans ma conduite, que vous ne pûtes ne me croire pas.
Quand je vous parlai de ma passion naissante, de ce
que je ressentais dans l'âme pour vous, de ce feu qui

me dévorait et qui de vos yeux avait si bien su passer dans mon cœur, quand je vous exprimais mes divers mouvements, mes espérances et mes craintes, et l'état pitoyable où les unes et les autres me réduisaient, le moins que vous puissiez à mon égard, n'était-ce pas de devenir sensible et pitoyable à tant de maux dont vous étiez la cause ? Depuis, mes assiduités, mes prières, mes soupirs, mes larmes, ou pour le dire en un mot, mon amour attira le vôtre. Que mon bonheur était extrême en ce temps-là ! Vous le connûtes par mille marques que je vous en donnai, dont vous ne doutiez pas comme vous faites à présent ; cela vous obligea à me combler de vos faveurs et à me faire passer mille douces heures auprès de vous, dans des contentements et dans des transports que vous étiez seule capable de donner. Vous vous ressouvenez de ces transports et de ces plaisirs ; mais vous ne voulez pas sans doute vous ressouvenir de la manière avec laquelle je m'abandonnai aux uns et aux autres, quand vous me reprochez que je paraissais avoir de la froideur même dans ces occasions. Ah ! Mariane, que dites-vous ? Un rocher en eût-il été capable ? Avez-vous oublié combien mes petits emportements vous donnaient de la joie ? Ne les avez-vous pas souvent admirés ? Ne vous en êtes-vous pas même quelquefois étonnée ? Vous en êtes venue jusqu'à me dire que je vous aimais trop, et vous me dites aujourd'hui que je ne vous aimais pas même alors. Hélas ! peut-être dirais-je vrai, si je vous disais que vous ne m'aimez plus. Vous m'estimez trop peu pour m'aimer beaucoup. Je vois bien dans vos lettres quelque chose de bien tendre et de bien touchant, cela me fait bien aussi du plaisir ; mais je ne puis pas m'imaginer, avec toutes vos paroles, que vous puissiez m'aimer, tant que vous croirez que je ne vous aime point et que je ne vous aimai jamais. Changez donc d'opinion, ayez-en une meilleure de moi ; quelques sujets que j'aie de soupçonner votre fidélité, je ne vous en ai rien voulu encore faire savoir ; je veux être certain de votre faute avant que de vous accuser. Cette jalousie m'est venue depuis quelques jours ; elle ne m'empêche pourtant pas de vous aimer de toute mon âme, et de vous prier d'être assurée que vos maux, dont vous continuez de me parler, me deviennent absolument insupportables et, quoique peut-être ils ne soient pas si grands chez vous, ils sont extrêmes à mon égard. Ils me persuadent que vous m'aimez ; faites que la part que j'y prends vous persuade aussi véritablement que je suis toujours et tout à vous. Adieu.

CINQUIÈME LETTRE

C'est maintenant que je connais bien ce que j'ai perdu et la haute félicité dont je suis déchu ; je n'aurais jamais cru que l'absence fût un si grand mal et qu'elle causât tant d'ennuis, lors même qu'elle semble devoir donner quelques plaisirs. J'ai quitté la chose du monde qui m'était et qui m'est encore la plus chère ; je prévoyais bien quelque chose de fâcheux et de cruel dans cette séparation, mais je croyais que ses rigueurs seraient beaucoup adoucies par l'assurance dans laquelle je serais de votre amour et par celle que je vous donnerais de la continuation du mien. Je croyais, lorsque je vous voyais tous les jours, qu'avec toutes ces conditions, je pourrais un jour ne vous voir pas sans être extraordinairement malheureux. Cependant je vois bien le contraire de ce que je m'étais imaginé. Il n'est rien que de funeste dans l'absence, rien n'en peut soulager les douleurs, et les remèdes de ces maux diffèrent en bien peu des maux mêmes ; tout y est matière d'inquiétude et de désespoir. J'ai bien le plaisir de vous aimer. Hélas ! le puis-je dire sans vous offenser ? qu'il est petit, qu'il est médiocre ce plaisir, et qu'il est peu capable de dissiper les ennuis et les craintes qui m'environnent incessamment ! J'ai le plaisir de vous aimer mais ai-je celui de vous le dire ? ai-je celui de vous le persuader par mes serments ni par mes actions ? ai-je celui de vous voir ou me croire ou en douter, pour pouvoir ou vous remercier ou vous rassurer ? ai-je le plaisir de passer quelques heures auprès de vous, de vous parler ou de vous ouïr ? Et sans tout cela, Mariane, y a-t-il du plaisir à aimer ? Disons donc que je n'ai pas le plaisir d'aimer, mais que j'ai celui de souffrir pour vous, qui effectivement me soulage dans mes plus grands malheurs. Vous me direz que j'ai du moins la satisfaction d'être assuré que vous m'aimez ; pardonnez-moi encore si je dis que cette satisfaction est bien légère et a bien peu de fondement. Je ne m'en rapporte qu'à vous : si les sentiments que j'ai vus dans vos lettres sont véritables, en êtes-vous plus contente ? Goûtez-vous de grands plaisirs sur ce que je vous ai dit et juré mille fois que je vous aimerais toujours et partout, et que les faveurs de la bonne fortune, ni les caprices de la mauvaise n'apporteraient aucun changement à ma passion ? En avez-vous passé, pour tout cela, des moments plus tranquilles ? M'en avez-vous moins soupçonné d'infidélité ? En avez-vous moins souffert de douleurs ? Et croyez-vous que je sois plus exempt de jalousie que vous ou que je sois plus assuré de vos paroles que vous des miennes ? Ah ! je vous aimerais moins que vous ne m'aimez, si je vous en croyais plus que vous ne m'en croyez. Sachez donc que j'ai mes craintes et mes soupçons aussi bien que vous, qui me dérobent toute ma vie et qui ne me laissent pas un moment en repos. Je tremble de perdre ce que j'ai tant pris de plaisir à acquérir et à conserver ; j'appréhende que vous ne vous donniez à quelque autre, et que, pendant que je souffre incessamment à cinq cents lieues de vous, vous ne riiez avec quelque autre de l'état pitoyable où vous vous persuadez bien que je suis. Considérez un peu si mes appréhensions sont sans fondement. Je sais que vous m'avez aimé, que vous m'avez même tendrement aimé, que vous n'avez pas exigé de moi de grands ni de longs empressements pour être persuadée de ma flamme et pour me donner votre cœur. Qui me répondra que je ne perde pas avec une égale facilité ce que j'ai gagné avec si peu de peine, et que huit jours d'absence ne m'ôtent pas ce que huit jours de présence me donnèrent ? Vous me soupçonnez bien avec beaucoup moins de sujet : s'il est des femmes en France, il est des hommes en Portugal, et mille personnes vous peuvent aimer, au lieu que je ne puis aimer personne. Que je reçus de chagrin quand j'appris que l'on vous avait fait portière dans votre couvent ! Quelles pensées ne roulèrent pas alors dans mon esprit ! « Hélas ! dis-je en moi-même, chacun verra ces beaux yeux qui te donnèrent tant d'amour, et qui pourra les voir sans en prendre ? Oui, chacun pourra l'aimer, et Mariane aimée de tout le monde ne pourra-t-elle aimer personne ? » L'officier qui me rendit votre lettre me confirma puissamment dans mes soupçons : il me dit que vous n'aviez pas toujours les yeux attachés sur mon portrait, comme vous avez voulu me le persuader ; qu'il y avait quelques personnes dont les visites fréquentes ne vous déplaisaient pas et auxquelles vous plaisiez infiniment. Que ce rapport me causa d'étranges mouvements ! Quelquefois je ne pouvais assez vous accuser, et le plus souvent je ne pouvais assez m'accuser. « Je l'ai abandonnée, disais-je, pourquoi ne m'abandonnera-t-elle ? Je l'aime pourtant encore, reprenais-je, pourquoi ne m'aimera-t-elle pas ? Et si je n'aime qu'elle, pourquoi en aimera-t-elle d'autres que moi ? » Ces sentiments de jalousie ont causé dans mon âme un désordre que je ne puis comparer qu'à celui que me causèrent en même temps vos reproches. J'y vis effectivement des témoignages d'amour que je n'osai pas soupçonner de feinte ni de déguisement, mais que j'accusai d'injustice. Pourquoi partis-je, me dites-vous ? Hélas ! l'ignorez-vous, et que votre intérêt se joignit au mien pour m'obliger à partir ? L'éclat qu'avait fait notre amour nous obligeait à quelque ménagement. Nous n'en étions capables ni l'un ni l'autre. Un vaisseau partait ; il est vrai, je profitai de cette occasion. Vous le sûtes, nous en fûmes également affligés. Quoique les suites de ce départ ne vous fussent pas entièrement connues, vous dîtes que je témoignai de la froideur à cette séparation. Oui, Mariane, je l'avoue, mes sens m'abandonnèrent, ma chaleur me quitta et je parus dans un état à faire désespérer ceux qui me voyaient, non seulement de ma santé, mais encore de ma vie ; et la froideur que j'eus quand nous nous séparâmes était de celles qui suivent la séparation de l'âme et du corps. Ni mon devoir, ni mon honneur, ni ma fortune n'étaient ce qui m'obligea à vous quitter. J'étais plus attaché à vous qu'à toutes les choses du monde, je vous devais mes soins ; l'honneur d'être souffert auprès de vous était le seul où j'aspirais et j'avais moins d'amour pour ma fortune que d'envie de trouver quelque bonne fortune dans mon amour ; mais votre intérêt se joignant au mien, votre bonheur et votre devoir dépendant en quelque manière de mon départ, ce que vous me faisiez connaître si souvent en me disant que *je vous rendais malheureuse* ; en fallait-il davantage pour m'obliger à m'éloigner, à m'exposer à tous les tourments pour vous en épargner, à m'exposer aux souffrances pour vous en délivrer ? Enfin, je partis, je m'éloignai, nous nous séparâmes. Ah ! cruel départ, funeste éloignement, mortelle séparation ! J'eus continuellement les yeux tournés du côté de votre couvent ; mon cœur y poussait tous ses soupirs ; mon âme fit tous ses efforts pour s'y envoler. Hélas ! depuis ce jour je n'ai eu que malheur, que chagrin, que tristesse ; notre vaisseau fut battu de la tempête, et comme vous l'avez su, nous fûmes contraints de relâcher au royaume d'Algarve. Je n'ai jamais eu plus de fermeté que dans cette tempête ; je ne craignais la mer ni les vents ; tout ce que je pouvais craindre était arrivé : c'était notre éloignement. Je n'appréhendais point comme les autres de faire aucune perte : j'avais tout perdu en vous quittant. Que j'eusse été fortuné si j'eusse pu me perdre moi-même après vous avoir abandonnée ! Hélas ! j'étais réservé à de plus grands déplaisirs ; ils ne devaient pas finir si tôt, et ma vie ne fut prolongée que pour prolonger mes afflictions. Combien en ai-je supporté depuis ! Comme si ce n'eût pas été assez des miennes, il m'a fallu encore essuyer les vôtres ; j'ai pleuré, et quand j'ai cru que votre amour vous faisait souffrir pour moi et quand j'ai cru que vous m'oubliiez ; j'ai soupiré avec vous, j'ai souffert avec vous, j'ai failli à mourir avec vous ; et ce qui m'a le plus touché, c'est que lors même que je vous ai cru infidèle, j'ai soupiré tout seul, j'ai souffert tout seul, j'ai failli à mourir tout seul. Je suis encore dans cet état, je suis flottant entre l'espérance d'être aimé et la crainte de ne l'être plus. Votre lettre semble bien me rassurer un peu ; mais, hélas ! qu'est-ce qu'une lettre ? vous m'y demandez le portrait et des lettres de ma nouvelle maîtresse. Non, Mariane, je ne vous les enverrai point, je les estime trop et ce sont des gages trop précieux pour m'en vouloir défaire. Votre portrait (car c'est celui de la nouvelle maîtresse) me fait goûter de trop agréables moments, je ne m'en saurais passer, surtout depuis que j'ai appris que le mien fait une partie de vos occupations. Je passe les jours entiers au-devant du vôtre, où je me repais de cette image dans le malheur qui me prive de la présence de l'original. Vos lettres, qui sont un second portrait de votre âme, me sont trop favorables, et je ne m'en déferai jamais. Voilà comment je réponds à votre jalousie si peu juste et si mal fondée. En vérité, croyez-vous que je voulusse m'engager à une nouvelle inclination qui ne me saurait promettre tant de plaisirs que la vôtre et qui pourrait me causer autant d'ennuis ? Non, Mariane, je mourrai avec la passion que vous m'avez inspirée, je ne la quitterai jamais, je n'en prendrai jamais d'autre et je vous témoignerai par mes actions toutes passionnées et par des effets qui peut-être vous surprendront que vous avez plus de raison que vous ne pensez de ne me prier plus de vous aimer. Adieu.

SIXIÈME LETTRE

Enfin, Mariane, vous ne m'aimez plus, et vous triomphez dans votre lettre de cette victoire que vous avez obtenue sur votre cœur. Vous ne vous contentez pas même de ne me vouloir plus aimer, vous voulez encore que je ne vous aime plus et que je ne vous écrive plus. Je trouve que vous avez raison ; mon amour vous ferait honte, il vous reprocherait à tous moments votre perfidie et mes lettres remplies d'une aigreur et d'une passion qui ne leur est pas ordinaire vous feraient repentir de votre résolution. Mais que je suis insensé ! cette résolution est trop bien affermie pour pouvoir être ébranlée, et ce n'est pas seulement depuis votre dernière lettre que vous l'avez prise. Si les objets ne sont présents à vos yeux, ils ne le sont jamais à votre mémoire, et vous commençâtes à m'oublier dès que vous commençâtes à perdre tant soit peu mon vaisseau de vue. Je vois maintenant l'origine de ces petites querelles, de ces plaintes et de ces jalousies dont vous remplissiez toutes vos lettres. C'étaient autant de préparatifs pour ce grand dessein que vous venez d'exécuter si heureusement ; vous vouliez chercher quelque prétexte légitime à votre inconstance ; vous m'accusiez pour me trahir avec plus de sûreté et vous m'imputiez faussement une infidélité afin d'y trouver une excuse pour la vôtre. Cruelle ! c'est donc ainsi que vous donnez de l'amour sans en prendre ; c'est ainsi que vous quittez votre passion sans l'ôter à ceux à qui vous en aviez donné ! Qui vous eût jamais cru capable d'une pareille action qui répond si peu à vos premiers emportements, à vos premiers desseins et même à vos premières lettres ? Que sont devenus ces sentiments si généreux et si amoureux en même temps ? ces plaintes si touchantes, ces résolutions qui m'étaient si avantageuses ? Infidèle ! qu'est devenu votre amour ? et que voulez-vous que devienne le mien ? Ne puis-je pas vous accuser d'être plus légère que le papier sur lequel vous m'avez fait tant et tant de protestations d'une inviolable fidélité ? Belles, mais vaines protestations ; agréables, mais trompeuses promesses, qu'ai-je fait pour vous faire dégénérer en mépris, en menaces et en résolutions de vengeances ? Vous me menacez, Mariane : que vos menaces sont inutiles en l'état où je suis présentement ! vous ne m'en sauriez faire qui me pussent faire appréhender de plus grands maux que ceux que je ressens. Non, je n'ai plus rien à craindre, parce que je n'ai plus rien à perdre ; et tout est perdu, puisque je perds Mariane. Quel nouveau déplaisir peut-on me causer après celui-là ? On peut m'ôter la vie, que m'importe ! je ne l'aime point depuis que vous ne m'aimez plus ; je ne considère la vie que comme ce qui prolongera mes malheurs et mon désespoir ; je ne voulais vivre que pour vous aimer ; je croyais même n'avoir vécu que depuis le temps que je vous aimais ; aujourd'hui que vous ne voulez plus que je vous aime, qu'ai-je à faire de la vie ?

Au moins, en m'ôtant votre amour, en me voulant encore obliger à me défaire du mien, vous deviez me laisser mon innocence. Ne pouviez-vous devenir coupable sans m'accuser, et fallait-il m'imputer de faux crimes pour en commettre un véritable en mon endroit ? Hélas ! que je suis bien malheureux ! Comme si avoir quittée et avec vous tous les plaisirs, si m'être éloigné de cinq cents lieues de tout ce que j'aimais, si vivre dans la crainte de ne vous revoir plus, comme si tout cela n'était pas d'assez grands maux, il a fallu par un surcroît d'affliction vous m'ayez ôté votre amour que pourtant, si je l'ose dire, j'avais si bien mérité, que j'avais acquis par tant de fidélité, par tant d'assiduité, par tant de complaisances et qui m'avait coûté tant de larmes, tant de douleurs et tant d'inquiétudes ! Vous ne vous contentez pourtant pas encore de cette extrémité, vous ne voulez ni que je vous aime ni que je vous écrive. Ah ! Mariane, ce n'est pas en de pareils commandements que j'ai fait vœu de vous obéir ; vous pouvez ne m'aimer point, et vous faites ce que vous pouvez ; mais je n'en suis pas de même, je ne puis ne vous aimer pas et, malgré l'injustice de votre procédé, je veux mourir pour Mariane inconstante, puisqu'ainsi que je l'avais résolu, je ne puis plus vivre pour Mariane fidèle. Je vous écrirai et je ferai voir tant d'amour et tant d'empressement dans mes lettres que peut-être cette profonde tranquillité que vous vous promettez en sera un peu émue. Que j'aurai du plaisir, si cela peut arriver, quand j'apprendrai que mes inquiétudes vous en causent et que votre repos sera un peu altéré par la perte entière du mien ! Je me flatte vainement de ce petit espoir de vengeance; je vous suis trop indifférent; vous ne m'aimez plus, et c'est tout dire; vous ne prenez aucune part en ce qui peut m'arriver; vous m'imputez même une indifférence que vous avez, parce que vous me la souhaitez. Eh bien, je ferai mon possible pour l'avoir; je tâcherai de procurer à mon âme cette funeste paix que je ne puis acquérir qu'en vous perdant. Hélas! puis-je être tranquille sans vous? et cette quiétude siet-elle bien à une personne qui a tout perdu, excepté le cruel ressouvenir de sa perte? Non, je n'aurai aucun repos que je ne vous aie obligée à changer de sentiment. Et quand je ne pourrais pas vous obliger à me redonner votre amour, je me fais fort de vous toucher de pitié et de me faire plaindre si je ne puis me faire aimer.

Qui eût jamais prévu que de si beaux commencements eussent dû avoir des suites si fâcheuses et qu'un amour aussi ardent qu'était le vôtre pût finir par une indifférence aussi froide que celle que vous me témoignez? Je devais pourtant bien m'y attendre; et si j'avais tant soit peu raisonné, je ne serais pas surpris du changement qui vient d'arriver en vous. Votre amour était trop prompt et trop violent pour durer; et vous aviez trop d'empressements étant auprès de moi, pour n'avoir pas de froideur quand vous n'y seriez plus. D'ailleurs, je devais bien considérer que votre amour ne durerait pas si longtemps que le mien. Le vôtre, comme vous avez bien su me le reprocher, n'était fondé que sur des qualités très médiocres qui sont en moi, et le mien était appuyé sur mille qualités éminentes que chacun admire en vous. Outre cela, j'aimais une religieuse, et cent proverbes de votre nation ne m'avertissaient-ils pas qu'il n'est rien à quoi l'on se dût moins fier qu'à l'amour d'une religieuse? Vous avez beau faire leur éloge, l'expérience est plus forte que vos paroles et je ne m'étonne point maintenant de ce qu'elles ne se ressouviennent plus d'un homme qu'elles ne voient plus ni de ce qu'un absent est mort dans leur esprit. Il n'est rien de plus naturel que l'envie que l'on a pour les choses rares ou défendues ; et les hommes étant l'un et l'autre à une religieuse, il n'est pas surprenant qu'elles en veuillent toujours avoir quelqu'un devant les yeux ; qu'elles n'aiment que ceux qu'elles voient ; ni qu'elles considèrent les absents comme des gens qui ne sont point et qui n'ont jamais été. C'est par là que je vous ai perdue en vous perdant de vue ; au lieu qu'une femme du monde, étant chaque jour parmi les hommes, en est moins empressée, et n'en choisit qu'un à qui elle se donne toute et qu'elle aime absent comme présent jusqu'au dernier soupir de sa vie. Votre âme me paraissait néanmoins trop grande et trop relevée pour me donner lieu de la soupçonner des bassesses du vulgaire ; je vous croyais aussi constante que passionnée ; je pensais que votre feu serait aussi durable qu'il était ardent ; mais je vois bien le contraire de ce que je m'étais imaginé. Qu'il est difficile en amour de ne croire pas ce que l'on souhaite !

Cependant j'ai reçu des lettres, un portrait et des bracelets que vous m'avez renvoyés. Pourquoi me les renvoyer ? que ne les brûliez-vous ? je me pourrais figurer mon malheur moins grand qu'il n'est et me flatter que vous les auriez gardés. Que ne les avez-vous effectivement gardés ? Appréhendiez-vous qu'ils ne vous fissent ressouvenir d'un homme que vous ne voulez plus aimer et que vous ne voulez plus croire d'avoir aimé ? Ah ! je vous réponds qu'ils n'en auraient rien fait : un portrait ne ferait pas ce que n'a pu faire l'original ; des lettres sont inutiles où les serments de vive voix ne peuvent rien, et des bracelets sont de bien faibles chaînes pour retenir une personne qui sait si bien rompre ses résolutions et ses promesses. Enfin je n'en serais pas plus aimé, vous ne m'en auriez pas moins oublié quand vous auriez gardé toutes ces choses. Pour moi, j'ai

votre portrait que je ne prétends pas de vous renvoyer ;
ce n'est pas que j'aie besoin de sa présence pour penser
à vous, votre dernière lettre ne m'y fait que trop songer ;
je le conserve seulement pour pleurer sur la copie les
maux que vous me faites injustement souffrir. Ne
m'enviez pas cette petite félicité, si du moins je puis
donner ce nom à ce qui ne fera qu'augmenter mes
douleurs. Dans mon malheur présent, il me représentera
ma bonne fortune passée, et vous savez que la pensée
d'un bien qu'on n'a plus est un des plus grands maux
qui accablent un misérable. Ce sera devant cette copie
que je justifierai toutes mes actions et que je prendrai
de nouvelles forces pour pouvoir supporter plus constamment les tourments auxquels vous me destinez. Si
je n'ose plus vous apprendre que je vous aime, je le
dirai à votre portrait, je me plaindrai à lui de votre
changement et de votre cruauté, et je passerai ainsi le
reste de ma vie en vous aimant malgré vous, en souffrant
pour vous et en me plaignant, quoiqu'avec beaucoup
de retenue et de modération, de ce que vous traitez
avec tant de rigueur et d'inhumanité un homme qui
vous adore. Ouvrez cette lettre, Mariane, ne la brûlez
pas sans la lire ; ne craignez pas de vous rengager :
votre résolution est plus forte que mes paroles ; vous
ne la romprez pas pour si peu de chose, et ce n'est pas
là mon espérance. Tout ce que je prétends, c'est de
vous y faire voir mon innocence et la fermeté de mon
amour, qui résistera à toutes les attaques que vous lui
pourrez donner, comme il a déjà résisté aux caprices
d'une infortune contraire et aux cruautés d'une si longue
et si fâcheuse absence. Vous verrez que je suis toujours
amant, tantôt de Mariane présente, tantôt de Mariane
absente ; quelquefois de Mariane passionnée, quelquefois de Mariane indifférente ; de Mariane douce et de
Mariane cruelle ; mais toujours de Mariane. Voilà tout

ce que je veux vous persuader, afin que vous donniez quelques plaintes à mes souffrances et quelques larmes à mon trépas, lorsque vous en apprendrez l'agréable nouvelle. Adieu.

LETTRES PORTUGAISES

en vers

par Mad^{lle} d'Ol***

AVERTISSEMENT

Cet ouvrage a été tiré des lettres d'une religieuse portugaise à son amant, qui l'avait abandonnée pour retourner dans sa patrie. Elles passent pour les lettres de sentiment le plus fortement pensées et le plus naturellement écrites. Elles ont un avantage commun avec celles d'Héloïse et d'Abaillard : c'est d'avoir été écrites par une personne qui n'avait d'autre dessein que de peindre sa passion et de rappeler ses malheurs à celui qui les avait causés. Cette persuasion, que l'on se plaît à conserver, y jette plus d'intérêt ; elle produit une sorte d'illusion que l'on a tâché de laisser subsister en se rapprochant, autant qu'il a été possible, de la simplicité de la prose. Quoique ces deux lettres paraissent avoir le même objet, elles laissent apercevoir quelques nuances dans le plus ou moins d'espoir et de confiance qui reste à celle qui les écrit.

LETTRE PREMIÈRE

Ô crime de l'amour ! ô charme de ma vie !
Illusion flatteuse à mes désirs ravie !
Vous ne me présentiez que d'aimables objets,
Et je compte aujourd'hui mes maux par mes projets.
Ces projets insensés qui m'avaient trop séduite,
Cette douce espérance est à jamais détruite ;
Je la perds, et je brûle encor des mêmes feux,
Tu t'en applaudissais en fuyant de ces lieux.
Alors je me flattais, mais depuis ton absence,
Tout m'enflamme et m'aigrit, tout m'afflige et
                                                    [m'offense.
Tu m'auras pu tromper par de légers égards,
Et ta pitié pouvait attendrir mes regards.
Quoi ! ces yeux enchanteurs, ces yeux remplis de
                                                    [flamme,
Ne m'exprimaient donc pas le trouble de ton âme !
Les miens errants, craintifs et contents tour à tour,
Ne virent dans les tiens, cruel, que mon amour.
Aujourd'hui languissants, ils ont perdu leurs charmes ;
Éteints, presqu'effacés, ils n'ont plus que des larmes.
Sans dessein... sans espoir... au comble du malheur...
La cause m'en est chère, et j'aime ma douleur.
Je vais y succomber. Ma carrière est finie,
Je ne m'en plaindrai pas, je t'ai donné ma vie ;
Expirante, j'envoie après toi mes soupirs,

Mon crime et mes remords, l'erreur de mes désirs.
Je cherche l'espérance, elle me fuit sans cesse ;
Tout me désole et rien ne flatte ma faiblesse.
L'inutile raison, le fléau de mes jours,
Me tient à chaque instant ces barbares discours :
« Que fais-tu, malheureuse ? où s'adressent tes
                                              [plaintes ?
Tu graves dans ton cœur de mortelles atteintes.
Renonce à ta chimère et romps d'indignes fers ;
Ton amant, pour te perdre, a traversé les mers.
Au milieu des plaisirs son âme est satisfaite,
Tu gémis, sans espoir, dans ta sombre retraite.
Ton infidèle amant te rend ta liberté...
Et te méprise encor de l'avoir regretté...
À peine aperçoit-il ta triste destinée... »
Mais ne suis-je donc pas assez infortunée ?
Pourquoi vouloir encore augmenter mes malheurs ?
Sans doute tu me plains et tu sens mes douleurs.
À quel point m'égarait une fureur jalouse !
Tu me regretterais près d'une jeune épouse.
Jamais un autre amour ne te rendrait heureux.
Tu te rappellerais mes transports et mes feux.
J'avais tort d'écarter un souvenir si tendre.
J'aime à songer aux soins que tu daignais me rendre.
Je serais trop ingrate en éloignant de moi
Le souvenir d'un bien que je ne dus qu'à toi.
Quoi ! d'un bonheur si grand le souvenir terrible
Change les biens en maux dans une âme sensible !
Le désespoir, la rage et les soupçons jaloux
Naissent de ces instants si touchants et si doux !
Le même cœur sent-il tant de joie et de peine ?
Le mien, en te parlant, voulait rompre sa chaîne.
Quand je lisais ta lettre, il semblait s'arracher
Pour s'élancer vers toi, te joindre ou te chercher.
Trop agitée enfin je tombe en défaillance,
Et mes derniers soupirs s'exhalaient vers la France.

Que j'étais satisfaite en ces tristes moments !
Je croyais entrevoir la fin de mes tourments,
Je ne voyais que toi dans la nature entière ;
Je m'en applaudissais en perdant la lumière,
Je renais pour souffrir en revivant pour toi,
Et ces maux si cruels ont un charme pour moi.
Voilà de tant d'amour l'unique récompense...
N'importe... je t'adore en perdant l'espérance.
Souvent je veux te suivre en mes emportements,
Je veux te rappeler tes perfides serments,
Je veux tout hasarder, je veux te satisfaire,
Te chercher, te trouver, te troubler ou te plaire.
Honneur, vertu, raison, je perds tout en un jour,
Je n'ai plus que mon cœur, mes pleurs et mon amour.
Mais j'ai tort de nourrir des espérances vaines,
Accoutumons notre âme à ne songer qu'aux peines.
À nourrir sans espoir un triste et vain désir,
Je fus créée, hélas ! seulement pour souffrir.
Le bonheur imprévu que le destin m'envoie
Vient verser dans mon cœur une trompeuse joie.
Que l'amour aisément soutient le désespoir !
Je crois en t'écrivant te parler et te voir.
Par mille sentiments mon âme est tourmentée ;
Pourquoi m'avoir, cruel, à ce point enchantée ?
Le présent de ton cœur préparait mes ennuis,
Tu vis en m'enflammant le moment où je suis.
À peine j'existais avant de te connaître ;
Pour me faire languir tu m'avais donné l'être.
J'étais tranquille alors, j'eusse ignoré l'amour.
Pourquoi venir troubler un paisible séjour ?
Je vivais sans plaisirs, sans projets, sans alarmes ;
Ne me ranimais-tu que pour verser des larmes ?
Vengeais-tu quelque injure ?... Ah ! pourquoi
[t'accuser ?
Cherchons, si je le puis, plutôt à t'excuser.
Le destin a tout fait. C'est lui qui nous sépare ;

Mais il ne peut te rendre injuste ni barbare ;
Nous pouvons nous aimer en ne nous voyant pas,
L'amour unit deux cœurs séparés de climats.
Parle-moi tous les jours, si tu veux que je vive,
De toi, de tes projets, de tout ce qui t'arrive.
Ah ! Dieu ! que vais-je faire ? ô vœux trop inhumains !
Ce billet fortuné doit tomber dans tes mains.
Je ne puis le quitter... Que ne suis-je à sa place ?
Flatteuse illusion qui trop vite s'efface.
Adieu... Rappelle-moi tes premières ardeurs,
Dût cette image encore augmenter mes malheurs.

LETTRE SECONDE

J'apprends, en cet instant, qu'une affreuse tempête
Loin de la France encor pour quelque temps t'arrête.
N'as-tu pas bien souffert de la fureur des flots ?
Cette crainte nouvelle augmente encor mes maux.
Je devrais cependant, si je t'étais plus chère,
Être de ton malheur instruite la première.
Un seul mot de ta main eût calmé mon effroi,
Eût effacé tes torts et m'eût prouvé ta foi.
Mais quand tu deviendrais mille fois plus barbare,
Puisse te conserver le ciel qui nous sépare !
Croirais-tu bien, hélas ! que plus je réfléchis,
Moins je songe à sortir de l'état où je suis.
Je forme le projet (juge de ma faiblesse)
De nourrir par l'espoir l'excès de ma tendresse.
Mon amour, malgré toi, saura me rassurer.
Tu ne peux m'empêcher d'aimer et d'espérer ;
Tu ne peux m'arracher cette douce habitude.

Lettre Seconde

Tu fis, de me tromper, une barbare étude.
Dans les commencements il fallait laisser voir
Cette injuste froideur que je n'ai su prévoir.
Toute autre t'aurait cru constant, tendre, sensible,
Et j'avais à te croire un penchant invincible.
Quand d'un trait si puissant un cœur peut se blesser,
Il souffre encor longtemps avant de s'offenser.
Avant de t'ennuyer de mes frivoles craintes,
J'ai longtemps fatigué le Ciel avec mes plaintes.
Loin de vouloir douter de ta sincérité,
Je me le reprochais, quand j'en avais douté.
Qu'il te serait aisé de trouver une excuse !
Tu n'as qu'à le vouloir... Moi-même je m'abuse.
J'invente des raisons que tu ne cherches pas.
Pense au temps où j'avais à tes yeux des appas ;
Par combien de moyens tu cherchais à me plaire !
À peine mes transports pouvaient te satisfaire.
Chaque jour, plus sensible à tes aimables soins,
Ce que tu hasardais pour me voir sans témoins,
Tes lettres, nos plaisirs et ton inquiétude,
De mon lien nouveau la douce servitude,
Tes perfides baisers, le bonheur de t'aimer,
Tout ce que je pensais servait à m'enflammer.
Tes serments rassuraient une crainte mortelle,
Je crus te voir brûler d'une flamme éternelle.
Les suites (tu le sais) de ces commencements,
De ces plaisirs si doux, furent d'affreux tourments.
Un souvenir amer, de cruelles alarmes,
L'image du passé pour moi trop plein de charmes,
La certitude enfin du plus funeste sort,
La honte et l'abandon, la douleur et la mort.
Je te dois des plaisirs que je conçois à peine,
Mais aussi je te dois une espérance vaine.
Le souvenir constant de ces cruels plaisirs
Éternise en mon cœur mes malheureux désirs.
Que tu m'as fait payer les biens que je regrette !

À quels renversements la pensée est sujette !
Si, pour mieux te connaître et pour me rassurer,
J'avais mis mon étude à te désespérer,
Si j'avais repoussé le charme qui m'entraîne,
En voulant essayer d'appesantir ta chaîne,
De tes chagrins passés tu m'aurais dû punir ;
Mais ton départ... ô Ciel ! l'ai-je pu prévenir ?
Quel destin m'attendait ?... Ce cœur, que tout déchire,
Cherchait à se soumettre à ton cruel empire.
Contre mon sort fatal loin de vouloir lutter,
Je ne me flattais point d'y pouvoir résister.
Tu me charmais avant que je susse ta flamme ;
Dès que tu le voulus, tu régnas sur mon âme.
L'amour me dérobait son funeste poison,
Je bravais l'avenir, je perdais la raison ;
J'étais d'un nouveau trait à chaque instant blessée.
Il fallait arrêter cette ardeur insensée.
Que faisais-tu, cruel, de mes emportements ?...
Ton orgueil jouissait déjà de mes tourments.
Sans un si noir projet, lassé de mes caresses,
Tu m'aurais préféré d'infidèles maîtresses.
Une autre, plus aimable, en eût cru tes désirs
Et pouvait, sans t'aimer, te donner des plaisirs.
Une autre, moins sensible avec les mêmes charmes,
N'aurait point acheté ton bonheur par ses larmes.
Tu vis mon innocence, en troublant mon repos...
Fallait-il me choisir pour m'accabler de maux ?
Chaque fois que tes vœux se tournaient vers la France,
Il fallait dans mon âme éteindre l'espérance.
Si tu sais que mon sort me force à te chérir,
Me peux-tu condamner tous les jours à souffrir ?
Je t'ai de mon repos offert le sacrifice
Aussi facilement que tu fais mon supplice.
Ces obstacles si forts que tu vois entre nous,
Un moment de pitié les aplanirait tous.
Je t'ai sacrifié mon bonheur et ma vie...

Lettre Seconde

Après ce que j'ai fait, Lisbonne est ta patrie.
Vas-tu chercher quelqu'un qui compte sur ta foi
Dont le destin dépende uniquement de toi ?
Avant que ton vaisseau s'éloignât du rivage,
Tu devais un moment contempler ton ouvrage ;
Tes yeux auraient cru voir des malheurs plus pressants,
Et ton pays n'eût eu que des vœux impuissants.
Ton prince, tes parents, ta gloire, ta patrie,
Te sont-ils plus qu'à moi mon honneur et ma vie ?
Tu m'as tout enlevé, mes crimes sont les tiens ;
Tes devoirs étaient-ils plus sacrés que les miens ?
Que vais-je devenir ?... Incertitude affreuse !
Soumise à ton pouvoir je me trouvais heureuse.
Enfin, si le destin devait nous désunir,
Tu peux m'abandonner et non pas me punir.
Hélas ! si j'eusse été moins tendre et moins sincère,
Je crois que ma douleur en serait plus amère.
Mais as-tu bien connu ma sensibilité ?
Connaissais-tu ce cœur par toi seul agité ?
Pendant que tu creusais entre nous un abîme,
Pouvais-tu, sans remords, y traîner ta victime ?
Toi-même, as-tu conçu quel bonheur tu perdais,
Ce que j'allais souffrir... ce que tu hasardais ?
Moi, dans l'incertitude où tu me vois plongée,
Lorsqu'entre mille horreurs mon âme est partagée,
Quand tout ce qui t'éloigne un moment de mes yeux
Allume ma colère et me semble odieux,
Par l'amour déchirée et livrée à la haine,
Je tremble quelquefois de voir briser ma chaîne ;
Je crains que mes tourments ne sortent de mon cœur
Et le repos m'inspire une secrète horreur.
Ce vide affreux déjà me paraît un supplice ;
Je te ferais encor le même sacrifice...
Cet orgueil de mon sexe est bien humilié !
Bornée à désirer une vaine pitié,
Je laisse voir mes pleurs, je n'ai plus rien à craindre.

Ma mère, moins barbare, a fini par les plaindre,
Et mes compagnes mêmes en voyant mes malheurs
T'en reprochent la source et partagent mes pleurs.
Ma douleur attendrit l'âme la plus austère ;
Qui sait ma passion la plaint et la révère.
Es-tu seul insensible à tant de maux ?... Hélas !
Tu méprises mes pleurs autant que mes appas.
Quand je veux me flatter, quand je relis ta lettre,
Une douleur nouvelle en mon âme pénètre ;
Je crois te voir lassé d'un faible souvenir,
M'écrivant par honneur et pressé de finir.
L'autre jour, de mes maux l'unique confidente
Hors de ces tristes murs me conduisit mourante.
Le hasard nous mena vers ces lieux fortunés,
Aujourd'hui pour jamais aux larmes destinés,
Où la première fois tu t'offris à ma vue.
Alors de mon malheur parcourant l'étendue,
Je sentis mon espoir s'éteindre et s'allumer ;
Je crus recommencer à te perdre, à t'aimer.
Je cherchais à graver plus avant dans mon âme
Tous les événements de ma funeste flamme.
Je rappelais tes torts, tes promesses, mes droits,
J'aurais voulu sentir tous mes maux à la fois.
J'ai même désiré... le destin me ravale
Au point de souhaiter d'avoir une rivale.
Je verrais des raisons du moins pour t'oublier...
Je pourrais essayer de te justifier...
Je pourrais me flatter qu'une nouvelle flamme
Ne m'a point effacée encore de ton âme ;
Qu'une heureuse rivale, en m'arrachant ton cœur,
Ne pourra t'empêcher de sentir mon malheur...
Mais peut-être qu'une autre, insensible ou cruelle,
Et te connaissant mieux et plus maîtresse d'elle,
T'accable de mépris... Soumis à ses rigueurs,
Trahis-tu sans remords mes serments et mes pleurs ?
Avant de te livrer au sort qu'on te réserve,

Que mon exemple au moins t'avertisse et te serve.
Si tu ne l'aimes pas encor bien tendrement,
Avant de t'engager, réfléchis un moment.
Ton dessein à tous trois sera fatal peut-être,
Du sort de tous les trois tu peux être encor maître.
Sans remplir tout ton cœur, je puis t'aimer assez
Pour que par tant d'amour tes sens soient abusés.
Tu me plains quelquefois, le remords te tourmente :
Crains de désespérer une nouvelle amante ;
Crains du moins d'éprouver tout ce que j'ai souffert.
L'avenir, à mes yeux à chaque instant offert,
Joignait aux maux présents des craintes plus cruelles,
Qui cédaient un moment à des erreurs nouvelles.
Cette rapidité de mouvements divers
Me plongeait, chaque fois, des cieux dans les enfers.
Peins-toi mon désespoir et ma vaine espérance,
Mes injustes soupçons, ma folle confiance,
Ma crainte de te perdre au milieu des plaisirs,
La honte de nourrir longtemps de vains désirs ;
Ces bouleversements qui toujours se succèdent,
Que suivent les douleurs que les horreurs précèdent...
Ces mots presqu'effacés de mes pleurs sont témoins.
En me désespérant, profites-en du moins.
Avant que de partir tu fis une imprudence ;
Tu laissas échapper des soupirs vers la France.
Si des feux mal éteints me chassent de ton cœur,
Apprends-moi le sujet au moins de mon malheur.
L'incertitude enfin m'est trop insupportable,
J'aime mieux devenir encor plus misérable.
Nul changement ne peut augmenter mes ennuis,
Et je ne puis rester dans l'état où je suis.
Le plus grand de mes maux est peut-être l'absence.
Que tu me trouverais craintive en ta présence !
Rien ne rassurerait mes timides esprits.
Que je suis abattue, ingrat, par tes mépris !
Ah ! si de nous revoir l'heureux instant approche,

Je n'oserai risquer de te faire un reproche.
Je ne suis plus jalouse et ne fais d'autres vœux
Que de te voir, t'aimer et te cacher mes feux.
Je crois que je pourrais, moi que tu vis si fière,
Servir avec respect une rivale altière.
Mais hélas ! ton ami chargé de cet écrit
Quitte, dans un moment, ce rivage proscrit.
Il attend, pour partir, ma lettre infortunée.
À quel mépris elle est peut-être destinée !
Je comptais te tracer seulement quelques mots,
Confiés sans espoir au caprice des flots.
Je te le jure enfin, dans ma première lettre,
À tes cruels désirs je saurai me soumettre.
Tu peux l'ouvrir sans crainte, il faut bien t'obéir ;
Je sens que j'importune et je ne puis finir.
Terrible sentiment que rien ne peut détruire !
Je crois que je te quitte en cessant de t'écrire.
Un an s'est écoulé, depuis ces jours trop courts,
Où me donnant à toi je m'y crus pour toujours,
Où je mis à t'aimer mon devoir et ma gloire.
Ces intants sont déjà sortis de ma mémoire,
Ainsi que tes plaisirs, mes remords, ma pudeur,
Qui ne pouvait céder qu'aux transports de mon cœur.
Tu chasses loin de toi ce qui te doit contraindre,
(Si tu ne peux m'aimer), à me voir et à me plaindre.
Le vaisseau va partir... Que me fait son départ ?
Je ne redoute rien du Ciel ni du hasard ;
Je cède en t'écrivant au charme qui m'entraîne,
Je t'écris seulement pour soulager ma peine.
Pour la troisième fois on m'avertit, hélas !
Qu'il m'en coûte !... grand Dieu ! tu ne le conçois pas.
J'ai cent fois plus de peine à finir cette lettre
Qu'à faire mon malheur tu n'en sentis peut-être.
Je n'ose te donner ces noms tendres et doux,
Ces noms qui te plaisaient, qui semblaient faits pour
                                                    [nous.

Lettre Seconde

Tout ce qui te parut si flatteur et si tendre
T'aigrit ou te déplaît ; tu ne veux plus l'entendre.
Pourquoi me trouvais-tu quelques faibles appas ?
Pourquoi ne suis-je point née en d'autres climats ?
Je n'ose plus gémir ni condamner ta fuite ;
Juge quel est l'état où le sort m'a réduite.

LETTRES D'UNE CHANOINESSE
DE LISBONNE À MELCOUR,
officier français.

RÉFLEXIONS PRÉLIMINAIRES

Les *Lettres portugaises*, sans être fort répandues, ont toujours joui de quelque réputation auprès de ce petit nombre de lecteurs, qui préfèrent le langage de l'âme à toute l'affectation du bel esprit. Il est encore incertain si ces *Lettres* ont vraiment été écrites par deux amants ou si elles ne sont qu'un jeu de l'imagination. J'incline volontiers pour la première conjecture. Il est vraisemblable que l'ouvrage est portugais et que les lettres françaises ne sont qu'une traduction. Quoi qu'il en soit, le sentiment, qui est de tous les pays, doit les distinguer de cette foule de romans, fastidieuses répétitions les uns des autres et qui, s'il était possible qu'ils allassent à la postérité, ne feraient qu'attester le froid délire de nos écrivains. On ne trouve, dans les lettres dont il s'agit, ni cette métaphysique d'amour que nos femmelettes ont mise à la mode, ni ces coups de poignard officieux qui tranchent l'intrigue au lieu de la dénouer, ni ces poisons lents qui laissent à des héroïnes bavardes le temps d'une agonie volumineuse, ni ces situations, en un mot, où l'auteur se contorsionne pour mettre en jeu des caractères qu'il a rêvés et dont il n'existe aucun modèle dans le tourbillon qui roule autour de nous [1] ; mais, en

_____

1. Je compare la plupart des personnages qui figurent dans nos romans, et même dans nos drames, à des marionnettes maladroites. On voit tous les fils qui les remuent et le compère qui les fait parler.

213

récompense, tout y est vrai, naturel, de cette simplicité attachante, premier charme des écrits auxquels on revient et dont on ne se lasse jamais. Elles font couler ces larmes délicieuses qui soulagent le cœur, non ces pleurs pénibles qui l'oppressent ; elles respirent l'amour le plus tendre, le plus passionné, le plus généreux ; il y est peint dans toutes ses nuances, approfondi dans tous ses détails ; on y retrouve ses orages, ses inquiétudes, ses retours, ses résolutions d'un moment, la délicatesse de ses craintes et l'héroïsme de ses sacrifices. Racine lui-même, ce peintre par excellence, ne l'a pas présenté sous des couleurs plus aimables, plus séduisantes, plus énergiques et plus douces. Quel caractère que celui de Mariane ! Quelle amante a jamais porté plus loin l'abandon et, si l'on peut le dire, le désintéressement de la tendresse ? Comme elle brave, comme elle foule aux pieds, ou plutôt comme elle ignore tous ces petits préjugés qui, sous le titre de bienséances, dégradent la plupart de nos femmes, leur mettent un masque sur le visage, un voile sur l'âme, contrarient d'abord leurs désirs, les éteignent ensuite, les reportent sur les jouissances de l'amour-propre en leur défendant celles de l'amour et finissent par en faire des êtres factices, froids, impérieux par système et faux par nécessité !

Si l'on était sûr qu'il existât une femme telle que la Mariane des *Lettres portugaises*, il faudrait la chercher, fût-elle au fond des déserts, rompre, sans hésiter, les demi-liens qui nous rendent si tristement heureux et puiser le bonheur à sa source, qui ne se rencontre qu'au fond d'une âme vraie, courageuse et fidèle. Dans la société, telle qu'elle est, la superficie de l'homme est occupée ; l'intérieur ne l'est jamais. Un sexe se défie de l'autre ; les hommes attaquent à tort et à travers, et les femmes, même en succombant, trouvent encore les moyens de les tromper. On a des accès de plaisir, point de joie permanente ; des intrigues, et point de passions ;

de l'ivresse, et point de bonheur. Nous ressemblons à ces malades languissants, en qui les principes de la vie sont attaqués. Observez-les dans les moments mêmes où la douleur est suspendue : ils ont une espérance inquiète ; jamais le calme de la sécurité ; et la conscience de leur mal perce, malgré eux, à travers toutes les illusions d'un mieux passager. On ne trompe pas le sentiment. Revenons.

On sent, par tout ce que je viens de dire, l'estime particulière que je fais de l'ouvrage charmant dont je risque une imitation. Mais, si j'ai été séduit par le fond des choses, j'avouerai avec la même franchise que la forme m'a souvent dégoûté. La diction est traînante, diffuse, incorrecte, quelquefois maniérée, presque toujours commune. Entendez parler nos jolis juges, ces puristes glacés qui poussent jusqu'à la pédanterie l'amour du beau style : personnages élégamment froids et correctement ennuyeux, ils vous diront que les *Lettres portugaises* sont du *dernier médiocre* ; que cela ne *se laisse point lire*, et qu'il est *incroyable* qu'un pareil livre ait encore des partisans. C'est que l'âme de ces petits Aristarques n'est ordinairement pour rien dans leurs lectures ; c'est qu'ils sont dépaysés quand le jargon courant leur manque, lorsqu'ils ne retrouvent point ces harmonieuses inepties dont ils sont, à la fois, et les échos et les modèles. Pour peu qu'on ait de sensibilité, on relit six fois les *Lettres portugaises*, avant de s'apercevoir qu'elles sont mal écrites. Qu'on juge du plaisir qu'elles feraient si, au mérite qu'elles ont déjà, elles joignaient encore le charme de l'expression !

Le but de mes efforts est de remettre, s'il est possible, sous les yeux du public, un excellent tableau, privé de la moitié de son succès par la faiblesse de son coloris. Je me suis pénétré de l'ensemble de l'ouvrage ; j'y ai retranché, ajouté, développé ce qui ne l'était pas assez, resserré ce qui l'était trop ; et, pour le rajeunir tout à fait, j'ai osé l'écrire en vers. J'ai cru que cette forme était infiniment plus favorable et ferait ressortir davantage des beautés éparses qui ne demandent qu'à être mises sous un point de vue plus rapproché. Les vers sont, en effet, la langue du sentiment ; ils donnent du prix aux moindres détails. Ils rassemblent, en quelque sorte, les débris d'une pensée, font jallir son éclat de sa précision même, et souvent, d'une phrase oiseuse et prolongée par les circuits de la prose, ils en font un trait pour le cœur.

On me dira peut-être que la versification ne convient point à la familiarité du style épistolaire. J'ai une opinion bien différente. J'imagine qu'étant plus vive, plus rapide, plus occupée, plus susceptible de mouvement, c'est un des genres auquel elle convient le mieux, puisque ce genre exige toutes les conditions que je viens d'énoncer. D'ailleurs, la poésie s'élève ou s'abaisse, étincelle ou s'éteint au gré de celui qui l'emploie. L'artiste commande, l'instrument obéit. Si, en lisant cet ouvrage, on ne s'aperçoit ni de la gêne des vers, ni de l'asservissement de la rime ; s'il fait illusion au point qu'on croie lire des lettres véritables, j'aurai répondu à l'objection. Voilà ce que j'ai tâché de faire ; mais je suis loin de croire que j'aie réussi. S'applaudir de l'effort, ce n'est pas se vanter du succès.

En adoptant le style simple, je n'ai point cru du tout me priver des ressources de la poésie. Je n'ai point rejeté les ornements quand ils se sont offerts. Tout consiste à savoir les choisir et les distribuer. Si le style simple a lieu, c'est assurément dans la fable. Qu'on ouvre La Fontaine, et l'on verra si cette simplicité nuit à la parure. Une bergère est souvent plus parée avec des fleurs des champs qu'une femme de cour sous le faix de l'or et des rubis. La Fontaine est toujours peintre, soit qu'il fasse parler l'aigle ou bourdonner le moucheron. Les images naissent sous sa plume avec le caractère qu'exige le genre dans lequel il écrit. Des littérateurs chagrins ou trop méthodiques ont voulu les bannir de notre versification. Pensez toujours, disent-ils au poète, et ne peignez jamais. Qu'ils tirent donc un rideau sur les beautés de la nature ; qu'ils empêchent le cœur d'être ému, la tête de s'allumer et tous les sens de se recueillir dans le charme de la contemplation. Un raisonneur, du fond de son cabinet, dicte de froids apophtegmes et croit prononcer des oracles : le poète que saisit l'enthousiasme peint des objets qui sont chers à tous les hommes ; il rend plus sensible à notre âme le grand spectacle de l'univers, qui souvent échappe à nos yeux émoussés par l'habitude. C'est pour lui particulièrement que la terre déploie ses tapis d'émeraude ; c'est pour lui que les fleurs se vêtissent de pourpre et d'azur, que l'océan élève jusqu'aux cieux ses vagues amoncelées, que la foudre ouvre la nue, se répète à travers les roches ténébreuses et promène des lueurs mornes sur le vaste abîme des mers : c'est pour lui que des neiges éternelles argentent le sommet des Alpes, que se prolonge la chaîne inégale des montagnes, que s'opèrent ces révolutions insensibles qui varient la surface du globe, qu'il se hérisse de sites incultes, ou s'embellit par de riants paysages, que les cieux s'étendent, que les corps célestes roulent silencieusement dans l'espace et que l'imagination, un prisme et une baguette à la main, ouvre ces réservoirs immenses où s'achève par des filtrations souterraines la lente maturité des métaux.

On aura beau dire, déclamer, discuter, s'étayer des faibles arguments que la raison fournit, les images seront toujours l'essence de la poésie, comme le rythme en est la forme. Il en est cependant qu'il faut proscrire pour toujours, telles par exemple que les redites de la fable. Ces idées, riantes dans leur origine, et consacrées à la religion des Anciens, n'ont aucun sens pour nous.

C'est un cercle puéril où la médiocrité s'emprisonne et que l'homme de goût franchit. J'invite donc ceux qui écrivent en vers à faire main basse sur tout cet oripeau mythologique, que je compare aux vieilles décorations d'opéra que l'on relègue au magasin. Il ne faut épargner ni les ailes du zéphyr, ni les guirlandes de Flore, ni les tresses de la blonde Cérès, ni les doigts de rose de cette Aurore éternelle que nous ne voyons jamais et que nous citons toujours ; mais, toutes les fois que, dans la nature physique ou morale, on aura fait une découverte nouvelle, il faut, s'il est possible, la peindre et la rendre sensible. L'image reste, le raisonnement s'oublie.

Le genre dans lequel on écrit détermine le style qu'on doit préférer. Il serait ridicule d'attacher la couronne de l'épopée sur le front de Melpomène, de donner à l'églogue la pompe de l'ode, et d'altérer ainsi le caractère primitif des différentes productions de l'esprit humain. Il faut que chaque genre brille de la beauté qui lui est propre. Il est des images que l'esprit cherche ; il en est que le cœur fournit à l'imagination et qui plaisent à tous deux. Il en est qui ont de l'éclat, et dont il ne reste rien quand on les décompose. Celles-là sont prises dans une nature fantastique et n'éblouissent que des yeux qui ne sont pas encore exercés. Telle peut être vraie, mais devient trop brillante relativement au fond où elle est placée. Dans les ouvrages de sentiment surtout, il ne faut rien qui tranche, rompe l'unité de couleur et détruise la sensation douce sur laquelle on aime à se reposer. Ce défaut deviendra plus sensible en le comparant à cette lumière trop ardente qui, répandue universellement sur la campagne au fort des jours d'été, fatigue les yeux, confond tous les objets et empêche de distinguer ces scènes paisibles que le soir développe et semble tirer du chaos.

Tout dépend donc de ce tact délicat que donne l'étude réfléchie des convenances, l'un des fondements de l'art d'écrire. L'homme le plus rustique, échauffé par une passion quelconque, peut devenir peintre. Il empruntera ses peintures du physique qui l'environne, du sol qu'il habite, des travaux qui l'occupent, des objets enfin avec lesquels il est le plus familiarisé, et vous ne l'accuserez point pour cela de déroger à la simplicité de ses mœurs et de son état. On convient généralement que toute l'illusion de la tragédie naît de la vérité de l'action, des caractères, du dialogue et du style. La moindre indiscrétion de l'auteur détruit l'effet du personnage. Racine est sûrement un modèle dans ce genre ; il a posé la limite qu'on ne peut franchir sans s'égarer. Eh bien ! quel est l'écrivain dont le style soit plus hardi, plus pittoresque, plus semé d'images, qui toutes plaisent aux âmes sensibles et obtiennent l'aveu des gens raisonnables ! Dans *Britannicus*, ce chef-d'œuvre, où sont réunies la force de Tacite et la grâce de Virgile, quelle variété de tableaux qui se font tous valoir, et n'annoncent jamais la prétention ! J'en citerai quelques endroits. De pareils exemples vaudront mieux que les raisonnements. C'est Néron qui s'entretient avec Narcisse de son amour pour Junie :

> Excité d'un désir curieux, (dit-il)
> Cette nuit je l'ai vue arriver en ces lieux,
> Triste, levant au Ciel ses yeux mouillés de larmes,
> Qui brillaient au travers des flambeaux et des armes :
> Belle, sans ornement, dans le simple appareil
> D'une beauté qu'on vient d'arracher au sommeil.
> Que veux-tu ? Je ne sais si cette négligence,
> Les ombres, les flambeaux, les cris et le silence,
> Et le farouche aspect de ses fiers ravisseurs
> Relevaient de ses yeux les timides douceurs :
> Quoi qu'il en soit, ravi d'une si belle vue,
> J'ai voulu lui parler, et ma voix s'est perdue :
> Immobile, saisi d'un long étonnement,

219

> Je l'ai laissé passer dans son appartement ;
> J'ai passé dans le mien : c'est là que, solitaire,
> De son image en vain j'ai voulu me distraire ;
> Trop présente à mes yeux, je croyais lui parler,
> J'aimais jusqu'à ses pleurs que je faisais couler.

Quelle fraîcheur de coloris ! et cependant quel naturel ! Voilà précisément les expressions qu'un empereur jeune et d'une imagination vive devait employer en parlant de sa maîtresse.

> D'une beauté qu'*on vient* d'arracher au sommeil.

L'hémistiche de ce vers n'est point marqué. Il paraît même désagréable au premier coup d'œil ; mais, selon moi, cette négligence est une grâce de plus. Elle convient à la situation que l'on décrit et devient une nuance fine dans l'ensemble du tableau. En voici un autre où le même sentiment domine, et qui étincelle de beautés toutes différentes. C'est Bérénice qui parle.

> De cette nuit, Phœnice, as-tu vu la splendeur ?
> Tes yeux ne sont-ils pas tout pleins de sa grandeur ?
> Ces flambeaux, ces bûchers, cette nuit enflammée,
> Ces aigles, ces faisceaux, ce peuple, cette armée,
> Cette foule de rois, ces consuls, ce sénat,
> Qui tous, de mon amant, empruntaient leur éclat,
> Cette pourpre, cet or, que rehaussait sa gloire,
> Et ces lauriers encor témoins de sa victoire,
> Tous ces yeux, qu'on voyait venir de toutes parts
> Confondre sur lui seul leurs avides regards,
> Ce port majestueux, cette douce présence :
> Ciel ! avec quel respect et quelle complaisance
> Tous les cœurs en secret l'assuraient de leur foi !
> Parle ; peut-on le voir, sans penser, comme moi,
> Qu'en quelqu'obscurité que le sort l'eût fait naître,
> Le monde, en le voyant, eût reconnu son maître ?

Quand il s'agit de peindre les mouvements du cœur, leur véhémence, leur fluctuation, si l'on peut dire, il semble que le langage de *Racine* soit la langue de tout le monde, et qu'il soit impossible d'en parler une autre... *Je ne t'ai point aimé*, dit Hermione à Pyrrhus.

> Je ne t'ai point aimé, cruel ! qu'ai-je donc fait ?
> J'ai dédaigné pour toi les vœux de tous nos princes,
> Je t'ai cherché moi-même au fond de tes provinces.
> J'y suis encor, malgré tes infidélités,
> Et, malgré tous mes Grecs, honteux de mes bontés.
> Je leur ai commandé de cacher mon injure,
> J'attendais en secret le retour d'un parjure :
> J'ai cru que, tôt ou tard à ton devoir rendu,
> Tu me rapporterais un cœur qui m'était dû ;
> Je t'aimais inconstant, qu'aurais-je fait, fidèle ?
> Et même, en ce moment où ta bouche cruelle
> Vient si tranquillement m'annoncer le trépas,
> Ingrat, je doute encor si je ne t'aime pas.

Que devient la contrainte de la mesure et de la rime, et quelle prose pourrait être plus vraie que de pareils vers ? Oreste vient annoncer à cette même Hermione l'assassinat de Pyrrhus, qu'elle lui avait ordonné :

> Tais-toi, perfide,
> Et n'impute qu'à toi ton lâche parricide :
> Va faire chez tes Grecs admirer ta fureur ;
> Va, je la désavoue, et tu me fais horreur.
> Barbare ! qu'as-tu fait ! avec quelle furie
> As-tu tranché le cours d'une si belle vie ?
> Avez-vous pu, cruel, l'immoler aujourd'hui,
> Sans que tout votre sang se soulevât pour lui ?
> Mais parle : de son sort qui t'a rendu l'arbitre ?
> Pourquoi l'assassiner ? qu'a-t-il fait, à quel titre ?
> Qui te l'a dit ?

Chacun de ces vers est un trait de génie. Une femme passionnée, et dans la situation d'Hermione, devrait-elle et pourrait-elle s'exprimer autrement ?

Je ne me suis arrêté sur ces citations qu'afin de prouver aux détracteurs de la poésie qu'elle se prête à tous les tons sans qu'on s'aperçoive de l'effort ; qu'elle a tous les avantages de la prose, sans en avoir les inconvénients ; que la mesure et la rime qu'on lui reproche ne sont que des moyens de plus pour charmer l'oreille, qui n'ôtent rien à l'âme ni à l'esprit ; qu'elle descend au style le plus simple, comme elle s'élève au plus sublime ; que le naturel n'exclut point les images, qu'il serait même contre la nature de les supprimer ; qu'en un mot, on peut écrire des lettres en vers, puisqu'ils sont même admis dans le dialogue. Mais plus je me suis abandonné à mon admiration pour Racine, plus j'ai senti la difficulté de mon entreprise. Il est si parfait et à tel point inimitable qu'il jette dans le découragement au lieu d'exciter l'émulation. On me saura gré du moins d'un essai qui peut enrichir notre littérature, et qui indique un genre nouveau, dont j'avais déjà donné l'idée dans les trois lettres de Valcour et de Zéïla. Ce genre, tel que je le conçois, serait une espèce de roman en vers et divisé par lettres, dans lequel on pourrait déployer à la fois toutes les richesses de la poésie et du sentiment. Il s'éloignerait de la monotonie qu'entraîne nécessairement l'héroïde par sa forme et son peu d'étendue, qui l'oblige à laisser presque toujours ses héros ou ses héroïnes dans la roideur et l'immobilité d'une même attitude. Je serais trop heureux si une tentative timide devenait l'occasion de quelque ouvrage qui sortît enfin du cercle éternel où nous tournons depuis si longtemps.

J'espère qu'on ne confondra point ces lettres avec cette foule de fadeurs pastorales et de lamentations champêtres qu'on a décorées parmi nous du nom d'élégies. Plusieurs poètes latins en ont fait de charmantes, tels que Sidronius et le Père Sautel ; mais nous autres Français, nous entendons mal la bergerie, surtout la bergerie larmoyante. Régnier des Marais a fait quelques pièces dans ce genre, ou du moins qui portent ce titre. En voici des morceaux :

> Demoiselle, laquais, servante de cuisine,
> Quand vous verrez Daphnis, faites-lui bonne mine :
> Dites-lui que je meurs, et que cent fois le jour,
> Pour ses rares vertus, je soupire d'amour.
> Cocher, palefrenier, je vous en dis de même,
> Quand vous verrez Daphnis, dites-lui que je l'aime !
> Et vous, mon pauvre chien, et vous, mon pauvre chat,
> Quand vous verrez Daphnis, faites-en grand état :
> ....
> Les oiseaux, par leur chant, par leurs plaintes aimables,
> Invoquaient du soleil les rayons adorables ;
> ....
> Un ruisseau serpentant portait son onde claire
> Par des flots argentins dans ce lieu solitaire.

Les élégies qui ont eu le plus de succès, et qu'on cite encore quelquefois sont celles de Madame de La Suze, recueillies en cinq volumes, avec quelques ouvrages de Pellisson. Madame de la Suze avait certainement un esprit très aimable. Son talent pour les vers est une suite de son penchant à la galanterie qui lui attira beaucoup d'amants et la débarrassa d'un époux incommode dont elle vécut séparée. Elle avait été élevée comme cet époux dans les principes de la Réformation et, pour n'avoir rien de commun avec lui, pas même une hérésie, elle abjura en 1653 : ce qu'elle fit, dit la reine de Suède, *afin de ne se trouver avec son mari ni dans dans ce monde ni dans l'autre.* Cette indépendance dans l'esprit, et cette aisance dans les mœurs annonçaient déjà beaucoup de dispositions pour la poésie,

223

naturellement très licencieuse. Aussi Madame de La Suze réussit-elle beaucoup. Eh ! le moyen qu'on ne goûtât point les vers d'une jolie femme, qui soupirait l'amour, qui peignait la tendresse, dominait probablement dans les cercles, donnait, en quelque sorte, des espérances à tous ses lecteurs et montrait pour le lien conjugal l'aversion la plus intéressante. C'était son personnel qu'on applaudissait dans ses écrits. Il y règne de la facilité et cette mollesse de style qui convient à son sexe et aux sujets de ses ouvrages : mais c'est toujours l'amour plaintif. Est-il malheureux, il gémit ; il gémit encore quand il a cessé de l'être. Il semble, en lisant Madame de La Suze, qu'on ait toujours à ses oreilles le roucoulement d'une tourterelle. C'est une enfilade de rimes désolantes dont on ne voit pas la fin ; et le délire de la jouissance y est souvent interrompu pour faire place aux accents du désespoir. Tout cela est fort triste : les rossignols ont beau chanter, les ruisseaux couler leurs petits flots, on a beau guetter le soleil, quand il se lève et quand il se couche, pour en détailler tous les effets, apostropher la lune et savoir le compte des étoiles, la langueur s'empare de l'âme, l'ennui de l'imagination et le sommeil des yeux du lecteur. Je ne conçois pas, d'après le génie national, que ce genre ait jamais pu être en vogue. De toutes les élégies connues, celles de La Fontaine sur la disgrâce de Fouquet est la seule qui me paraisse digne de sa réputation. Elle fait autant d'honneur au talent du poète qu'au caractère du galant homme et de l'ami courageux. Qu'on a de plaisir à retrouver dans les gens de lettres ces traits estimables qui mêlent une nuance si douce à la gloire de leurs écrits !

Par le jugement que j'ai hasardé sur les poésies de Madame de La Suze, on verra que j'ai évité, autant que je l'ai pu, le style élégiaque. Les lettres que j'offre au public ne sont autre chose que le développement approfondi du cœur d'une femme qui aime. C'est une passion peinte dans toutes ses circonstances ; c'est une âme, tantôt ivre de bonheur, tantôt plongée dans les regrets, qui s'échappe, se montre à nu, trahit toutes ses affections avec la naïveté du sentiment et la chaleur de l'amour. Toutes les femmes qui ont aimé y trouveront ce que cent fois elles ont écrit à leurs amants ; et les amants, j'entends ceux qui ont su inspirer un amour délicat, croiront lire des lettres de leurs maîtresses. Telle est du moins l'illusion que j'ai tâché de faire. Encore une fois ceux qui aiment les événements compliqués, une intrigue embrouillée dans mille nœuds, les catastrophes violentes, les événements qui tombent des nues, ne goûteront point cette production ; mais peut-être déplaira-t-elle moins au petit nombre de bons esprits qui aiment les émotions douces, la marche graduée des passions, cet attendrissement vrai qui s'insinue, pénètre par degrés, et amène ces larmes délicieuses qui coulent sans peine et qu'on aime tant à répandre. Aujourd'hui si l'on veut procurer quelque plaisir, soit au lecteur, soit au spectateur, il faut leur donner des convulsions. Des effets, à quelque prix que ce soit, des effets et point de nature. *C'était bon autrefois*, pour me servir des expressions de Molière, dans *Le Médecin malgré lui* ; mais les littérateurs modernes ont changé tout cela. Le charbon de terre de Londres s'est joint aux brouillards de Paris. Il nous faut, comme chez nos voisins, des massacres, des viols, des têtes de morts, des ombres encapuchonnées de leurs linceuls, toute la charge enfin du théâtre de Drury Lane, pour ranimer des âmes éteintes et remuer des têtes qui sont plus vides encore qu'elles ne sont mélancoliques ; car nous avons la prétention d'êtres tristes, et nous ne sommes qu'ennuyés. C'est cet ennui incurable que l'on attaque vainement. Il naît du fond même de nos mœurs. Le dégoût germe toujours dans le sein des jouissances faciles. Environnés

225

de plaisirs, nous en sommes réduits à mendier des sensations sans lesquelles les plaisirs ne pénétrent point jusqu'à nous. Je m'écarte de mon objet, et j'oublie, ce qui m'arrive assez souvent, que j'ai des juges à captiver.

LETTRE PREMIÈRE

EUPHRASIE À MELCOUR

Tu l'emportes enfin ! c'en est fait, cher Melcour,
Je n'ai plus de remords, je suis toute à l'amour.
Je me livre à sa flamme et marche à sa lumière :
La raison ne vaut pas le flambeau qui m'éclaire.
La sécurité douce a passé dans mon cœur ;
Peut-on être coupable avec tant de bonheur ?
Non, je ne la suis point ; le crime d'une amante
Est d'aimer faiblement, ou bien d'être inconstante ;
Je t'aime pour toujours, je m'abandonne à toi ;
Il n'est plus désormais d'autre gloire pour moi.
Crédule, je pensais, dans un calme pénible,
Que l'honneur consistait à n'être point sensible :
Tu m'as bien détrompée, un rayon précieux,
Pour rassurer mon âme, est parti de tes yeux :
Pardonne-moi ces pleurs que m'arrachait la crainte,
Ces froids embrassements que glaçait la contrainte,
Et ces tristes regrets, et ces lâches soupirs
Qui m'échappaient encor dans le sein des plaisirs.
Aux transports d'un amant quand on cède à mon âge,
Il est permis, je crois, de manquer de courage.
C'est un instinct charmant, un invincible attrait,
Qui se change en frayeur dès qu'il est satisfait.
Ces désirs inconnus, leur trouble, leur puissance,
Les fâcheuses leçons qui berçaient notre enfance,
L'excès des plaisirs même épouvantent nos sens ;
Plus ils sont vifs, et moins on les croit innocents ;
Mais lorsque l'on commence à juger, à connaître,
À chérir un penchant que le Ciel a fait naître,
Lorsque ce doux penchant, accru, développé
S'empare enfin d'un cœur que l'on avait trompé,
Alors plus de combats, on bénit sa faiblesse,

227

On ne verse de pleurs que ceux de la tendresse ;
Et l'on craint même alors, facile à s'alarmer,
De n'aimer pas assez ce qu'on craignait d'aimer,
Sainte religion, qui tonnez sur les crimes,
Des sentiments si vrais sont-ils illégitimes ?
J'ai beau vous implorer, me jeter dans vos bras,
Vous effrayez mon cœur et ne le changez pas.
J'adore mon amant : cette âme fortunée
Qu'il vous faut asservir, à Melcour s'est donnée ;
Jusqu'au pied des autels, je l'entends, je le vois,
Il me parle, il me presse, il réclame ses droits,
Il est toujours vainqueur... il obtient par ses grâces
Ce que ne peut, hélas ! l'effroi de vos menaces,
Si je semble essayer des efforts superflus,
C'est pour lui ménager un triomphe de plus.
D'où vient qu'incessamment votre pouvoir céleste
Lui dispute mon cœur, et que mon cœur lui reste ?
Donnez donc à ce cœur, que lui seul peut remplir,
Ou la force de vaincre, ou le droit de faillir.
L'être qui fait aimer pardonne à la tendresse :
De n'être pas sensible ai-je été la maîtresse ?
Suis-je libre, Melcour ? Hélas ! faible instrument,
Au Dieu qui me forma j'obéis en aimant ;
Lui seul me détermine, et j'en crois sa justice ;
Voudrait-il sous mes pas ouvrir un précipice ?
Voudrait-il, pour avoir le droit de me punir,
Me conseiller d'aimer ce que je dois trahir ?
Non, non : dès que mon œil eut rencontré ta vue,
Je sentis tout à coup une joie inconnue ;
Je sentis qu'un pouvoir, bien au-dessus du mien,
Disposait de mon cœur emporté vers le tien.
Ce pouvoir, mes transports, vas, tout fut légitime ;
Tant de plaisir jamais n'accompagne le crime ;
Et, pour mieux triompher, mon amour combattu
A pris enfin, Melcour, les traits de la vertu.
Combien je suis heureuse, et que j'aime à le dire !

Vante-toi, tu le peux, de ton charmant empire :
Amant le plus chéri des amants fortunés,
Use de tous les droits que l'amour t'a donnés,
Dans quel néant vivais-je avant de te connaître !
Au sein d'une langueur, criminelle peut-être,
Sans plaisirs, sans tourments, je sommeillais toujours ;
J'ignorais la vitesse et l'emploi des beaux jours ;
En d'inutiles soins je consumais ma vie,
Les plus sacrés devoirs me trouvaient engourdie ;
Comme un maître effrayant, Dieu se montrait à moi ;
Et ma religion n'était que de l'effroi.
J'aime ! quel changement !... J'existe avec délice ;
Il n'est rien à mes yeux que Melcour n'embellisse.
L'aube, en reparaissant, éveille mes désirs,
La nuit apporte un voile utile à nos plaisirs.
Dans les jours du printemps, je vois sous la verdure
Cent abris pour nous deux, offerts par la nature ;
Je renais, et j'habite un univers charmant,
Décoré par l'Amour, créé par mon amant,
Que dis-je ! mes devoirs me semblent moins austères ;
Mon joug devient plus doux, mes chaînes plus légères
Dieu ne me paraît plus un despote irrité,
Et, depuis mon amour, je crois à sa bonté.
Combien je dois chérir cette aimable mortelle
Qui préside en ces lieux confiés à son zèle !
Elle a pour moi du cloître aplani les horreurs,
Et, sans les soupçonner, protégé nos ardeurs ;
Récompensant en moi le désir de lui plaire,
Elle m'a prodigué des caresses de mère.
C'est elle dont le soin, propice à notre amour
M'a fait connaître un monde où j'ai connu Melcour.
De ces tristes leçons que dicte la rudesse
Elle ne sut jamais hérisser la sagesse.
Ah ! sans doute autrefois, son cœur s'est enflammé :
Il est trop indulgent pour n'avoir point aimé.
Tout nous sert, cher Melcour, et tout me justifie ;

Une ombre favorable enveloppe Euphrasie ;
Il est un Dieu qui veille aux plaisirs des amants,
Et ton cœur et le mien sont nos seuls confidents.
Nous existons pour nous : point de regard perfide
Qui décèle nos feux et qui les intimide ;
Ils sont d'autant plus vifs qu'ils sont plus inconnus ;
La contrainte du cloître est un charme de plus.
Après quelques instants lorsqu'il faut qu'on se quitte,
On sent mieux tout le prix d'un bien qu'on perd si
                                                    [vite...
Non, tu n'as pas conçu tout ce que je te dois,
Et combien, en secret, j'applaudis à mon choix !
Je ne te parle point de ces heures charmantes,
Qui, trop promptes à fuir, me sont toujours présentes ;
Moments de volupté, qu'on ne peut définir,
Et qu'on ne décrit point, quand on sait les sentir.
Une âme bien éprise, et vraiment amoureuse,
Trouve, après ces moments, le secret d'être heureuse,
Dans le repos des sens, c'est le cœur qui jouit :
Son plaisir dure encor lorsque l'autre est détruit.
Grâce à mes souvenirs mon bonheur s'éternise :
L'amour a des trésors que jamais on n'épuise.
Melcour est-il absent, j'embrasse avec chaleur
La douce illusion qui le peint à mon cœur.
Je le nomme cent fois, et son nom seul m'enchante ;
L'air qu'il aime le mieux est celui que je chante ;
Et, fixant sur lui seul mes esprits agités,
Mes rêves quelquefois sont pleins de vérités...
Mais que dis-je ? Parais, dissipe ces mensonges,
Je t'attends ; viens, Melcour, réaliser mes songes.
C'en est fait, sans réserve Euphrasie est ton bien ;
L'œil de l'amour est pur et ne profane rien.
Tu ne m'entendras plus soupirer, ni me plaindre ;
Hors l'excès de mes feux, tu n'as plus rien à craindre.
Je le jure au Ciel même et tu peux, cher amant,
Cesser de m'adorer, si je manque au serment.

230

Seconde Lettre

II

Pardonne-moi l'erreur qui m'a préoccupée.
Hier, je ne sais quoi dans tes yeux m'a frappée,
Ils m'ont paru moins doux, et, si je m'en souviens,
Pour la première fois ils évitaient les miens.
Lorsque tu m'as parlé, ta voix était plus rude...
Il faut me délivrer de cette inquiétude.
D'où venait ton chagrin, ou plutôt ton humeur ?
Un signe, un geste, un son, tout porte sur mon cœur.
Du moindre mouvement je veux savoir la cause ;
Un rien que l'on néglige est bientôt quelque chose.
Écoute, cher Melcour, toi seul est tout pour moi ;
Je ne sens, je ne pense et ne vis que par toi.
Chaque jour, chaque instant augmente mon ivresse,
Et je te crois lié par ma propre faiblesse ;
Mon bonheur est au point qu'il trouble ma raison.
Hé-bien ! pour le détruire, il ne faut qu'un soupçon.
Tu me verrais languir et mourir consumée
Par la seule frayeur de me voir moins aimée.
Plus mes jours sont heureux et mes plaisirs parfaits,
Et plus tu dois en moi respecter tes bienfaits.
Tu n'as plus désormais le droit d'être volage,
Et mon bonheur lui-même est le nœud qui t'engage.
En est-il de plus saint ?... À quoi pensé-je, hélas !
Craindre ton changement, c'est prévoir mon trépas.
Pourrais-tu... Je m'égare, et c'est moi qui t'offense ;
Je te laisse, Melcour, le choix, de la vengeance.
Point de ménagement, je n'en mérite aucun ;
Je t'accuse d'un crime, et moi seule en fais un.

III

Par les plus tendres soins, attentive à vous plaire,
Quoi ! j'ai pu vous donner un moment de colère !
Malheureuse ! j'ai pu, dans l'ardeur de mes feux,
Affliger un instant ce que j'aime le mieux !
Hélas ! de quels remords serais-je combattue
Si d'infidélité vous m'aviez convaincue ;
Puisque j'ose à mon cœur reprocher trop d'amour,
Et ces soins, dont l'excès vous irrite en ce jour !
Mais pourquoi ces regrets ? que sert de me
                                        [contraindre ?
Vous étiez criminel, j'ai le droit de me plaindre.
Je le serais moi-même, en permettant jamais
Que vous eussiez pour moi les plus légers secrets.
Vous le savez trop bien, je m'accuse sans cesse
De ne vous point assez découvrir mon ivresse :
Et vous, cruel amant, vous m'osez tout cacher !
Ce que je veux savoir, il le faut arracher !
Moi, je ne crois jamais me faire assez entendre.
Mon œil est-il trop vif ? je le voudrais plus tendre.
Si mes regards sur vous tombent avec langueur,
Ils servent ma tendresse, et non pas mon ardeur.
Je rougis du transport s'il ne tient du délire :
Quand tout parle dans moi, je crois ne vous rien dire,
Et je vous vois gêné dans tous nos entretiens.
Depuis quand vos secrets ne sont-ils plus les miens ?
Contre un pareil chagrin je n'étais point armée.
Mon cœur est tout ouvert, et votre âme est fermée !
Quel traitement ! de quoi me vient-il avertir ?
Ah ! je frémis des maux qu'il me fait pressentir.
Mais, qu'est-ce que je veux ? d'où vient suis-je
                                        [empressée
À lire dans un cœur d'où je suis effacée,

Où je ne trouverais que de la cruauté,
La feinte, la tiédeur et l'infidélité ?
Ah ! je ne vois que trop d'où naît tout le mystère,
Votre cœur tremble enfin que mon œil ne l'éclaire,
N'y surprenne bientôt ce que vous m'y voilez ;
C'est par pitié pour moi que vous dissimulez.
Hélas ! que sous ces traits ne vous vis-je paraître,
Dans le moment fatal où j'ai cru vous connaître ?
Sur votre cœur alors mon cœur se fût réglé,
Et s'épargnait les soins dont il est accablé.
Mais, vous avez bien su, flattant mon espérance,
M'enchaîner par l'attrait d'une fausse apparence :
Vous suiviez les progrès de ma captivité,
Et ce fut le signal de votre liberté.
Ce calme cependant, dont ici je murmure,
Ne fut jamais en vous produit par la nature ;
Vous êtes emporté, j'en ai plus d'un garant ;
Mais c'est pour le courroux qu'est votre emportement :
Croyant qu'on vous outrage, ombrageux, susceptible ;
Lorsqu'il ne faut qu'aimer, vous n'êtes plus sensible.
Ingrat ! je ne puis donc obtenir du retour.
Pour être ainsi traité, que vous a fait l'amour ?
Ces mouvements si prompts, échappés de votre âme,
Que ne les tournez-vous au profit de ma flamme ?
Pourquoi donc votre cœur n'est-il précipité,
Qu'afin de s'opposer à ma félicité ?
Empressé pour me fuir et pour m'être infidèle,
Combien vous êtes lent quand l'amour vous rappelle !
Mais quoi ! J'ose exiger quelque chose de vous,
Moi qui contre moi-même ai dirigé vos coups !
Ah ! je suis trop à vous pour garder quelque empire :
Esclave, à mon vainqueur je n'ai rien à prescrire.
Du moindre mouvement puis-je donc disposer ?
Ai-je droit de le croire ? ai-je droit de l'oser ?
De mon audace aussi je me vois la victime ;
Lorsque vous commandez la révolte est un crime ;

Et vous savez trop bien comme il m'en faut punir !
Avec quelle froideur (je dois m'en souvenir !)
Vous m'offrîtes hier le secours de l'absence !
Vos tranquilles regards peignaient l'indifférence.
Ô ciel ! ne vous plus voir ! vous, Melcour, me quitter !
Quel remède ! jamais je ne veux l'accepter.
Dites ! avez-vous cru que j'en fusse capable ?
D'un tel forfait jamais je ne serai coupable.
Je mourrais de chagrin de m'en voir soupçonner :
Hors cet affreux soupçon je puis tout pardonner.
Je tiens à mon amour plus qu'au vôtre peut-être,
Je dois nourrir le feu que vous avez fait naître :
C'est mon cœur, avant tout, que je veux contenter,
Et je ne puis souffrir de vous en voir douter.
Vous ! en douter ? non, non, mon cœur, le vôtre
                                              [même,
Tout vous dit, cher Melcour, à quel point je vous
                                              [aime !
Si vous me négligez, moi, j'ajoute à mes soins ;
J'ai d'autant plus d'amour que vous en montrez
                                              [moins ;
Je renferme souvent mes plus vives tendresses,
Et j'ose réprimer l'ardeur de mes caresses.
Combien de fois, Melcour, n'ai-je point, à vos yeux,
Retenu mes transports, mes désirs et mes feux,
Parce que vos regards m'avaient trop assurée
Que je vous plairais mieux, étant plus modérée !
Qu'avec rigueur, hélas ! mes vœux seront trompés,
Si de pareils efforts vous étaient échappés !
Content de m'enlever mes plus chères délices,
Tenez-moi compte, au moins, de tous mes sacrifices.
Je n'ai garde, Melcour, de vous les reprocher.
Plus il m'en coûte, et plus je me sens attacher...
Ah ! ne me plaignez point ; un feu court dans mes
                                              [veines
Qui mêle, malgré vous, du plaisir à mes peines.

Qu'importe mon bonheur ? je ne demande rien,
Si le vôtre s'accroît de ce qui manque au mien.
Si, près de moi, votre âme était plus enflammée,
J'aurais plus de plaisir, me croyant plus aimée :
Mais vous n'auriez plus, vous, celui de l'être autant,
Vous croiriez devoir tout à votre empressement ;
Et moi, je mets ma joie et ma gloire suprême
À voir que mon amant ne doit rien qu'à moi-même...
Ne va point abuser de ces tendres aveux,
Le cœur que j'ai choisi doit être généreux :
Que ma franchise, au moins, ne me soit point funeste,
Et, tout faible qu'il est, que ton amour me reste !
Profite, cher Melcour, d'un instant d'abandon.
Viens, par mille baisers, confirmer ton pardon,
Viens puiser dans mes bras une flamme nouvelle,
M'adorer et surtout jurer d'être fidèle !

IV

Eh bien ! cette étrangère est-elle donc si belle ?
À quoi songeait Dom Pèdre, en l'annonçant pour
[telle ?
Au bal d'hier au soir, comme elle eut l'air forcé !
Quels gestes ! quel maintien ! et comme elle a dansé !
Quel motif si long temps vous retint auprès d'elle ?
Si de ses traits au moins le rapport est fidèle,
Et si, par le visage, on peut juger l'esprit,
J'en soupçonne fort peu dans tout ce qu'elle a dit.
Cependant tout le temps que dura l'asemblée,
De ce que j'en pensais vous l'avez consolée ;
Vous avez même osé me vanter ses appas ;

Ses discours éternels ne vous fatiguaient pas.
Quel charme y trouviez-vous ? dites : sa complaisance,
Sans doute, vous parlait de vos belles de France,
Vous nommait la plus chère à votre souvenir,
Et peut-être elle-même espérait l'en bannir :
Elle y réussira ; si je puis m'y connaître,
J'ai surpris dans vos yeux un amour qui va naître.
Oui, l'amour, l'amour seul ne dissimule rien,
Peut faire supporter un si long entretien.
J'ai trouvé vos Français vains, bruyants, haïssables ;
Idolâtres d'eux-mêmes, ils se croyaient aimables.
Eh ! combien votre éloge est par eux démenti !
Tout ce qu'ils me disaient était si peu senti !
De leurs soins importuns que j'étais obsédée !
Leur politesse est vague, et leur grâce est fardée :
Leur tumulte, leur ton, leurs propos ont produit
Le mal de tête affreux dont j'ai souffert la nuit...
Vous ne le sauriez point, tant votre amour est tendre,
Si je ne prenais pas le soin de vous l'apprendre.
Vos gens, dès le matin, pendant votre sommeil,
Sont, chez votre Française, à guetter son réveil ;
Ils doivent s'informer, échos de votre zèle,
Si la veille d'hier n'a point trop pris sur elle ;
Vous la fîtes parler et danser tant de fois,
Qu'elle a perdu, sans doute, et la force et la voix !
Quels sont donc ses attraits ? quel prestige est le vôtre ?
La croyez-vous plus vraie ou plus tendre qu'une autre ?
Plus vite que le mien son cœur s'est-il livré ?
Avec plus de candeur vous a-t-elle adoré ?
Non ; cela ne se peut : sans combat asservie,
Votre premier regard fit le sort de ma vie ;
Et je cherchai moi-même, ivre d'un si beau choix,
Les moyens de vous voir une seconde fois.
Mon honneur ne tint pas contre votre présence ;
Je vous immolai tout, mon sexe et ma naissance.
Si Zémire a plus fait, pour mieux vous captiver,

Zémire, ce matin, prévient votre lever ;
Ménageant à vos yeux une aimable surprise,
À vos côtés, Melcour, elle doit être assise ;
Je le souhaite au moins : docile à vos désirs,
Puissai-je, à mes dépens, assurer vos plaisirs !
Si vous le voulez même, oui, je peux le permettre,
À ce divin objet faites part de ma lettre.
Ce que je vous écris va seconder mes vœux.
Et mon nom, et mon rang, sont connus dans ces lieux,
De quelques attraits même on m'a souvent flattée...
Ce sont vos mépris seuls qui m'ont désenchantée.
Votre volage amour me détrompe aujourd'hui,
Et j'ai vu mes attraits s'envoler avec lui.
À ma rivale, au moins, donnez-moi pour modèle ;
Qu'elle sache à quel point je suis tendre et fidèle.
Oui, je vous idolâtre, et le dis hautement ;
Ma passion, ingrat, tient de l'égarement,
Et, tout ardent qu'il est, mon cœur n'y peut suffire.
Offrez, offrez ma peine à l'orgueil de Zémire ;
Contez-lui mes transports ; hélas ! j'aime encor mieux
Me perdre en avouant, que de nier mes feux.
Au moment où j'écris, puisqu'il faut tout vous dire,
Un sentiment jaloux m'agite et me déchire ;
Je vous crois inconstant, et ce soupçon cruel
Dans mon cœur furieux enfonce un trait mortel ;
Mais, malgré ma fureur, cher Melcour, je vous aime
Plus qu'on n'aima jamais, cent fois plus que
                                    [moi-même.
Je hais Éléonor, qui fait mon désespoir,
Qui reçut la Française, et qui vous l'a fait voir ;
Je déteste à jamais l'inventeur de la danse,
J'abhorre un art funeste, et moi-même, et la France,
Et l'odieux objet qui vous a su charmer ;
Mais, si je sais haïr, c'est pour mieux vous aimer.
Vous me semblez charmant, quoiqu'ingrat et perfide ;
Plus mon œil vous contemple, et plus il est avide.

Oui, près de ma rivale et presqu'à ses genoux,
Vous m'offrez mille attraits que je ne vois qu'à vous :
Je suis même ravie, au sein de mes alarmes,
Qu'un autre œil que le mien soit frappé de vos
                      [charmes :
J'aime mieux perdre tout, votre amour et vos soins,
Que de vous souhaiter un éloge de moins.
Comment l'amour fait-il pour unir les contraires ?
L'œil le plus exercé sonde en vain ses mystères.
Tout ce qui vous approche excite mon courroux,
Offusque ma tendresse, et rend mon cœur jaloux ;
Et cependant j'irais, malgré tous mes ombrages,
Au bout de l'univers vous chercher des hommages.
Je hais cette Française avec acharnement ;
Je ferais tout, oui, tout, pour causer son tourment ;
Dans votre cœur enfin, le seul bien où j'aspire,
Quoi qu'il pût m'en coûter, je voudrais la détruire...
Et je lui céderais ce bien qu'elle prétend,
Si je croyais qu'ainsi vous fussiez plus content !...
Dans la brûlante ivresse où mon âme se noie,
Je sens si vivement ce qui fait votre joie,
Que pour votre bonheur je sacrifierais bien,
Fût-il d'un seul instant, un siècle entier du mien.
Pourquoi donc, cher Melcour, n'êtes-vous point de
                      [même !
Hélas ! si vous m'aimiez autant que je vous aime,
Quelle félicité ! quels jours purs et sereins !
Une chaîne de fleurs unirait nos destins :
Vous feriez mes plaisirs ; moi, je ferais les vôtres,
Et nos cœurs enviés n'envieraient rien aux autres...
Personne, tu le sais, n'a tant d'amour que moi :
Nulle ne connaît mieux tout le prix de ta foi,
Et je mourrai, cruel, j'en suis bien assurée ;
Si je perds cette foi que ta bouche a jurée :
Accoutumé d'ailleurs aux transports de mes feux,
Avec d'autres que moi tu ne peux être heureux.

Ah ! redoute mon sexe, apprends à le connaître.
C'est pour toi, je le sens, que l'amour m'a fait naître.
Que deviendraient vos soins tendres et délicats,
Si vous trouviez un cœur qui n'y réponde pas ?
Ces regards éloquents, remplis d'un feu si tendre,
Et qui savent parler, comme on sait les entendre,
Par d'autres yeux jamais, j'en atteste les tiens,
Seraient-ils secondés, comme ils sont par les miens ?
Non, jamais, non ; l'amour nous forma l'un pour
                                              [l'autre ;
Il décida mon choix ; il a dicté le vôtre ;
Lui-même il nous apprit l'art de nous enflammer,
Et nous seuls savons bien comment il faut aimer.

V

Je ne puis commander à mon impatience !
Cruel Melcour, quand donc finira votre absence ?
Instruisez-moi du moins... quel siècle ! songez-y.
Voilà déjà deux jours que vous êtes parti !
Vous suivîtes la Cour, ce délai m'en assure,
Moins pour voir nos vaisseaux que pour me faire
                                              [injure,
M'éviter, vous sauver des soins de mon amour.
Je vous suis importune ! oui, je le vois, Melcour ;
De nous deux, en effet, suis-je jamais contente ?
Un rien me met en peine, un rêve me tourmente ;
Quelques heures d'absence ont consterné mon cœur :
Je tremble même, hélas ! dans le sein du bonheur ;
Le vôtre seul alors est ce que j'envisage :

Je voudrais quelquefois vous en voir davantage ;
Mais, quelquefois aussi, vous montrez tant d'ardeur,
Que je n'ose à moi seule en rapporter l'honneur.
Tout, jusqu'à mes transports, contre moi m'indispose,
S'ils échappent à l'œil de l'amant qui les cause.
Un seul regard de moins, et mon trouble renaît ;
Je frémis aussitôt que vous semblez distrait.
Depuis votre départ, mon cœur n'est pas tranquille...
Vous n'êtes cependant qu'à deux pas de la ville,
Votre devoir le veut, et doit être écouté :
Où vous êtes, d'ailleurs, il n'est point de beauté
Dont j'aie à redouter ou l'esprit ou les charmes :
Mais, ce tourment de moins, combien d'autres
                                        [alarmes !
Tout devient, quand on aime, un sujet de frayeur,
La raison ne peut rien pour rassurer un cœur...
Ma crainte, en ce moment, ne t'intéresse guère.
Ces armes, ces vaisseaux, cet appareil de guerre
Vont, dans ton jeune cœur, m'éclipsant à leur tour,
Le désaccoutumer des plaisirs de l'amour.
À cette heure peut-être, au moins je le présage,
Tu songes à me fuir, à quitter ce rivage,
Et tu cherches déjà comment, avec quel art
Tu pourras à mes yeux colorer ce départ...
La France, et ses beautés, et son luxe paisible
Ne me nuiraient pas tant que cette pompe horrible.
Ce n'est pas que je veuille, injuste dans mes vœux,
Borner votre carrière aux soupirs amoureux,
Ni que d'un noble soin je songe à vous distraire ;
Oui, plus que mon bonheur, votre gloire m'est chère.
Je sais trop bien, hélas ! que vous n'êtes point né
Pour consumer vos jours à mes pieds enchaîné ;
Mais je voudrais qu'au moins cette image cruelle
Vous fît autant d'horreur, que j'en ressens pour elle ;
Que vous n'y songiez pas sans des tourments affreux,
Et sans croire mourir avant de tels adieux.

Ne dis point que, trop prompte à saisir l'apparence,
Je cherche à m'alarmer pour t'affliger d'avance.
Quels pleurs verseras-tu, trop injuste Melcour,
Que ne voulût soudain essuyer mon amour !
Non, ne crains rien de moi : quelque nœud qui
                                        [t'engage,
Je serai la première à presser ton courage
D'abandonner ces bords, d'obéir à l'honneur,
Dussé-je, en te perdant, mourir de ma douleur.
Que dis-je ! vois quelle âme à toi s'est enchaînée !
Je me reprocherais l'instant où je suis née,
Si ma perte, en ton cœur contraint de s'immoler,
Ne laissait place à rien qui le pût consoler...
Que veux-je donc ? le sais-je ? aimer toute ma vie,
M'enorgueillir du nœud qui me tient asservie :
Mais, en voulant t'aimer, je veux en même temps
Un amour aussi vif, des feux aussi constants :
Je suis une insensée... Eh bien ! oui, je veux l'être ;
Je consens, s'il le faut, à ne me plus connaître...
Dieu ! quel égarement ! Melcour, pardonne-moi :
Va, je n'en fus jamais coupable que pour toi.
S'il faut, pour être sage, avoir moins de tendresse,
Je garde mon délire, et proscris la sagesse.
C'est l'amour, l'amour seul qui doit nous animer,
Il t'a formé pour plaire, il me fit pour aimer.
Quand il est satisfait, c'est par lui que j'en jure,
Il m'est indifférent que la raison murmure.
Ah ! j'aime seule ainsi ; ce trouble, cette ardeur,
Et cet oubli de tout ne sont que dans mon cœur ;
Tu n'en partages rien ; ton esprit toujours libre
Repose, loin de moi, dans le même équilibre ;
Et tu ne rougis point de cet affreux repos,
Quand la guerre s'apprête et va causer mes maux !...
De cette trahison, non, tu n'es point capable ;
Tu n'es pas à ce point et parjure et coupable ;
Chaque apprêt te consterne et t'aura fait pâlir.

Au seul nom de départ on t'a vu tressaillir...
Que dis-je ? à ton retour, je vais sans doute apprendre
Que Melcour, moins aimable, en a paru plus tendre ;
Et moi, je me dirai, sûre enfin de ta foi :
Il ne veut être aimable et charmant que pour moi.
Reviens enfin calmer la frayeur qui m'agite.
Je n'ai plus que des vœux et des discours sans suite :
Tu peux bien en juger. Je sens comme j'écris,
Et ma lettre, Melcour, peint le trouble où je suis.
Une fois revenu, tu verras ton ouvrage ;
Ces traits chéris par toi, la douleur les ravage ;
Mon front, couvert de deuil, s'obscurcit et s'éteint ;
    Mais sa pâleur vaut mieux que l'éclat d'un beau teint ;
Et je te promettrais de punir Euphrasie,
Si trois jours sans te voir ne l'avaient enlaidie.

VI

Quoi ! vous serez toujours et froid et négligent ?
Rien ne peut vous tirer de ce calme outrageant ?
Plaintes, soupirs, rigueurs, rien ne vous inquiète
Dans les bras d'un rival faut-il que je me jette ?
Le faut-il ? à vos yeux !... hors l'infidélité,
Pour toucher votre cœur, que n'ai-je point tenté ?
Hier, dans les jardins, Alméda, d'un air tendre,
Me proposa sa main, et j'eus soin de la prendre ;
Je restai près de lui, pendant tout le souper,
Et, s'il vous en souvient, il parut m'occuper.
Rencontrais-je vos yeux ? les miens, avec adresse,
Retournaient vers le duc, pleins d'une feinte ivresse ;
Même je lui glissais des mots de temps en temps,

Et ces riens auraient dû vous sembler importants ;
Mais non : vous fûtes sourd à ce furtif langage,
Et vîtes tout ce jeu sans changer de visage.
Ingrat ! en est-ce assez ? ma tendresse pour vous
Méritait bien au moins que vous fussiez jaloux.
À quoi suis-je réduite ? ô ciel ! puis-je le croire !
L'amant qui m'a coûté mon repos et ma gloire,
Lui, que je veux aimer jusqu'au dernier soupir,
Envisage ma perte, et la voit sans frémir !
De la vôtre, cruel, l'ombre seule me tue.
Sur une autre que moi détournez-vous la vue ?
Je tremble, et ce regard, fût-il même innocent,
Échappé loin de moi, me cause un long tourment.
Ce que vous n'accordez qu'à la seule décence,
À ces simples égards, nés de la bienséance,
M'emporte quelquefois le sommeil de deux nuits ;
Et deux jours sans vous voir sont des siècles d'ennuis.
Et d'un autre, à vos yeux, je feins d'être charmée,
Sans qu'un instant votre âme en paraisse alarmée !
Osez encor vous plaindre, ou me vanter vos feux !
Je lis dans votre cœur, et plus que je ne veux.
Moi, souffrir cet affront, et n'être pas vengée !...
Je me sens quelquefois à tel point outragée,
Que l'inconstance alors me paraît un plaisir ;
Mais ce dépit s'apaise, et meurt dans un soupir.
Eh ! qui pourrais-je aimer ? quoiqu'ingrat et coupable,
Hors vous, dans l'univers, rien ne me semble aimable.
Hier même, où j'avais à me plaindre de vous,
Où votre indifférence excitait mon courroux,
Aigri par vos froideurs, désarmé par vos grâces,
Mon cœur trop indulgent s'envolait sur vos traces ;
Tous mes ressentiments étaient faibles et vains,
Un charme accompagnait jusques à vos dédains.
C'est de vous, de vous seul, je ne puis vous le taire,
Que je parlais au duc avec tant de mystère.
Mon amour attentif eût voulu remarquer

Quelque léger prétexte à pouvoir me brusquer ;
Imprudente ! y pensais-je !... ah ! si j'étais moins
[tendre,
J'aurais mille raisons de vouloir vous défendre :
Mon frère m'épiait, nous observait tous deux ;
Tout ce qui m'entourait avait sur nous les yeux ;
La moindre expression pouvait être entendue ;
Un regard indiscret, un geste m'eût perdue :
Mais avec un peu d'art, ne pouviez-vous pas bien
Me paraître jaloux sans que l'on n'en vît rien ?
Oui, j'eusse interprété jusqu'à votre silence.
Avec tous vos regards les miens d'intelligence
Auraient lu dans vos yeux cent dépits retenus,
Qu'un monde indifférent n'aurait point aperçus :
Hélas ! je n'y vis rien... que de l'amour peut-être ;
L'amour dans ces moments devait-il y paraître ?
J'y cherchais l'embarras, le trouble, la douleur,
Toutes les passions qui tourmentent le cœur :
Il fallait m'abhorrer, toujours me contredire,
Vanter une autre femme, et même lui sourire,
Être jaloux... oui, oui, vous le deviez, Melcour,
Puisqu'enfin ma conduite offensait votre amour.
Au lieu de ces transports d'une âme courroucée,
Vous reprîtes la main qu'au duc j'avais laissée !...
Félicitez-vous bien ! ciel ! si je l'avais cru,
Si j'avais su prévoir ce que depuis j'ai vu !...
Mais, en eussé-je encor découvert davantage,
La force du penchant maîtrisait mon courage :
Le cœur ne juge point les traits qui l'ont charmé ;
Avec tous vos défauts, je vous aurais aimé
Quand je songe, cruel, à ces moments d'ivresse,
Que m'a fait dans tes bras éprouver ma faiblesse,
Va, cet enchantement, ces tendres souvenirs,
Me laissent des regrets, et non des repentirs.
Ah ! si je brûle ainsi, quand Melcour me tourmente,
Combien je l'aimerais si j'étais plus contente !

Que dis-je ? tu m'as vu ressentir tour à tour
Et la crainte et l'espoir, la colère et l'amour :
Dans ce flux et reflux, plaintive ou fortunée,
Fus-je un instant moins vive et moins passionnée ?
Aime enfin, aime, ingrat, partage tous mes feux,
Imite-moi, Melcour, tu seras plus heureux.
La vie est un fardeau quand elle est languissante :
Il n'est point de bonheur pour l'âme indifférente ;
Mes transports sont mes biens, et mes biens les plus
                                                   [doux,
Les seuls dans l'univers dont mon cœur soit jaloux.
Toi, le consolateur et le dieu d'Euphrasie,
Toi, le soutien, l'arbitre et l'âme de ma vie !
S'il faut ne plus t'aimer avec le même excès,
J'aime mieux me résoudre à ne te voir jamais.

VII

Quel motif a dicté votre dernier billet ?
Vouliez-vous m'éprouver ? pensez-vous, en effet,
Que je puisse, au mépris d'un cœur comme le vôtre,
M'attendrir, m'enflammer et brûler pour un autre ?...
J'en pardonne la peur, peut-être je le dois :
Quoi qu'un pareil soupçon ait d'offensant en soi,
Je ne m'en défends pas, je l'eus souvent moi-même,
Et vous savez pourtant à quel point je vous aime !
Mais croire ainsi le crime à jamais consommé,
Invectiver l'objet que vous avez charmé,
Oser me protester, avec tant d'assurance,
Que vous avez juré d'éviter ma présence,

Fuir enfin tous les lieux où s'adressent mes pas...
Voilà de ces forfaits qu'on ne pardonne pas !
De craintes, comme vous, j'eus l'âme tourmentée :
Je fus souvent jalouse et non pas emportée.
Dans mon plus fort dépit, mon cœur se souvenait
Que c'était vous, Melcour, que ce cœur soupçonnait.
Quoi ! le vôtre, à ce point, m'offense et m'injurie ;
Le vôtre, hélas ! payé du repos de ma vie !
Dès que vous le laissez, un moment, sur sa foi,
Ses premiers mouvements se tournent contre moi ;
Et toujours ce qu'il laisse échapper sans étude,
Ou m'exprime un outrage, ou peint l'ingratitude...
Allez, ingrat, allez ; sans m'armer de raisons,
Je veux, pour vous punir, vous laisser vos soupçons.
Je pourrais vous guérir, je le voudrais peut-être ;
Mais non ; dans son erreur je dois laisser un traître.
Doutez, que ce soit là votre premier tourment.
Oui, oui, je vous abhorre et j'aime un autre amant ;
Vous ne vous trompez pas dans votre conjecture,
Des femmes qu'on aima je suis la plus parjure...
Je n'ai pourtant point vu celui dont vous parlez,
Les feux de ce rival sont au moins bien voilés :
Ma main n'a point écrit le billet que l'on cite,
Et je ne comprends rien aux débats qu'il excite.
Il ne tiendrait qu'à moi, Melcour, de m'excuser ;
Mais il ne me plaît pas de vous désabuser :
Eh ! pourquoi le ferais-je ? obéir à l'audace !
Pardonner à l'orgueil, et craindre la menace !
Jamais. Lorsqu'on souhaite un éclaircissement,
Pense-t-on l'obtenir par de l'emportement ?
Vous partez, dites-vous, vous fuyez cette ville ;
Contre ma perfidie il vous faut un asile,
Dans cet affreux dessein vous semblez affermi,
Et vous poignarderiez votre meilleur ami,
Si chez moi, dites-vous, il osait vous conduire...
Voilà donc les projets que l'amour vous inspire !

246

Pour vous être en horreur, que vous ont fait mes yeux ?
Vous n'y lûtes jamais que les plus tendres feux,
Et ces transports si vrais que votre aspect me donne...
C'est bien de quoi, barbare, abandonner Lisbonne.
Demeurez : si c'est là ce qui vous fait partir,
Je vous épargnerai la peine d'en sortir.
Après tous ces affronts dont l'image me tue,
C'est à moi bien plutôt d'éviter votre vue.
La mienne, à votre cœur, que je crus désarmer,
N'a coûté que l'ennui de vous laisser aimer ;
Et la vôtre, cruel, démentez Euphrasie,
M'enleva tout le calme où je coulais ma vie ;
Je lui dois mes tourments, mes craintes, mes soupirs...
Il est vrai qu'autrefois elle a fait mes plaisirs,
Je ne m'en cache pas : quand je me représente
Ce désordre soudain, cette ivresse charmante,
La vive émotion, et les secrets combats
Qui dans moi s'élevaient, au seul bruit de tes pas,
Cette heureuse langueur dans mes sens répandue,
Ces longs frémissements de mon âme éperdue,
Tout ce que j'éprouvais (seule je m'en souviens)
Quand nous pouvions saisir un moment d'entretien ;
Regrettant ces beaux jours, ce bonheur si rapide,
Je te pardonne tout, et ne sais plus, perfide,
Ni comment je vivais, avant de t'avoir vu,
Ni comment je vivrai, quand je t'aurai perdu...
Et vous me proposez une éternelle absence !
Vous serez satisfait ; triomphez-en d'avance !
Je voudrais cependant vous reprocher vos torts,
Vos coupables éclats, et vos jaloux transports ;
Je voudrais, mesurant le supplice à l'offense,
Avant de vous punir, prouver mon innocence.
Je vous la prouverais avec tant de clarté,
Que vous détesteriez votre crédulité,
Et que je vous verrais, honteux de vos alarmes,
En rougir à mes pieds, arrosés de vos larmes.

Déjà, pour mieux jouir d'un spectacle si doux,
J'ai voulu, par trois fois, me transporter chez vous ;
Et que sais-je ?... peut-être y serai-je entraînée,
Et n'attendrai-je pas la fin de la journée.
Oui, crains les vœux ardents d'un cœur à l'abandon ;
L'excès de mon dépit peut m'ôter la raison :
Mais je connais vos goûts et votre caractère ;
Cet imprudent éclat n'est point fait pour vous plaire :
Vous êtes né discret, je l'avoue et le dois ;
Vous eûtes de ma gloire autant de soin que moi :
Je vous vis même outrer cette délicatesse,
Et la pousser au point d'affliger ma tendresse.
Que diriez-vous de moi, si j'allais follement
Dévoiler vos secrets, et nommer mon amant ?
Vous me mépriseriez (trop justement peut-être)
Et je mourrais plutôt de consentir à l'être.
Votre estime, cruel, est un besoin pour moi.
Trahissez mon amour, ôtez-moi votre foi,
Contre une malheureuse éclatez en murmures ;
Dans votre emportement dites-lui des injures,
Si vous le pouvez même, haïssez ses appas :
Mais, de grâce, Melcour, ne la méprisez pas...
Voilà, dans ce moment, la crainte qui m'agite ;
Et voilà, près de vous ce qui m'aurait conduite ;
Car ce n'est point l'amour. Moi ! de l'amour pour
                                                    [vous !
Non. Vous avez éteint un sentiment si doux...
À bien prendre pourtant votre injuste colère,
En faveur du motif, elle doit m'être chère ;
Melcour, s'il aimait moins, serait moins emporté.
Est-ce une illusion ? est-ce une vérité ?
Eh ! que m'importe à moi ? je suis inexorable ;
Fussiez-vous innocent, je vous vois en coupable.
J'aime à vous trouver tel ; oui, je vais de ce pas
Vous fuir... aller partout où vous ne serez pas ;

Je veux être en courroux, et loin de m'en dédire,
Je veux... je jure, ingrat, de ne jamais t'écrire.

VIII

Trahissons nos serments, c'est moi qui t'en conjure !
Il m'en coûte trop cher à n'être point parjure :
Quand on aime, dis-moi, sait-on ce que l'on veut ?
Voyons-nous, cher Melcour, à l'instant, s'il se peut.
Cruel, par vos soupçons vous m'aviez outragée ;
En ne vous voyant pas, je crus m'être vengée.
Quelle vengeance, ô ciel ! j'ai pu la concevoir !...
Je ne puis respirer ni vivre sans te voir.
N'avons-nous pas assez d'involontaires gênes,
Sans conspirer nous-mêmes à nous forger des peines ?
Viens, loin de ton amante écarter les soupirs,
Tranquilliser son âme et la rendre aux plaisirs.
Tu me cherches, dis-tu, pour obtenir ta grâce,
Viens, dût ton œil encor m'annoncer la menace :
Viens, accours ; j'aime mieux, dans mon trouble

[pressant,

Te voir même irrité, que te pleurer absent.
Que dis-je ? dans tes yeux il n'est plus de colère ;
Ils sont brûlants d'amour et du désir de plaire ;
Ce matin, dans le temple, ils m'ont paru si doux !
J'y vis le repentir et non pas le courroux.
As-tu lu dans les miens, qu'un tendre espoir anime,
Le plaisir que j'aurais à pardonner ton crime ?
Oublions nos débats, nos soupçons inquiets ;
Évitons-les toujours, et n'en parlons jamais.

Eh ! comment pourrions-nous douter de notre
[flamme ?
Melcour, c'est pour t'aimer que le ciel fit mon âme ;
Et si pour m'adorer il ne t'eût destiné,
Tu n'aurais jamais eu le cœur qu'il t'a donné...
Il t'a formé pour moi ; mais depuis notre feinte,
Des maux que j'ai soufferts as-tu senti l'atteinte ?
Oui, sans doute : à travers ces instants de fureur,
L'étoile agit, l'emporte, et l'on cède à son cœur.
Grand dieu ! que j'ai trouvé cette feinte pénible !
Qu'il m'a fallu d'efforts pour paraître insensible !
Et qu'on est dupe, hélas ! de s'enlever, Melcour,
Des jours trop fugitifs, réclamés par l'amour !
Je te suivais partout, sans pouvoir m'en défendre :
Où tu devais aller, moi, je courais t'attendre :
Au défaut de la voix, des gestes, des serments,
Mon âme par mes yeux expliquait ses tourments.
Cet état fut le tien ; fidèle au même empire,
Dans les lieux où j'étais tu te laissais conduire :
N'allons point au hasard en rapporter l'honneur ;
Les hasards de l'amour sont des projets du cœur.
Jamais dans tes regards (tu me croiras bien vaine)
Je ne vis tant d'amour que depuis notre haine.
Lorsque d'un nœud charmant on devrait profiter,
Il semble qu'on se plaise à se persécuter.
Ne nous en plaignons pas : on ne saurait mieux faire
Que de montrer ainsi son âme tout entière.
Je te connaissais tendre, et non pas emporté ;
Je savais ton ardeur, j'ignorais ta fierté :
Je te croyais jaloux (être amoureux, c'est l'être) :
Mais cette jalousie était encore à naître ;
J'ignorais ses degrés, ses divers mouvements,
Et vouloir tout apprendre est le droit des amants.
Bannissons cependant, crois-en ton Euphrasie,
Moi, d'indiscrets désirs et toi, ta jalousie :
De cette passion étouffant les progrès,

Laisse briller, Melcour, tes véritables traits.
Quelque dehors qu'on prenne, en nous rendant
[hommage,
Celui d'amant heureux sied toujours davantage.
Tel qui n'est point aimable après ses vœux remplis,
Le serait encor moins, essuyant des mépris ;
Et, lorsque la maîtresse, à qui vous savez plaire,
Ne sait point commander à votre caractère,
Augmenter vos vertus, embellir son vainqueur,
C'est le tort d'une amante, et non pas du bonheur.
Je raisonne au hasard, et toi seul dois m'instruire...
À l'heure où je t'écris, je ne peux que t'écrire :
Si je pouvais te voir, te presser sur mon sein,
De ma lettre bientôt j'aurais hâté la fin.
Inventé pour charmer les ennuis de l'absence,
Ce muet entretien ne vaut point la présence :
Entre ces deux plaisirs mon choix n'est pas douteux ;
De l'un je jouis seule, et l'autre est à nous deux :
Mais cet autre est toujours altéré par la crainte,
Et le premier du moins est goûté sans contrainte.
Dans ce moment tranquille, où tout repose ici,
Et se croit trop heureux de reposer ainsi,
Où la réalité fuit devant les mensonges,
Où la terre est livrée au prestige des songes,
Je jouis d'un bonheur bien cher à mes désirs ;
La paix qui m'environne ajoute à mes plaisirs.
La nuit me laisse libre, et mon cœur en profite ;
Eh ! quel calme vaudrait le trouble qui l'agite ?
Qu'on est heureux d'aimer ! je plains bien, cher
[Melcour,
La triste oisiveté des mortels sans amour...
Le jour naît : quel instant pour mon âme enchantée !
Il eût paru plutôt, s'il m'avait consultée ;
Que le soleil est lent, et qu'il sert mal nos vœux !
Ah ! comme nous, sans doute, il n'est pas amoureux...
Adieu ; je m'assoupis pour tromper sa paresse ;

Ce calme de mes sens n'endort point ma tendresse.
Plaise, plaise à l'amour d'abréger mon sommeil,
Si je puis te revoir à l'instant du réveil !

IX

Suis-je bien Euphrasie ? êtes-vous bien Melcour ?
Quoi ! vous m'avez enfin témoigné de l'amour ;
Et je n'ai point senti cette rapide ivresse
Qui, du cœur émanée, y répand l'allégresse !
J'ai lu dans vos regards un désordre flatteur,
D'impatients dépits, la tendresse et l'ardeur.
Moi, je n'ai point changé, mon penchant est le même,
Et je suis à mes yeux d'une froideur extrême !
Que ce malheur vous serve à redoubler vos soins.
Pour le tort d'un moment, que de transports de moins !
Une importune voix vient sans cesse me dire
Que votre amour s'éteint quand ma colère expire ;
Que ce trouble, ces feux, cette vivacité,
Prouvent plus d'art en vous que de sincérité.
Quand on aime, grand dieu ! (sans compter tout le
                                        [reste)
Que la délicatesse est un présent funeste !
Et de combien de traits elle arme la douleur,
Avant que d'amener un instant de bonheur !
Vos transports, dont je fais mon unique délice,
S'ils n'étaient que fardés, deviendraient mon supplice :
Mon cœur demande un cœur, et craint plus, je le sens,
L'étude des désirs que le calme des sens.
L'intérieur échappe à des âmes grossières ;
L'âme sensible y lit et perce ses mystères.

Hier, je l'avouerai, de noirs pressentiments
Me glaçaient au milieu de vos emportements :
À travers ce qu'en vous mes yeux voyaient paraître,
Je voulais démêler ce que vous pouviez être.
Que devenais-je ? ô dieu ! si, malgré vos dehors,
D'un cœur qui veut tromper j'eusse vu les efforts ?
Je vous préfère à tout, à ma gloire, à ma vie ;
La fortune, sans vous, n'a plus rien que j'envie,
Et je préfèrerais, n'en doutez point, Melcour,
La haine ouverte et franche au masque de l'amour.
Soyez froid, négligent, osez même vous plaindre,
Ayez tous les défauts, plutôt que l'art de feindre ;
L'art m'est trop odieux ; la feinte, cher amant,
Est le plus grand forfait qu'on commette en aimant ;
Oui, l'infidélité (son nom seul m'épouvante)
Oui, ce comble des maux pour l'âme d'une amante,
Plus aisément en vous je saurais l'excuser,
Que de pénibles soins pour me la déguiser.
Mais, pourquoi m'alarmer ? écartons cette image ;
Vous ne serez, Melcour, ni fourbe, ni volage.
Hier, entre mes bras, que vous étiez charmant !
Vos grâces s'animaient des feux du sentiment ;
Vos yeux étaient plus vifs, votre regard plus tendre,
Contre des feux si vrais ai-je pu me défendre ?
Vous ne m'abusiez point : votre amoureuse ardeur,
Errante sur ma bouche, allait chercher mon cœur ;
Combien j'étais heureuse ! ah ! tu m'apprends à l'être :
Je te dois mon amour, mes sentiments, mon être ;
Tu peux m'abandonner, combler mon désespoir ;
Mais, du moins, ma tendresse est hors de ton pouvoir :
Je t'aimerai toujours, tendre, fidèle ou traître,
Malgré moi-même, hélas ! et malgré toi, peut-être...
Je te fournis encor des armes contre moi ;
N'importe, est-ce à la crainte à maîtriser ta foi ?
Croirais-je, avec plus d'art, mieux garder ma conquête ?
Quand l'amant n'aime plus, il n'est rien qui l'arrête.

Les bienfaits quelquefois enchaînent l'amitié ;
Mais l'amour est sans frein, et, surtout, sans pitié.
Va, je me livre entière au plaisir qui m'enivre :
Ce n'est point la raison, c'est le cœur qu'il faut suivre :
En voyant ce qu'on aime, on se laisse entraîner
Et l'on n'a point le temps de rien examiner.
Dans tous mes mouvements il n'entre aucune étude ;
Je ne veux pas non plus languir dans l'habitude ;
Elle énerve l'amour ; quand je te suis partout,
Je cède à mon penchant, je consulte mon goût ;
C'est une avidité curieuse et sentie,
Toujours renouvelée, et jamais amortie.
Je te cherche souvent, crois l'aveu que je fais,
En des lieux où je sais que tu ne viens jamais.
Si de ces doux instincts tu ressens la puissance,
Nos âmes se joindront en dépit de l'absence.
On me force, grand dieu, de passer tout le jour
Dans un monde importun, que ne voit pas Melcour !
Mais, remplis l'un de l'autre, une absence funeste
Ne peut nous séparer, si le désir nous reste.

LETTRE X

MELCOUR À EUPHRASIE

Puis-je le prononcer ! adieu, chère Euphrasie :
Je te quitte... ou plutôt je vais quitter la vie.
Vivrais-je loin de toi ? non, je cède à mon sort :
T'annoncer mon départ, c'est t'annoncer ma mort.
N'en doute pas, je meurs, puisque je t'abandonne.

Plus de bonheur pour moi !... le deuil seul
[m'environne.
Charmante illusion, que devient ton bandeau ?
Il tombe... ma patrie est pour moi le tombeau.
Et je pars cependant... je pars, et je te laisse !...
Ah ! ces mots foudroyants m'ont rendu ma faiblesse.
Comme tout est changé ! mon amour autrefois
Me remplissait de calme et d'ivresse à la fois ;
Mon sort en dépendait, il dissipait mes plaintes,
Ta main séchait mes pleurs, ta voix chassait mes
[craintes.
Après tant de plaisirs !... cet amour aujourd'hui
N'ouvre au fond de mon cœur que des sources d'ennui.
Alors, hélas ! alors, de toi l'âme remplie,
Je profitais des biens que m'offrait Euphrasie,
J'en goûtais à longs traits la tranquille douceur,
Et je pouvais du moins répondre à ton ardeur.
Plus ces biens maintenant promettent de délice,
Plus je sens par leur perte augmenter mon supplice.
Je vois tout mon bonheur, et ne puis l'accepter !
J'expire en te quittant, et je dois te quitter !
Vois à qui de nous deux ma fuite est plus funeste ;
Je perds mon Euphrasie, et mon amour me reste !
Qui m'a fait aborder ces rivages affreux ?
Pourquoi venir si loin pour être malheureux ?
Que n'ai-je fui ces traits, dont mon âme est charmée ?
Pourquoi t'ai-je connue, et d'où vient t'ai-je aimée ?
Qu'ai-je fait ? j'aurais dû, plus sage dans mes vœux,
Choisir dans ma patrie un objet à mes feux ;
J'eusse, en nous séparant, emporté l'espérance ;
L'attente du retour eût consolé l'absence.
Que dis-je ! téméraire ! eh ! qui pouvais-je aimer ?
Quelle autre qu'Euphrasie aurait pu me charmer ?
Non : il fallait tes yeux, et leur douce puissance,
Pour agiter le cours de mon indifférence ;
Il me fallait ton cœur, pour y puiser l'amour ;

255

Il te fallait entière à l'âme de Melcour.
J'aimais à te laisser un souverain empire ;
Et voilà quels liens il faut que je déchire !
Je veux, et ne veux plus... ou plutôt je ne puis,
Malheureux ! on l'ordonne, il le faut... et je vis !
Ah ! que ne peux-tu voir mes combats, mes alarmes !
Mes yeux appesantis et noyés dans les larmes !
Tu cesserais, crois-moi, d'accuser ton amant,
Et, loin de l'aggraver, tu plaindrais son tourment.

Ô divine Euphrasie ! ô trop sensible amante !
Je vous quitte au moment où mon amour augmente,
Quand vous m'aimez le plus, et quand, malgré vos
                      [soins,
Vous m'osez soupçonner de vous adorer moins !
C'est là de mes ennuis le plus insupportable ;
N'étant qu'infortuné, je vous parais coupable.
Eh ! que sais-je ? peut-être, en m'éloignant de toi,
Je perds en même temps ta présence et ta foi.
Au nom de ma douleur, sois-moi toujours fidèle !
Quand je suis malheureux, me serais-tu cruelle ?
Ta constance du moins rendra mes maux plus doux,
C'est un devoir d'aimer ceux qui souffrent pour nous,
C'est un devoir sacré, que ton cœur doit connaître ;
En te le rappelant, je t'offense peut-être.

Qu'ai-je entendu ?... c'est moi que l'on vient avertir ?
Tout est prêt, on m'appelle, on m'attend pour partir !
Que ne part-on sans moi ! vainement je l'espère,
Je vois entre nous deux s'élever la barrière...
Où vous enfuyez-vous, trop courts enchantements ?
Chère Euphrasie !... hélas !... songez à vos serments ;
Rappelez-vous les miens, la douceur de nos chaînes,
Nos transports, nos plaisirs, et quelquefois mes peines.
Je vais donc affronter l'inconstance des mers !
Mais, si, quand je te quitte, en effet je te perds,

Brisé par les écueils, que mon vaisseau périsse,
Que dans ses profondeurs l'océan m'engloutisse !
Ou puisse, loin de toi, sur quelque roc fumant,
Par les coups du tonnerre, expirer ton amant !
Secours trop incertain ! va, si ton cœur m'oublie,
Ma douleur suffira pour m'arracher la vie ;
L'amour, mieux que les vents et les flots mutinés,
Peut abréger les jours qu'il rend infortunés.
Mais non, tu m'aimeras : chère et tendre victime,
Je dépens, tu le sais, et l'honneur fait mon crime.
Ciel ! on m'entraîne... adieu... pour la dernière fois !
Je tremble... les sanglots ont étouffé ma voix !

XI

Quoi ! je ne verrai plus les yeux de mon amant !
Ces yeux où je puisais le feu du sentiment,
Qui tenaient lieu de tout à mon âme enivrée,
Et nourrissaient l'ardeur dont elle est dévorée,
Je ne les verrai plus !... contre moi tout s'unit...
Est-ce de trop aimer que Melcour me punit !
Cher et fatal objet de mes peines profondes,
Mes soupirs jusqu'à vous égarés sur les ondes,
Ne m'en rapportent rien qu'un solitaire effroi,
Et des garants trop sûrs que tout finit pour moi.
Suis-je assez confondue ? assez infortunée ?
Il ne me manquait plus que d'être abandonnée.
De peur qu'un faible espoir ne flatte mon tourment,
Une secrète voix me dit à tout moment :
« Renonce à ton amour, trop crédule Euphrasie,
À quoi bon ces regrets qui consument ta vie ?

257

C'est en vain que ton cœur, par des vœux superflus,
Redemande un ingrat qui ne t'entendra plus.
Il a passé les mers, il a revu la France ;
De tes sanglots perdus lui-même il te dispense :
Au milieu des plaisirs, il rit de tes malheurs,
Et ne s'informe pas si tu verses des pleurs. »
Vous, m'oublier, ô ciel ! après m'avoir trahie !
Non, votre âme est légère, et non pas endurcie.
Les soins de votre amour me sont toujours présents.
Qu'ils étaient empressés ! qu'ils étaient séduisants !
De leur doux souvenir sans cesse possédée,
Je les ai trop chéris pour en perdre l'idée.
Ces tendres souvenirs, ces souvenirs charmants,
Devraient-ils aujourd'hui se changer en tourments ?
Quelle lettre, grand Dieu ! quel horrible message !
De mes sens, de ma force, ils m'ont ôté l'usage :
Il semblait que mon cœur, frappé de mille coups,
Se détachât de moi pour s'envoler à vous :
Non, je ne voulais plus de retour vers la vie...
Je te perds, il faut bien qu'elle me soit ravie.
Enfin, malgré moi-même, on me rendit au jour :
J'aimais à me sentir mourante pour l'amour,
Et triomphais déjà de n'être plus réduite
À pleurer ton absence, à gémir de ta fuite.
Eh ! voilà donc le prix de la plus tendre ardeur !
N'importe !... j'ai juré de te garder mon cœur,
Je tiendrai mes serments ; imite ma constance,
Vois les autres beautés avec indifférence.
Eh ! pourras-tu, Melcour, en de nouveaux liens,
Souffrir jamais des feux moins ardents que les miens ?
Souviens-t'en : tu m'as dis cent fois que j'étais belle ;
On peut l'être encor plus, mais jamais plus fidèle :
Jamais autant d'amour ne peut répondre au tien,
Et l'amour excepté, tout le reste n'est rien.
Souviens-toi qu'en ces lieux tu m'as fait la promesse
D'y revenir un jour consoler ta maîtresse ;

Ne va point l'oublier... ah ! si, brisant mes nœuds,
Je pouvais m'arracher à ce cloître odieux,
Rien ne m'arrêterait, et, loin des bords du Tage,
Oui, j'irais te chercher sur un autre rivage,
T'idolâtrer partout, renaître dans tes bras :
Que m'importent les lieux ? le cœur fait les climats...
Sais-je ce que je dis ? sais-je ce que je pense ?
Non, non, je ne veux point nourrir cette espérance ;
Peut-être j'y pourrais trouver quelque douceur...
Et je hais tout plaisir qui distrait ma douleur.
Mais, d'où vient, dites-moi, m'avez-vous donc choisie,
Pour me désespérer, pour m'arracher la vie ?
Avec autant de soin fallait-il m'enchanter,
Puisque vous saviez bien qu'il faudrait me quitter ?
Que ne me laissiez-vous dans ma retraite obscure ?
Quel crime ai-je commis ? t'ai-je fait quelque injure ?
Pardonne, cher amant, je ne t'impute rien :
Plaire, voilà ton sort, et souffrir est le mien ;
Le comble de mes maux est de n'oser m'en plaindre.
De la fortune enfin je n'ai plus rien à craindre !
Eh ! quels nouveaux combats peut-elle me livrer ?
Le dernier de ses coups fut de nous séparer.
Écris-moi, par pitié ! dussé-je être importune,
Je veux suivre avec soin le cours de ta fortune,
Jouir de tes succès ; surtout, reviens me voir ;
Si tu ne veux ma mort, laisse-moi cet espoir :
Tout incertain qu'il est, il a pour moi des charmes...
Adieu ! ce triste écrit est baigné de mes larmes ;
Je ne puis le quitter ! combien il est heureux !
Remis entre tes mains, il fixera tes yeux,
Et moi, moi, malheureuse !... eh ! que dis-je, insensée ?
De pleurs et de sanglots mon âme est oppressée !
Adieu ! je m'affaiblis... la mort est dans mon sein ;
Mais, hélas ! si ton cœur m'aime et plaint mon destin,
Contre tous ses revers, Euphrasie est armée :
Que je souffre encor plus et que je sois aimée !

XII

Que vais-je devenir ? que faut-il que je fasse,
Et comment ai-je pu m'attirer ma disgrâce ?
J'espérais que vos soins, votre zèle empressé,
Marqueraient tous les lieux où vous avez passé ;
Que, de chaque séjour, attentif à m'écrire,
Mes yeux seraient sans cesse occupés à vous lire ;
Qu'en flattant ma douleur de vous revoir un jour,
Vous sauriez consoler un malheureux amour,
Et que, sûre de vous, libre de jalousie,
Sans d'extrêmes douleurs je souffrirais la vie.
Si même vous m'aviez interdit tout espoir,
Je voulais me guérir... ou croyais le vouloir :
Votre brusque départ, les craintes d'une amante,
Les mouvements d'un cœur que le dépit tourmente,
Une si longue absence, un retour si douteux,
L'attendrissement feint de vos derniers adieux,
Et mille autres raisons, hélas ! trop inutiles,
Promettaient du relâche à mes sens plus tranquilles.
L'amour s'armait en vain, j'ai cru le surmonter,
Seule, je me croyais plus facile à dompter...
Je ne connaissais pas jusqu'où va ma tendresse !
L'essai de mon courage a prouvé ma faiblesse.
Que mon sort est cruel ! et qu'il me serait doux
De partager du moins mes douleurs avec vous !
Avec vous ! non, votre âme est trop inaccessible ;
Et même à nos plaisirs elle était peu sensible.
Lorsque vous me juriez d'être fidèle amant,
Vous songiez au parjure au milieu du serment.
Mon délire emporté, mes naïves tendresses,
Vous arrachaient alors quelques feintes caresses :
Attentif à séduire, et redoutant d'aimer,
Vous faisiez, de sang froid, le vœu de m'enflammer :

Je vous plains !... Malheureux, dont l'âme indifférente
N'a point su profiter des transports d'une amante !
Je regrette pour vous ces biens trop méconnus,
Et ces plaisirs si purs que vous avez perdus.
Si vous les connaissiez, vous ne pourriez comprendre
Celui qu'on trouve, hélas ! à tromper un cœur tendre ;
Et vous éprouveriez qu'on est bien plus heureux
De ressentir l'amour que d'inspirer ses feux.
Sais-je ce que je suis et ce que je désire ?
Un sentiment m'apaise, un autre me déchire.
Oui, je vous idolâtre, et n'ose souhaiter
Que les mêmes transports viennent vous agiter.
Je mourrais de douleur, si j'étais assurée
Qu'à ces cruels combats votre vie est livrée,
Que tout vous importune, et vous est odieux,
Que des pleurs éternels ont inondé vos yeux.
Je succombe à mes maux, ils me semblent horribles ;
Mais les vôtres encor me seraient plus sensibles.
Que faire cependant, et puis-je consentir
Que vous me bannissiez de votre souvenir ?
Ce cœur, je l'avouerai, hait avec violence
Tout ce qui vous attache et vous retient en France :
Je vous écris pourtant, et je ne sais pourquoi.
Vous daignerez peut-être avoir pitié de moi ;
Gardez votre pitié, je n'en veux point ; je tremble
Quand tout ce que j'ai fait à mes yeux se rassemble.
Dites ; que n'ai-je point sacrifié pour vous ?
De mes parents altiers j'ai bravé le courroux,
Les lois, l'affreux tourment de vivre méprisée,
Jusqu'à la honte enfin de me voir abusée ;
(Car, parmi les ennuis amassés sur mon cœur,
Votre inconstance encore est mon plus grand malheur.)
Eh bien ! quand je m'oppose à des feux si coupables,
Je sens que mes efforts ne sont pas véritables ;
Je sens, au fond de l'âme, un plaisir suborneur
D'avoir risqué pour vous ma vie et mon honneur.

Voilà quelle je suis ; vous devez me connaître :
De mes biens les plus chers n'êtes-vous pas le maître ?
Que dis-je ! mon amour devrait plus éclater,
Et, tout ardent qu'il est, ne me peut contenter :
Je vous ai vu partir, je n'ai plus d'espérance,
J'ai vu s'accumuler les siècles de l'absence.
Tout vous enchaîne ailleurs, infidèle ! et je vis !
Mon désespoir n'est donc que dans ces vains écrits ?
Et je prétends aimer ! cessez de vous contraindre,
C'est moi qui vous trahis, c'est à vous de vous
                                    [plaindre.
Croirez-vous à des feux qui n'ont que des éclats ?
J'implore mon pardon, mais ne l'accordez pas,
Ne l'accordez jamais, soyez plus difficile ;
Dites que vous voulez ma douleur moins tranquille :
Ordonnez, exigez que je meure d'amour ;
Le sacrifice est prêt, je ne tiens plus au jour...
J'ai besoin seulement, sous tes lois asservie,
Que ta voix m'encourage à sortir de la vie ;
De l'espoir à l'effroi passant à tout moment,
J'ai besoin d'expirer par l'ordre d'un amant.
Un trépas éclatant, je commence à le croire,
M'aurait peut-être acquis des droits sur ta mémoire ;
Eh ! ne vaut-il pas mieux que l'état où je suis ?
Adieu ! je m'abandonne au cours de mes ennuis !
Ciel ! pourquoi t'ai-je vu ? je voudrais bien, perfide,
N'avoir jamais sur toi porté mon œil timide.
Quels discours ! n'y crois pas, tout mon cœur le
                                    [dément.
Cher Melcour, moi, nourrir cet affreux sentiment !
Ton amante, à jamais, chérit sa destinée ;
L'âme qui vit pour toi n'est plus infortunée ;
Et, malgré les tourments de ce cœur abattu,
Mon plaisir le plus vif est de t'avoir connu.
À l'excès de ma peine enfin si je succombe,
Promets-moi, cher amant, de pleurer sur ma tombe,

De regretter mon cœur, de me garder le tien,
D'arracher au trépas un si tendre lien.
Jure qu'après ma mort, ce terme que j'envie,
Tu vas tout oublier, hors ta chère Euphrasie ;
Que, dans cet univers, où j'ai su te charmer,
Je ne laisserai rien que Melcour puisse aimer.
Tu serais trop cruel, si, contre mon attente,
Mon trépas te servait auprès d'une autre amante ;
Si, pour mieux la séduire, et la mieux enflammer,
Tu te vantais des feux que tu sus allumer.
Par mes pleurs, tu le vois, ma lettre est effacée...
Ah ! plains l'égarement d'une femme insensée ;
Mais qui ne l'était pas, qui disposait de soi,
Avant de te connaître et de brûler pour toi.
Ce désordre, ces feux, va, je t'en remercie ;
Tout ce qui vient de toi plaît à ton Euphrasie,
Et je regrette encor le calme inanimé,
Où sommeillait mon cœur, avant d'avoir aimé...
Adieu ! ma main n'a plus la force de t'écrire ;
Mais mon cœur n'a pas dit tout ce qu'il voulait dire.

XIII

Que sert de vous écrire ? ah ! le soin que je prends,
Loin de les seconder, nuit à mes sentiments.
Dieu ! qu'ai-je fait ! combien je me suis abusée,
En suivant de mon cœur la pente trop aisée !
Mon amour avait mis un bandeau sur mes yeux.
Plus il fut tendre et vrai, plus il est malheureux.

Tout fuit, tout disparaît, mes beaux jours
[s'obscurcissent,
Ma passion augmente, et mes plaisirs finissent !
Eh ! devais-je espérer que mes plus grands efforts
Pussent vous retenir sur ces funestes bords ?
Je ne mérite pas que pour moi l'on oublie
Sa fortune, sa gloire, et surtout sa patrie.
La douleur dans mon âme entre par tous mes sens ;
Un bonheur qui n'est plus ajoute aux maux présents
Quoi ! je brûle à jamais d'une flamme inutile !
Tu ne reviendras plus embellir cet asile,
Cette alcôve déserte, où le lever du jour
Nous surprit tant de fois dans les bras de l'amour !
Fugitives douceurs, rapides étincelles !
L'ardeur qui les produit s'évapore avec elles.
Que sont, hélas ! des feux par les sens allumés,
Qui meurent aussitôt que les sens sont calmés ?
Ah ! je devais alors, des miens toujours maîtresse,
Rappeler ma raison, pour aider ma faiblesse,
Pour modérer l'excès de mes emportements,
M'avertir et m'apprendre à prévoir les tourments.
Mais à tous vos transports je me livrais en proie :
Comment peut-on soi-même empoisonner sa joie ?
Je m'apercevais trop que j'étais avec vous,
Pour craindre votre absence en des instants si doux !
Je me souviens pourtant d'avoir osé te dire :
« Un jour peut-être, un jour tu feras mon martyre ».
Un seul mot me calmait ; ces terreurs d'un moment
Se perdaient dans le cours d'un long enchantement.
Moi-même dans tes bras, livrée à tes caresses,
Je riais de ma peur, pour croire à tes promesses.
Perfide ! je vois bien le remède à mes maux ;
Si je ne t'aimais plus, j'aurais plus de repos ;
Mais quel remède, hélas ! pour le cœur d'Euphrasie !
Il faut m'anéantir, avant que je t'oublie.
Non, je n'ai jamais pu, j'ose ici l'affirmer,

Souhaiter un instant de ne te plus aimer...
Ah ! je n'ai pas du moins ce reproche à me faire :
Je bénis mon destin, et ma douleur m'est chère.
Ingrat, loin que par moi ton sort soit envié,
C'est toi seul que je plains, et tu me fais pitié.
Accablé du fardeau de tes nouvelles chaînes,
Tes froids amusements ne valent pas mes peines :
Vos maîtresses de France, attristant leur vainqueur,
Savent jouir de tout, hors des plaisirs du cœur.
Vous n'êtes qu'un troupeau d'êtres vains et frivoles,
Qui parez tour à tour et brisez vos idoles.
Par un amour si vrai, moi, j'ai su te lier,
Que je te défierais de pouvoir m'oublier.
Frémis ! un vide affreux suivra ton inconstance ;
Tes plaisirs sont passés, et ton ennui commence.
Je ne regrette point ce bonheur imparfait,
Ce calme injurieux où Melcour se complaît ;
Ce calme éteint l'amour ; gémissante et trompée,
Je jouis plus que vous, étant plus occupée.
Plus loin, en d'autres temps, je portais mon espoir,
Quand je passais à peine un seul jour sans vous voir ;
Mais vous m'avez appris à souffrir sans murmure :
De mes timides vœux vous fixez la mesure :
Ah ! n'importe... mon cœur aux regrets est fermé,
Je ne me repens pas de vous avoir aimé...
Ai-je pu m'égarer, quand l'amour m'a conduite !
Oui, je m'enorgueillis d'avoir été séduite.
Eh ! pourquoi donc mon sexe, et timide et borné,
Rougit-il d'un penchant par le ciel ordonné ?
Puisqu'un instant, Melcour, je te fus asservie,
Cet instant engagea le reste de ma vie ;
C'est ma religion, mon culte, mon honneur,
C'est un devoir sacré que j'impose à mon cœur.
Je ne veux point par là te forcer à m'écrire ;
Non, ce n'est pas, crois-moi, le motif qui m'inspire :
Ne consulte que toi, ne suis que ton attrait ;

L'effort blesse l'amour et détruit son bienfait.
Un officier français qui sait ma destinée,
Me parla de toi seul toute la matinée ;
Dieu ! combien je l'aimais pendant cet entretien !
Que je lui savais gré de te vouloir du bien !
Il m'a dit que la paix en France était conclue :
À ce charmant récit mon âme s'est émue...
S'il est vrai, je t'attends, reviens dans nos cantons ;
Ordonne, je suis prête, emmène-moi, partons.
Mon joug est trop pesant ; il faut qu'on m'en délivre ;
Je n'ai plus, loin de toi, le courage de vivre,
Je me meurs ; un nuage obscurcit ma raison,
Et je n'ai de plaisir qu'à prononcer ton nom.
On ne peut m'arracher du réduit solitaire
Où tu vins tant de fois, à l'ombre du mystère,
De la plus pure joie enivrer tous mes sens,
Où ma crédulité préparait mes tourments.
Là, dans moi recueillie, et muette et sauvage
Je couvre de baisers ton insensible image ;
Mais hélas ! au plaisir de contempler tes traits,
Succède la frayeur de ne les voir jamais.
Jamais !... quoi ! pour toujours tu m'as abandonnée !
Celle qui te fut chère est bien infortunée !
Melcour, un faible espoir ne m'est donc plus permis ?
Est-ce là le destin que tu m'avais promis ?...

XIV

Dieu ! qu'ai-je appris ? les vents et les flots orageux
Vous retiennent, dit-on, sur des bords dangereux !
Vos périls m'ont, hélas ! si vivement frappée

Que de mes propres maux je suis moins occupée,
Et votre froid silence entretient ma douleur.
Pourquoi donc me traiter avec tant de rigueur ?
Les autres savent tout !... on n'a rien à me dire ;
Si vous ne trouvez point les moments de m'écrire,
Je suis bien malheureuse, et le suis encor plus,
Si, les ayant trouvés, vous les avez perdus.
Que vous êtes ingrat ! que vous êtes parjure !
Je devrais mesurer la vengeance à l'injure ;
Mais, pour combler mes maux, lorsque tout semble
                                                    [uni,
J'aime encor mieux souffrir et vous voir impuni.
Tout semble m'assurer de votre indifférence ;
N'importe ! mon amour résiste à l'apparence :
Me laissant aveugler sur votre peu de soins,
J'aime mieux me tromper que de vous aimer moins...
Qui ne vous aurait cru l'amant le plus sincère ?
Qu'on soupçonne avec peine un objet qui sait plaire !
Lorsque de vos discours je dois me défier,
La moindre excuse encor me fait tout oublier,
Et, même dans l'instant où je me crois trahie,
Par ma bouche accusé, mon cœur vous justifie.
Que de pièges tendus au-devant de mes pas !
Ne regardant que vous, je ne les voyais pas.
De nuages brillants vous m'avez entourée,
Vos transports me charmaient, vos soins m'ont
                                                [enivrée ;
Je croyais vos discours, je croyais vos serments,
Ces serments fugitifs, emportés par les vents :
Des fleurs couvraient l'abîme où vous m'avez conduite ;
Plus que le reste encor mon penchant m'a séduite.
Je croyais respirer dans un monde enchanté,
Et mon erreur alors était ma volupté...
Vous m'avez tout ravi : quelle est votre injustice !
Si j'eusse à vos désirs opposé l'artifice,
Si vous eussiez en moi vu ces ménagements,

267

Et cet art d'irriter les crédules amants,
Cet art de tourmenter les cœurs que l'on attire,
Je vous pardonnerais d'user de votre empire ;
Je l'aurais mérité ; mais, vous le saviez bien,
J'ignorais votre amour quand vous vîtes le mien.
Le vôtre enfin parla, je crus à son langage ;
Le sentiment en moi devança votre hommage,
Et vous, sans partager mes transports indiscrets...
Que prétendiez-vous donc ? quels étaient vos projets ?
Vous auriez pu trouver une amante aussi belle,
Qui, durant quelques jours, vous eût été fidèle,
Qui vous aurait donné ces vulgaires plaisirs
Que poursuit au hasard l'erreur de vos désirs,
Dont votre absence au moins n'eût point troublé la vie,
Et que vous auriez pu laisser sans perfidie ;
Vous m'avez préférée ! ah ! cruel, je le vois,
Tout vous semble facile et permis contre moi.
S'il m'eût fallu vous fuir, vous auriez vu, perfide,
Qu'un cœur qui sait aimer n'est plus un cœur timide.
Les menaces, les cris n'auraient pu m'étonner,
Rien ne m'aurait contrainte à vous abandonner...
Et vous saisissez, vous, avec impatience,
Jusqu'aux moindres raisons de retourner en France !
Mais un vaisseau du port était prêt à sortir...
Eh ! qui vous empêchait de le laisser partir ?
Fallait-il, emporté par votre aveugle zèle,
Défier, loin de moi, l'élément infidèle ?
Vos parents ordonnaient, je le sais, j'en conviens ;
Mais vous savez les maux que j'ai soufferts des miens ;
Votre gloire parlait ; je fus sourde à la mienne,
Et votre roi, sans vous, eût défendu la sienne ;
On dit qu'il est sensible autant que fortuné ;
Puisqu'il connaît l'amour, il vous eût pardonné.
Eh quoi ! vous avez lu dans l'âme d'Euphrasie,
Vous pûtes la connaître, et vous l'avez trahie !
Vous avez consenti qu'elle traînât ses jours

Dans le regret qui suit les volages amours !
Ma jeunesse s'éteint et meurt dans l'amertume,
La douleur me dévore et l'ennui me consume :
Tout ce que l'on m'ordonne excite mon courroux,
Je crois que mes devoirs ne regardent que vous.
Hier, Dona Méles, que j'ai toujours chérie,
Pour calmer les vapeurs de ma mélancolie,
M'entraîna, malgré moi, vers ce balcon riant,
D'où sur le champ de Mars la vue au loin s'étend.
De quel ressouvenir je fus soudain frappée !
L'œil en pleurs, de vos traits l'âme entière occupée,
Je courus m'enfoncer dans mon obscur réduit,
Pour rêver seule à vous, en attendant la nuit.
Rien n'adoucit mes maux : ce qu'on fait pour me
                                        [plaire,
Grâce à mon triste sort n'a que l'effet contraire.
J'étais sur ce balcon le jour, dirai-je heureux ?
Où vos premiers regards ont rencontré mes yeux :
Je crus que ma présence excitait dans votre âme
Les tendres mouvements d'une amoureuse flamme :
Votre main devant moi se plaisait à dompter
Un coursier hennissant, tout fier de vous porter ;
Lorsque vous commandiez à sa fougue indocile,
J'admirais davantage, et j'étais moins tranquille ;
J'aspirais au moment où, pleins de mon désir,
Mes yeux pourraient sur vous reposer à loisir.
Votre port, votre grâce et noble et négligente
Agitaient, malgré moi, mon âme indifférente,
Je sentais un plaisir mêlé de quelque effroi ;
Tout ce que vous faisiez me semblait fait pour moi.
Vous savez de quel prix fut payé ce délire,
Et je m'en plains encor, et j'ose vous l'écrire !
Je dois plutôt le taire : en vous le répétant,
Je ne pourrai jamais vous rendre plus constant,
Et de votre froideur malheureuse victime,
Mes plaintes ne feront qu'attester votre crime.

Mes reproches, mes pleurs, et mes cris douloureux
Pourront-ils, cher Melcour, ce que n'ont pu mes feux ?
Ah ! ma disgrâce est sûre, et trop bien méditée ;
Quel serait mon espoir, quand vous m'avez quittée ?
Pour vous trouver charmant, une autre aura des yeux,
Une autre !... éloigne, ô ciel ! ce présage odieux !
Que fais-je ? je demande, et je veux l'impossible ;
Pourquoi ? je le sais trop, vous êtes peu sensible :
Un long attachement saura vous effrayer,
Et, sans aimer ailleurs, vous pourrez m'oublier ;
Vous le pourrez, Melcour, et, pour m'être infidèle,
Vous n'aurez pas besoin d'une flamme nouvelle...
Lorsque tu me trahis, que n'as-tu cependant,
Plus jaloux de ta gloire, un prétexte apparent !
Mon amour trouverait, dans le sort qui m'accable,
Une ombre de bonheur à te voir moins coupable.
Mais non : sans d'autres nœuds, si vous fuyez ces
                                                [bords,
Vous fuirez le reproche, et craindrez mes transports.
Ah ! n'appréhendez rien ! quelque amour qui
                                                [m'inspire,
Je saurai sur mes sens recouvrer quelque empire,
Je ne me plaindrai plus, et tout me sera doux,
Si je puis respirer le même air avec vous.
Crédule, qu'ai-je dit ? Je me flatte peut-être,
Et m'ignore moi-même, en croyant vous connaître.
Oui, oui, vous aimerez, je suis le seul objet,
Le seul qui sur la terre est pour vous sans attrait !
Vous aimerez ! ah Dieu ! j'aurais dû vous instruire,
Victime de l'amour, à braver son martyre...
Retracez-vous mes maux et mes emportements,
Ce flux et ce reflux de tous les sentiments ;
Songez donc à mes pleurs, rappelez-vous mes craintes,
Mes soupçons inquiets, et mes jalouses plaintes ;
Profitez, croyez-moi, de ces tourments affreux ;
Et que ma peine au moins serve à vous rendre heureux.

270

Vous me dîtes, un jour, mon cœur se le rappelle,
Que vous laissiez en France une amante fidèle ;
L'aimeriez-vous encor ? parlez-moi sans détour,
Et pour vous dans ces lieux n'est-il plus de retour ?
Éteignez sans pitié tout l'espoir qui me reste :
L'espoir, en me flattant, rend mon sort plus funeste.
De ma rivale heureuse envoyez-moi les traits ;
Joignez-y les garants de vos plaisirs secrets ;
Tout ce qu'elle vous dit, vous pouvez me l'écrire,
J'aurai peut-être encor la force de vous lire,
Avec tant d'abandon mon cœur vous est soumis,
Qu'à peine je me crois les reproches permis :
Tout sentiment jaloux me semble illégitime ;
Si j'ose m'y livrer, je crains de faire un crime.
Un Français, pour partir, attend ma lettre... hélas !
Vingt fois je veux finir, et je n'achève pas.
Je crois, en t'écrivant, jouir de ta présence ;
Une lettre aux amants fait oublier l'absence.
La première, Melcour, je dois t'en prévenir,
Contiendra moins de plainte, et tu pourras l'ouvrir.
Je n'y parlerai plus de ma funeste flamme ;
Je veux l'ensevelir dans le fond de mon âme,
Je t'en fais le serment... Plus d'un an s'est passé,
Depuis que cette flamme, ingrat, a commencé.
Pouvais-je croire alors, moi qu'on trouvait si belle,
Que six mois de bonheur feraient un infidèle,
Et que vous fuiriez même, en de lointains climats,
Les plaisirs que l'amour vous gardait dans mes bras !
Pour la troisième fois, votre Français me presse :
Sans doute, comme vous, il quitte une maîtresse ;
De quelque autre victime il veut se séparer,
Et c'est un cœur de plus que l'on va déchirer.
Adieu ! je n'ose, hélas ! écouter mon ivresse
Ni te donner ces noms qu'inventa ma tendresse !
Combien je t'aime encor, et que tu m'es cruel !
Tu ne songes pas même à mon trouble mortel :

Jamais tu ne m'écris ; augmentant mes alarmes,
Chaque nouveau courrier renouvelle mes larmes.
Je risque ce reproche, il te désarmera ;
Mais, si je tarde encor, le Français partira...
Que m'importe qu'il parte et me laisse à moi-même ?
C'est pour moi que j'écris, je parle à ce que j'aime.
Cette lettre aussi bien fatiguerait tes yeux,
Tu ne la lirais point. Qu'ai-je fait, justes cieux ?
À d'éternels malheurs suis-je donc condamnée ?
Ah ! loin de toi, Melcour, pourquoi suis-je enchaînée ?
Pourquoi ?... le sort le veut, laissons-nous opprimer :
J'ose à peine aujourd'hui t'inviter à m'aimer.

XV

Je vais vous oublier, je le veux, je le dois,
Et vous écris enfin pour la dernière fois.
Dieu ! quel calme on éprouve, en sortant d'esclavage !
Je respire... et ce calme est votre heureux ouvrage.
Vous recevrez bientôt, oui, mon cœur y consent,
Tout ce qui peut ici vous rendre encor présent.
J'en ai chargé Méles, Méles ma bien-aimée,
Et qu'à de plus doux soins j'avais accoutumée ;
Je veux que de vos dons il ne me reste rien.
Son zèle me sera moins suspect que le mien ;
Son adroite amitié, que je saurai comprendre,
Sans me causer de trouble, aura l'art de m'apprendre
Qu'on vous a tout remis, chiffres, lettres, portraits.
Que ce dernier surtout me choque et me déplaît !
Je voulais tout jeter dans les ondes du Tage ;
Mais vous auriez toujours douté de mon courage :

J'ai mieux aimé, cruel, convaincre votre esprit,
Et vous donner du moins un instant de dépit...
L'amour est faible encor au moment qu'il se dompte,
Je regrette ces riens et le dis à ma honte.
Quand mon cœur était sûr et fier de vous haïr,
Par je ne sais quel charme ils venaient m'attendrir ;
Je les baignais de pleurs, et je ne puis vous taire
Ce qu'il m'en a coûté, Melcour, pour m'en défaire :
Mais on peut ce qu'on veut, je l'éprouve à mon tour ;
La raison au besoin offre une aide à l'amour...
Je les ai donc quittés ces gages infidèles,
Après mille combats, mille peines cruelles,
Que votre cœur ignore et ne peut définir...
Et dont je rougirais de vous entretenir !
J'ai conjuré Méles, par notre amitié tendre,
De ne m'en point parler, de ne les jamais rendre,
Quand je devrais sur elle essayer tous mes droits,
Et les redemander, pour les voir une fois.
L'excès de mon amour, je l'avouerai sans feindre,
A paru dans l'effort que j'ai fait pour l'éteindre.
Ah ! si j'eusse prévu ces tourments inouïs,
Jamais mon faible cœur ne l'aurait entrepris.
J'aurais bien moins souffert, hélas ! tout m'en assure.
À vous idolâtrer, quoiqu'ingrat et parjure ;
Ce cœur, à tout moment, se sentait désarmé,
Et Melcour odieux était encor aimé.
De mon sexe outragé le refuge ordinaire,
L'orgueil n'a point de part à ce que j'ose faire.
Non, ce n'est point à lui que je dois mon courroux,
Il ne m'a point donné de conseil contre vous ;
J'eusse, après vos mépris, supporté votre haine,
Et l'horreur de vous voir choisir une autre chaîne ;
Il m'eût fallu du moins combattre un sentiment,
Mais votre indifférence est un affreux tourment.
De vos derniers billets la froideur insultante,
Les retours si contraints de votre âme inconstante,

Vos serments d'amitié, votre pitié surtout,
Votre pitié cruelle a mis mon cœur à bout.
Mes lettres, je le vois, vous ont été rendues,
Que ne puis-je douter que vous les ayez lues ?
Vous avais-je prié de me tirer d'erreur ?
Que ne me laissiez-vous une ombre de bonheur ?
Pourquoi donc m'enlever le charme de ma vie ?...
D'où vient m'écriviez-vous ? voulais-je être éclaircie ?
Je voulais croire tout, de vous seul m'occuper ;
Je méritais au moins qu'on daignât me tromper...
Je vois tous vos défauts, je les connais, parjure ;
Vous ne méritiez point une ardeur aussi pure !
Mais, au nom de ce feu qu'il vous faut sacrifier,
Aidez-moi, s'il se peut, vous-même, à l'oublier ;
Surtout promettez-moi de ne jamais m'écrire,
J'aurais peut-être encor du plaisir à vous lire,
Il faudrait vous répondre, il faudrait m'emporter :
Je redoute ce piège, et je veux l'éviter.
De tous mes mouvements laissez-moi la maîtresse.
Sans doute à mes projets rien ne vous intéresse ;
Ne vous en mêlez pas : loin de les avancer,
Peut-être vous pourriez encor les renverser.
Respectez le repos qu'enfin je me prépare,
Et, content d'être ingrat, ne soyez point barbare.
Pour moi, je vous promets de ne vous point haïr ;
Cette haine est trompeuse et pourrait me trahir.
Par mille adorateurs je me vois assiégée ;
Demain, si je le veux, je puis être vengée.
Eh ! par qui ?... quel mortel ranimera mon cœur ?
Il me faut un amant, et non pas un vengeur.
Ah ! les premiers penchants dont la force nous lie,
Laissent des traits profonds que jamais l'on n'oublie.
Un mouvement secret nous ramène toujours
Vers l'objet enchanteur de ces tendres amours ;
On ne goûte sans lui qu'une joie imparfaite,
On se plaît à parer l'idole qu'on s'est faite :

De cent distractions le concours importun,
Montrant tous les plaisirs, ne nous en donne aucun,
Et, par les trahisons la plaie envenimée
Est encor douloureuse après qu'elle est fermée :
Mais on se trouve heureux, à soi-même rendu,
De pleurer quelquefois le bien qu'on a perdu.
Quand même je pourrais, à moi-même infidèle,
M'étourdir dans les nœuds d'une intrigue nouvelle,
Je me fais trop pitié, je plains trop mes ennuis,
Pour exposer un autre à l'état où je suis.
Es-tu content, Melcour, de ton horrible ouvrage ?
Pouvais-je, pour te plaire, endurer davantage ?
Pour me traiter ainsi, que vous ai-je donc fait ?
L'habitante d'un cloître a, dit-on, peu d'attrait :
Et pourquoi donc, cruel ? d'autres soins peu troublée,
Son âme est bien plus tendre, étant plus isolée.
Oui, dans la solitude, on est tout à l'amour ;
On y rêve la nuit, on y pense le jour ;
De l'objet qu'on adore on s'occupe sans cesse,
Et le recueillement augmente encor l'ivresse.
Comment préférez-vous ces volages beautés,
Dont les vœux au hasard sont toujours emportés,
Qu'un spectacle distrait, que la mode promène,
Que le projet d'un bal enivre une semaine,
Qui, sans les satisfaire, épuisent les désirs
Et poursuivent l'ennui de plaisirs en plaisirs ?
Comment permettez-vous cet indigne partage,
Que leur état exige, où l'hymen les engage ?
Croira-t-on que leurs sens, qu'allume un feu plus doux,
Restent toujours éteints dans les bras d'un époux,
Et ne trompant jamais, livrés à ses caresses,
Un amant qui s'endort sur la foi des promesses ?
Si j'en connaissais un qui, froid, inanimé,
Vît ces affreux devoirs sans en être alarmé,
Qui crût facilement ce qu'on pourrait lui dire
Et se soumît aux lois qu'on voudrait lui prescrire,

Que je m'en défierais !... mais je ne prétends plus
Essayer près de vous des efforts superflus :
Les plus pressants motifs m'ont déjà mal servie,
Et je cède au malheur qui s'attache à ma vie.
Fus-je heureuse un instant ? vous voyant tous les jours,
Je m'alarmais d'un rien, et je tremblais toujours :
J'étais au désespoir de n'être pas plus belle,
Je mourais de la peur de vous voir infidèle ;
J'appréhendais enfin jusqu'au souffle du vent,
Dès que vous paraissiez sur le seuil du couvent :
De mes parents pour vous je craignais la colère ;
Lorsque je faisais tout, j'eusse voulu plus faire,
Et j'éprouvais alors le désordre, l'ennui,
Et les mêmes tourments que j'éprouve aujourd'hui...
Que devenais-je, hélas ! si, toujours abusée,
J'eusse volé vers vous pour me voir méprisée ?
Oui, perfide, je vois, malgré tout mon malheur,
Qu'il en était encore un plus grand pour mon cœur.
Le ciel m'éclaire enfin, j'abjure ma folie,
Et je raisonne au moins une fois en ma vie.
Quel changement heureux ! combien il vous plaira !
Combien à ma raison Melcour applaudira !...
Je n'en veux rien savoir, gardez de m'en instruire ;
Je vous ai supplié de ne jamais m'écrire...
As-tu bien réfléchi sur tes torts avec moi,
Et n'en rougis-tu pas, homme ingrat et sans foi ?
Ta conduite est d'un lâche : oui, ton âme inhumaine,
Sous les traits de l'amour, laissait agir la haine :
Et j'ai pu t'adorer ! quel prestige avais-tu ?
Quels sont donc tes attraits, ou quelle est ta vertu ?
Ai-je pu t'applaudir du moindre sacrifice ?
As-tu séché mes pleurs, as-tu plaint mon supplice ?
La chasse a-t-elle moins occupé tes désirs ?
N'as-tu pas, loin de moi, cherché tous les plaisirs ?
Je te hais, je t'abhorre, et j'y suis obligée !
Pour t'excuser jamais, tu m'as trop outragée.

Si le hasard un jour te ramène en ces lieux,
Mes parents vengeront mon opprobre et mes feux.
Je te livre en leurs mains : il est temps que j'expie
Mon abandonnement, ma longue idolâtrie.
Où m'égarai-je ? ô ciel !... je rétracte mes vœux...
J'en frémis et consens que Melcour soit heureux.
Heureux ! et loin de moi !... comment pourrais-tu
[l'être,
Si ton cœur est toujours ce qu'il sut me paraître ?
Que fais-je ? à ma pitié vous reste-t-il des droits ?...
Ah ! je prétends encor vous écrire une fois :
Alors, n'en doutez pas, je serai plus tranquille,
La froideur de mes sens passera dans mon style.
Quel triomphe pour moi de pouvoir, sans chaleur,
Te reprocher ton crime, en accabler ton cœur,
Exhaler mes mépris avec indifférence,
Savourer à longs traits une douce vengeance,
Et te prouver enfin, sans larmes, ni soupirs,
Que j'ai tout oublié, mes maux et mes plaisirs !...
Va, ne sois point si fier de m'avoir captivée.
J'étais jeune, crédule, en un cloître élevée ;
Je ne connaissais rien, je n'avais vu jamais
Que des hommes sans grâce, un monde sans attraits ;
Ce qui m'environnait ressentait l'esclavage,
Et rien autour de moi ne me rendait hommage.
Pour la première fois je m'entendais vanter,
Pour la première fois je croyais exister :
Il semblait qu'à ta voix ma beauté vînt d'éclore.
Que de jours malheureux ont suivi cette aurore !
J'ai vu s'évanouir tout cet enchantement,
Et le charme est rompu des mains de mon amant !
Oui, c'est vous dont les soins ont dessillé ma vue :
Prête à périr, c'est vous qui m'avez secourue.
Je conserve avec soin, je me le suis promis,
Les deux billets si froids que vous m'avez écrits ;
Je les ai sous mes yeux, et je les lis sans cesse,

Pour mieux me garantir d'un retour de faiblesse...
Que je serais heureuse, insensible Melcour,
Si ton cœur n'avait pas rebuté mon amour !
Ah ! je n'y puis songer sans répandre des larmes :
Et dans ces pleurs amers je trouve encor des charmes...
Mais enfin, c'en est fait... je le veux et mon cœur
Soupire après le calme, au défaut du bonheur.
Je me sens résolue à ne vous plus écrire...
Je sens que mon amour... que mon courroux expire.
Il faut donc te quitter, renoncer à ta foi !
Adieu... le monde entier a disparu pour moi.

LETTRE XVI ET DERNIÈRE

MELCOUR À EUPHRASIE

Je ne m'excuse point, les moments sont trop chers ;
Pour voler à tes pieds je repasse les mers.
Âme tendre et céleste, ô charmante Euphrasie,
Je viens te consoler, te consacrer ma vie,
Resserrer pour jamais le plus sacré lien,
Te rapporter mon cœur et réclamer le tien.
Voici l'instant propice où tu vas me connaître ;
Serais-je moins aimé, méritant mieux de l'être ?
J'ai reçu de mon roi la palme des guerriers ;
Tu vas, en les touchant, embellir mes lauriers.
J'aime, je suis Français : dans cette double ivresse,
Je sers avec orgueil la gloire et ma maîtresse ;
Libre enfin par la paix, je hâte mon retour ;
J'ai satisfait l'honneur, il me rend à l'amour.

Seizième Lettre

Me livrant tout entier au désir qui me guide,
Je te ferai rougir de m'avoir cru perfide.
Aux climats que j'habite, eh ! qui pourrais-je aimer ?
Va, mon premier besoin est celui d'estimer.
Va, je connais trop bien nos volages maîtresses ;
Malheur au mortel vrai qui croit à leurs promesses !...
Qui ? moi, te préférer ces objets dangereux,
Changeant vingt fois d'amants sans faire un seul
[heureux ?
Ah ! ce n'est pas à toi qu'on peut être infidèle.
Avec plus de vertu, quelle amante est plus belle ?
Mes crimes apparents, mon silence odieux,
Étaient, je te l'avoue, un projet de mes feux.
De te revoir un jour n'ayant plus l'espérance,
Par les plus saints devoirs retenu dans la France,
Je voulais te guérir, et, par pitié de toi,
Je me donnais des torts pour t'armer contre moi...
Ils ne sont plus... mais ciel ! se croyant oubliée,
Par de coupables nœuds si ton âme liée...
J'en frémis... quels soupçons ! quels noirs
[pressentiments !
S'il est ainsi, crains tout de mes emportements.
J'irais te disputer, dans ma douleur extrême,
À tes parents, à toi... que sais-je ? à ton Dieu même...
Non, tu n'auras point mis de barrière entre nous ;
Je serai ton amant, je serai ton époux.
Si ta famille encor veut traverser nos flammes,
Par les plus forts serments nous unirons nos âmes ;
Je mourrai sur les bords où tu fais ton séjour...
La force de l'hymen est surtout dans l'amour...

Adieu. J'entends les vents, et ta voix qui m'appelle.
Abîme redouté, mer profonde et cruelle,
Tu respectas mes jours quand ils m'étaient affreux,
Respecte-les encor lorsqu'ils vont être heureux.

BIBLIOGRAPHIE SÉLECTIVE

ÉDITIONS ANCIENNES

Anonyme, *Lettres portugaises Traduites en François*, Paris, Cl. Barbin, 1669, 1 vol. in-12, 182 p. (trois éditions la même année).

Anonyme, *Lettres portugaises. Seconde partie*, Paris, Cl. Barbin, 1669, 1 vol. in-12, 151 p.

Anonyme, *Réponses aux Lettres portugaises, Traduites en François*, Paris, J.B. Loyson, 1669, 1 vol. in-12, 92 p., 46 p.

Anonyme, *Responses aux Lettres portugaises*, Grenoble, R. Philippes, 1669, 1 vol. in-12, 144 p.

Les nombreuses rééditions qui suivent (on en dénombre 21 de 1669 à 1675) présentent des modifications qui affectent : 1) le titre, qui devient *Lettres d'une religieuse portugaise* (Amsterdam, Bruxelles, 1669), *Lettres d'amour d'une religieuse portugaise* (Cologne, P. du Marteau, 1669), *Lettres amoureuses d'une dame portugaise* (Amsterdam, van Dyck, 1677) ; 2) l'ordre, qui inverse les lettres II et IV (*Lettres de tendresse et d'amour*, recueil publié par Ch. A. Cailleau, 1778), (l'édition Kleffer, 1821) ; 3) la présentation, qui réunit d'abord les lettres et une série de réponses (Barbin, 1670), puis, dans l'ordre suivant : a) les septs lettres de la *Seconde partie*, b) les cinq lettres de l'édition originale, c) les cinq *Réponses* de Paris et d) les six de Grenoble, soit douze lettres suivies de onze réponses (pour la première fois dans l'édition de La Haye, de Graeff, 1682) ; e) la même réunion se retrouve enfin avec une disposition différente, intercalant après chacune des onze lettres « portugaises » une réponse (pour la première fois dans l'édition de La Haye, de Hondt et van Ellinkhuysen, 1689 : 4) la publication, qui présente les cinq lettres non plus séparément, mais dans des recueils (P. Richelet, *Les plus belles lettres françaises*, 1689, N.F. Du Bois, *Recueil de lettres galantes et amoureuses*, 1699, etc.) ; 5) les imitations, les adaptations, les traductions s'ajoutent à ces avatars.

Pour le détail de la bibliographie des premières éditions, voir P. KOCH, « Concurrence autour des *Lettres portugaises*, éditions autorisées et contrefaçons », *La Bibliographie matérielle*, Paris, C.N.R.S., 1983, p. 147-176.

ÉDITIONS MODERNES

Les Lettres de la religieuse portugaise présentées par Charles Forot, Lyon, I.A.C., 1946.

Lettres portugaises suivies d'une étude historique et de notes par Louise Delapierre, Paris, Le Club français du livre, 1951.

Cl. AVELINE, *Lettres de la religieuse portugaise suivies de... Et tout le reste n'est rien*, Paris, Mercure de France, 1951 et 1959.

Bibliographie sélective

F. Deloffre et J. Rougeot, *Lettres portugaises, Valentins et autres œuvres de Guilleragues*, Paris, Garnier, 1962.

Lettres de la religieuse portugaise, éditées par Piazza, Presses de l'éditeur, 1966.

F. Deloffre et J. Rougeot, *Guilleragues, Chansons et bons mots, Valentins, Lettres portugaises*, Genève, Droz, 1972.

Y. Florenne, *Lettres de la religieuse portugaise*, Paris, Le Livre de poche, 1972.

B. Bray et I. Landy-Houillon, *Lettres portugaises, Lettres d'une Péruvienne et autres romans d'amour par lettres*, Paris, G.F. Flammarion, 1983.

F. Deloffre, *Lettres portugaises suivies de Guilleragues par lui-même*, Paris, Gallimard (Folio), 1990.

Études

L. Cordeiro, *Soror Marianna, a freira portugueza*, Lisbonne, Ferin, 1888 (2/1891).

F.C. Green, « Who was the Author of the *Lettres portugaises* ? », *The Modern Language Review*, 1926, p. 159-167.

M. von Waldberg, *Der empfindsame Roman in Frankreich*, Strasbourg-Berlin, Trübner, 1906.

A. Gonçalves Rodriguez, *Mariana Alcoforado. Historia e Critica de uma fraude literiara*, Coimbra, 1944.

L. Spitzer, « Les *Lettres portugaises* », *Romanische Forschungen*, 1954, p. 94-135 (2/1959).

A. Adam, *Histoire de la littérature française au XVIIe siècle*, Paris, del Duca, 1958, t. IV, p. 168-171.

A. Pizzorusso, *La Poetica del romanzo in Francia (1660-1685)*, Caltanissetta-Roma, S. Sciascia, 1962, p. 79-98.

A. Lebois, « La Portugaise s'appelait Clara Gazul ? », *L'Âge nouveau*, été 1962, p. 95-100 (compte rendu de l'éd. Garnier).

J. Rousset, *Forme et signification. Essai sur les structures littéraires de Corneille à Claudel*, Paris, Corti, 1964.

D. Gras, « La Fiammetta et les *Lettres portugaises* », *Revue de littérature comparée*, 1965, p. 546-574.

W. Leiner, « Vers une nouvelle interprétation des *Lettres portugaises* », *Romanische Forschungen*, 1965, p. 64-74.

Id., « De nouvelles considérations sur l'apostrophe initiale des *Lettres portugaises* », *Romanische Forschungen*, 1966, p. 584-586.

A. Lebois, « Je ne crois pas à Guilleragues », *XVIIe siècle; Recherches et portraits*, Paris, Denoël, 1966, p. 269-290.

F. Deloffre et J. Rougeot, « Le Thème de l'abandon dans les *Lettres portugaises* et la sensibilité de Guilleragues », *Saggi e ricerche di letteratura francese*, 1966, p. 71-98.

H. Coulet, *Le Roman jusqu'à la Révolution*, Paris, Colin, 1967, t. I, p. 223-232.

F. Deloffre et J. Rougeot, « Les *Lettres portugaises* : miracle d'amour ou miracle de culture ? », *C.A.I.E.F.*, 1968, p. 19-37.

G. Mirandola, « Guilleragues e le *Lettres portugaises*. Sviluppi europei di un problema critico », *Studi francesi*, 1968, p. 80-89.

J. Chupeau, « Vanel et l'énigme des *Lettres portugaises* », *R.H.L.F.*, 1968, p. 221-228.

Id., « Remarques sur la genèse des *Lettres portugaises* », *R.H.L.F.*, 1969, p. 307-310.

Id. « Les Remaniements des *Lettres portugaises* dans le recueil des *Plus Belles Lettres françaises* de Pierre

Richelet ; Étude de style », *Le Français moderne*, 1970, p. 44-58.

R. DUCHÊNE, *Madame de Sévigné et la lettre d'amour*, Paris, Bordas, 1970, p. 66-77 et 244-280.

D.E. HIGHNAM, « Les *Lettres portugaises*, passion in search of survival », *Modern Language Quarterly*, 1972, p. 370-381.

J. ROUSSET, *Narcisse romancier. Essai sur la première personne dans le roman*, Paris, Corti, 1972.

J.M. PELOUS, « À propos des *Lettres portugaises*. Comment interpréter l'apostrophe initiale *Considère, mon amour* ? », R.H.L.F., 1972, p. 202-208.

Id., « Styles irréductibles chez Guilleragues », R.H.L.F., 1973, p. 823-825.

Ph. HOURCADE, « Du Plaisir et l'apostrophe initiale de la première *Lettre portugaise* », R.H.L.F., 1973, p. 1043-1045.

M. CUÉNIN, *Marie-Catherine Desjardins. Lettres et billets galants*, Publications de la Société d'Étude du XVIIe siècle, 1975, p. 22-30.

W. LEINER, « L'Amour de Mariane, Du Plaisir et la rhétorique du sentiment. Cheminements de la critique entre mythes et textes », *Œuvres et critiques*, 1976, I, 1, p. 125-145.

J.M. PELOUS, « Une héroïne romanesque entre le naturel et la rhétorique : le langage des passions dans les *Lettres portugaises* », R.H.L.F., 1977, p. 554-563.

Id., Amour précieux, amour galant (1654-1675). Essai sur la représentation de l'amour dans la littérature et la société mondaines, Paris, Klincksieck, 1980.

S.L. CARRELL, *Le Soliloque de la passion féminine ou le dialogue illusoire : étude d'une formule monophonique de la littérature épistolaire*, Tübingen, G. Narr, 1981.

R. DUCHÊNE, *Écrire au temps de Madame de Sévigné*, Paris, Vrin, 1982, p. 11-28.

« Les *Lettres portugaises* », Actes de New-Orleans, Biblio 17. 5, *Papers of French Seventeenth Century Literature*, Paris-Seattle-Tübingen, 1982.

J.M. PELOUS, « La Figure de l'amant dans les *Lettres portugaises* : vers une nouvelle définition des valeurs amoureuses », *Travaux de linguistique et de littérature*, 1982, p. 79-85.

F. DELOFFRE, « Le Bilan du quart de siècle : les *Lettres portugaises* et la critique », *Quaderni di filologia e lingue romanze*, 1984, p. 121-167.

S. GUÉNOUN, « Séparation, séduction, épistolarité : la geste épistolaire », *Visages de l'amour au XVIIe siècle*, Toulouse-Le-Mirail, 1984, p. 205-213.

Th. LASSALLE, « Des questions d'amour aux maximes dans les *Lettres portugaises* », C.L. XVIIe siècle, Toulouse, 1985, p. 51-63.

Concordance des Lettres portugaises, sous la direction de S. Lusignan, Université de Montréal, 1986.

G. MALQUORI-FONDI, « Ancora sulle *Lettres portugaises* : remarques sur un *faux problème* », *Annali dell'istituto universitario orientale*, Sezione romanza, 1986, p. 239-246.

P.A. JANINI « Dai *Sentiments d'amour* alla *lettre amoureuse* : la *seconde partie* delle *Lettres portugaises* », *Quaderni del seicento francese*, Bari, Adriatica et Paris, Nizet, 1987, p. 265-278.

A.M. CLIN et Y. GIRAUD, « Les *Lettres portugaises* "rajeunies" par Dorat », *Œuvres et critiques*, 1987, p. 109-120.

D. BERTRAND, « Tours d'adresse. *Les Lettres de la religieuse portugaise*. Sujet épistolaire et sujet passionnel », Actes du VIe colloque interdisciplinaire de Fribourg, Fribourg (Suisse), Éd. universitaires, 1988, p. 63-73.

G. ABREU, « *Le balcon d'où l'on voit Mertola* : le mirage des points de repère dans les *Lettres portugai*-

ses », *Ariane, Revue d'études littéraires françaises*, 1988, p. 81-91.

F. DELOFFRE, « Les *Lettres portugaises* », *L'Information littéraire*, 1989, n° 4, p. 7-12.

Y. GIRAUD, « Des *Lettres portugaises* pour âmes sensibles », *La Littérature et ses avatars. Discrédits, déformations et réhabilitations dans l'histoire de la littérature*, Actes des cinquièmes journées rémoises (1989), Aux amateurs de livres, 1991, p. 219-231.

W. LEINER, « L'Apostrophe à un destinataire fictif. De l'emploi d'un artifice rhétorique chez les auteurs du XVIIᵉ siècle », *Le Langage littéraire au XVIIᵉ siècle. De la rhétorique à la littérature*, Tübingen, G. Narr, 1991, p. 35-50.

F. DELOFFRE, « La Rhétorique des *Lettres portugaises* », *Le Langage littéraire au XVIIᵉ siècle. De la rhétorique à la littérature*, Tübingen, G. Narr, 1991, p. 147-152.

P. HARTMANN, « Réflexion et communication dans la monodie épistolaire : à propos d'une nouvelle édition des *Lettres portugaises* », *XVIIᵉ siècle*, 1991, p. 275-286.

F. DELOFFRE, « Guilleragues et les *Lettres portugaises*, ou de l'œuvre à l'auteur », *Littératures classiques, Romanciers du XVIIᵉ siècle*, 1991, p. 259-270.

G. MALQUORI-FONDI, Compte rendu de l'édition Deloffre 1990, *Rivista di Letteratura moderne e comparate*, Pise, Pacini, 1992, n° 2, pp. 181-187.

Table

Composition réalisée par NORD COMPO

Achevé d'imprimer en avril 2008, en France sur Presse Offset par
Maury-Imprimeur - 45330 Malesherbes
N° d'imprimeur : 135893
Dépôt légal 1re publication : mai 1993
Édition 03 - avril 2008
Librairie Générale Française - 31, rue de Fleurus -75278 Paris Cedex 06

30/9607/0